박순녀 지음

우리 부모님을 위한
블로그
무작정 따라하기

길벗

우리 부모님을 위한 블로그 무작정 따라하기

The Cakewalk Series – Teach Your Parents How to Use a Blog

초판 발행 · 2015년 10월 31일
초판 4쇄 발행 · 2020년 2월 20일

지은이 · 박순녀
발행인 · 이종원
발행처 · ㈜도서출판 길벗
출판사 등록일 · 1990년 12월 24일
주소 · 서울시 마포구 월드컵로 10길 56(서교동)
대표 전화 · 02)332-0931 | **팩스** 02)322-0586
홈페이지 · www.gilbut.co.kr | **이메일** · gilbut@gilbut.co.kr

기획 및 책임편집 · 황진주 | **디자인** · 박수연
제작 · 이준호, 손일순, 이진혁 | **영업마케팅** · 임태호, 전선하 | **웹마케팅** · 차명환, 지하영 | **영업관리** · 김명자 | **독자지원** · 송혜란, 정은주

일러스트 · 김제도 | **전산편집** · 안나케이(Anna.K) | **출력 및 인쇄** · 두경M&P | **제본** · 경문제책

ISBN 979-11-86659-65-6 03000
(길벗 도서번호 006816)

정가 13,500원

아버님, 어머님!
블로그로 이야기와 정보를 나누고 소통해 보세요!

현장에서 블로그 강의를 하다 보면 블로그를 처음 접하는 분들은 블로그가 무엇인지, 블로그를 왜 하는지, 어디에 만들어야 하는지부터 어려워하는 경우를 많이 보았습니다. 그래서 강의를 진행하면서 받았던 질문들을 떠올리며 그 내용을 바탕으로 이 책을 집필하였습니다. 그러므로 이 책의 내용을 앞에서부터 차근차근 따라하다 보면 혼자서도 블로그의 기능을 쉽게 익힐 수 있을 것입니다.

블로그는 누구나 만들 수 있고, 누구나 글을 쓸 수 있는 인터넷 상의 공간입니다. 다만, 어떻게 운영을 하느냐에 따라 블로그의 의미와 가치가 달라집니다. 오늘날 블로그는 단순히 글을 작성하고 올리는 공간만이 아니라 소식을 전하고 소통하고 공감하면서 블로그 운영자가 주체가 되어 다른 사람들과 특별한 이야기를 나눌 수 있는 활동 공간이 되었습니다.

사소한 것이든, 나만 알고 있는 것이든 간에 누군가에게 꼭 필요한 정보가 되고 즐거움을 주거나, 재미를 줄 수 있다면 그것만으로도 블로그의 역할은 충분할 수 있습니다.

이러한 블로그가 주는 의미를 이해하고 이 책을 시작한다면 마지막 페이지를 덮는 순간 또 다른 온라인 세상이 보일 것이며, 제 2의 인생을 만들어 가는 데에 도움이 될 것입니다.

블로그는 꾸준히 해야 합니다!

블로그 운영에서의 핵심은 지속성입니다. 블로그를 하다 보면 지속적으로 유지하기 어려운 경우가 많습니다. 블로그를 꾸준히 운영하고 활성화하고 싶다면 습관처럼 매일 혹은 일주일 3번 등 일정을 정해 놓고 글을 쓰는 것이 블로그에 재미를 붙이고 지속적으로 운영할 수 있는 원동력이 됩니다.

마지막으로 이 책이 나오기까지 애써 주신 길벗출판사 황진주 님에게 감사드리며, 늘 옆에서 응원해준 가족 모두 사랑합니다.

블로그로 행복한 저자 박순녀

이 책은 이렇게 구성되어 있습니다!

개념 설명 이해하기

책 내용을 따라하기 전에 어떤 내용을 배울 것인지, 어떤 의미인지 설명합니다. 블로그의 기본 개념부터 활용 방법까지 블로그 입문자들도 쉽게 이해할 수 있도록 재미있게 설명합니다.

개념 이해하기

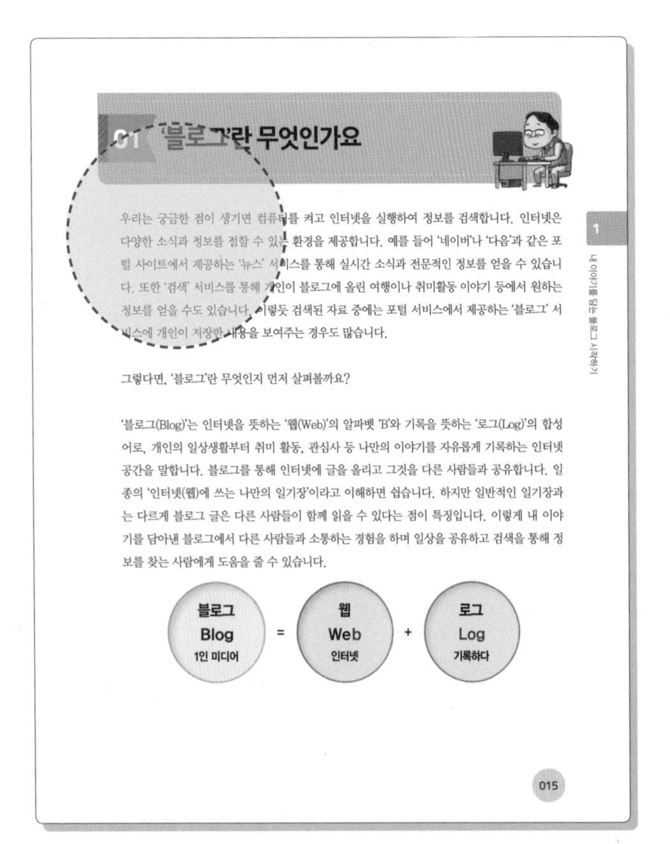

01 '블로그'란 무엇인가요

우리는 궁금한 점이 생기면 컴퓨터를 켜고 인터넷을 실행하여 정보를 검색합니다. 인터넷은 다양한 소식과 정보를 접할 수 있는 환경을 제공합니다. 예를 들어 '네이버'나 '다음'과 같은 포털 사이트에서 제공하는 '뉴스' 서비스를 통해 실시간 소식과 전문적인 정보를 얻을 수 있습니다. 또한 '검색' 서비스를 통해 개인이 블로그에 올린 여행이나 취미활동 이야기 등에서 원하는 정보를 얻을 수도 있습니다. 이렇듯 검색된 자료 중에는 포털 서비스에서 제공하는 '블로그' 서비스에 개인이 저장한 내용을 보여주는 경우도 많습니다.

그렇다면, '블로그'란 무엇인지 먼저 살펴볼까요?

'블로그(Blog)'는 인터넷을 뜻하는 '웹(Web)'의 알파벳 'B'와 기록을 뜻하는 '로그(Log)'의 합성어로, 개인의 일상생활부터 취미 활동, 관심사 등 나만의 이야기를 자유롭게 기록하는 인터넷 공간을 말합니다. 블로그를 통해 인터넷에 글을 올리고 그것을 다른 사람들과 공유합니다. 일종의 '인터넷(웹)에 쓰는 나만의 일기장'이라고 이해하면 쉽습니다. 하지만 일반적인 일기장과는 다르게 블로그 글은 다른 사람들이 함께 읽을 수 있다는 점이 특징입니다. 이렇게 내 이야기를 담아낸 블로그에서 다른 사람들과 소통하는 경험을 하며 일상을 공유하고 검색을 통해 정보를 찾는 사람에게 도움을 줄 수 있습니다.

1

내 이야기를 담는 블로그 시작하기

015

각 마당의 시작 부분에서는 앞으로 배울 내용을 간단하게 소개합니다. 첫째마당에서는 블로그의 개념과 용어를 설명하고 둘째마당부터 블로그를 직접 개설하고 운영하는 방법을 익힙니다.

한 걸음 더

한 걸음 더 **주제별로 인기 있는 블로그 살펴보기**

블로그 주제는 내가 관심을 가지고 있는 것, 내가 좋아하는 것 위주로 선택하면 됩니다. 다만, 블로그를 시작하는 입장에서 블로그의 주제를 하나로 한정 짓지 말고 다양한 블로그를 먼저 살펴본 후 생각해 보세요. 여기서는 블로그 주제를 생각하는 데 도움이 될 수 있도록 각 주제별로 인기 있는 파워블로그를 소개합니다.

1. 영화

▲ 토마스모어의 영화방(http://blog.naver.com/cine212722)

고전영화는 올드하고 재미가 없다는 편견을 없애 주고 고전영화의 색다른 매력을 발견할 수 있는 블로그입니다. 본인이 직접 수집한 고전영화에 대한 방대한 정보를 바탕으로 운영하고 있습니다. 영화를 평하지 않고 제대로 즐기고 싶다는 이야기가 담긴, '영화' 분야에서 인기 있는 블로그입니다.

2. 요리

▲ 정낭자의 빵생빵사, 한국을 넘어 세계빵투어로(http://blog.naver.com/onsili)

단팥빵 소의 양과 질은 빵집마다 하늘과 땅만큼 차이가 있다는 것을 알게 해준 '요리' 분야 파워블로그입니다. 블로거 '정낭자'는 무작정 동네 빵집을 찾아가는 '빵 투어'에 나섰다가 어느새 그 분야 전문가가 됐고, 《정낭자의 빵생빵사》라는 책까지 쓴 빵 전문가입니다. 7년 가까이 탐색한 것을 블로그에 담아내고 있으며, 대표적인 작업으로는 지하철 빵 지도가 있습니다.

024

실력을 좀 더 높이고 싶은 분들은 '한 걸음 더' 내용을 읽어보세요. 꼭 알아야 하는 내용은 아니지만 블로그를 운영할 때 알아두면 편리하거나 유용한 기능들을 소개합니다.

무작정 따라하기

50~70대 분들이 블로그를 운영하면서 꼭 알아둬야 할 기능들을 익힐 수 있도록 구성하였습니다. 잘 보이지 않는 곳은 '돋보기 화면'을 자세히 살펴보며 실습합니다.

무작정 따라하기

06 상단 메뉴 설정하기

블로그 '상단 메뉴'는 블로그 제목 아래에 표시되는 메뉴입니다. 상단 메뉴에는 기본으로 '프롤로그(prologue)', '블로그(blog)'와 '메모(meno)', '안부(guest)'가 설정되어 있습니다. 05장에서 만들어 놓은 카테고리(메뉴) 중에 더 알리고 싶은 메뉴를 상단 메뉴에 추가할 수도 있습니다. 이번 장에서는 상단 메뉴에 카테고리를 추가하는 방법에 대해 알아보겠습니다.

무작정 따라하기

01 상단 메뉴를 설정하기 위해 내 블로그의 시작 화면에서 '프로필 영역'에 있는 '관리'를 클릭합니다.

클릭

068

책에 있는 내용을 따라해 보면서 블로그의 기능을 쉽게 익힐 수 있도록 구성하였습니다. 큰 글씨로 구성하여 책과 컴퓨터를 번갈아 보며 실습하기에 편하고, 책에서 작게 보이는 화면은 '돋보기' 구성을 적용하여 돋보기 없이도 확대한 화면을 볼 수 있습니다.

잠깐만요

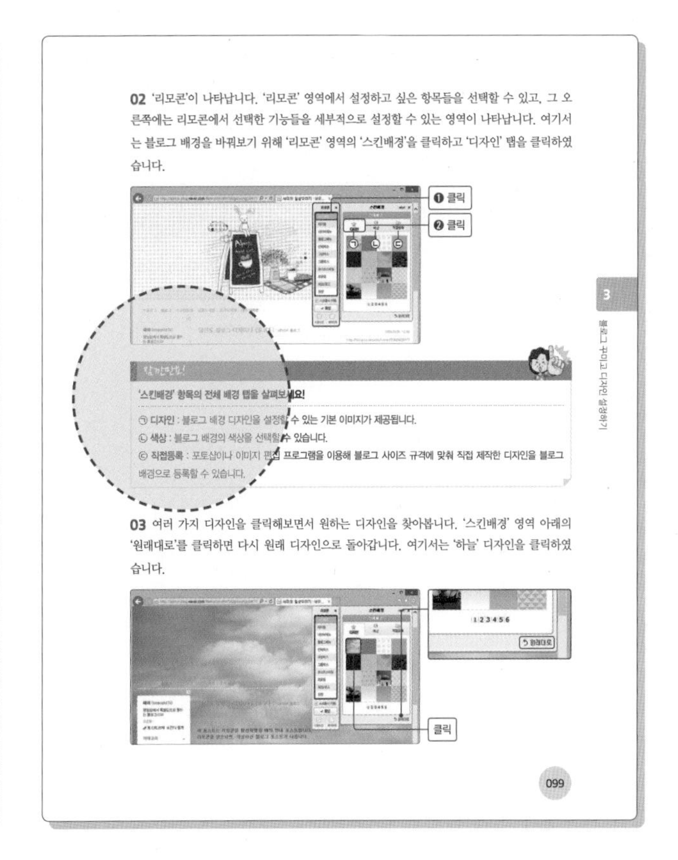
02 '리모콘'이 나타납니다. '리모콘' 영역에서 설정하고 싶은 항목들을 선택할 수 있고, 그 오른쪽에는 리모콘에서 선택한 기능들을 세부적으로 설정할 수 있는 영역이 나타납니다. 여기서는 블로그 배경을 바꿔보기 위해 '리모콘' 영역의 '스킨배경'을 클릭하고 '디자인' 탭을 클릭하였습니다.

❶ 클릭
❷ 클릭

잠깐만요!

'스킨배경' 항목의 전체 배경 탭을 살펴보세요!

㉠ 디자인 : 블로그 배경 디자인을 설정할 수 있는 기본 이미지가 제공됩니다.
㉡ 색상 : 블로그 배경의 색상을 선택할 수 있습니다.
㉢ 직접등록 : 포토샵이나 이미지 편집 프로그램을 이용해 블로그 사이즈 규격에 맞춰 직접 제작한 디자인을 블로그 배경으로 등록할 수 있습니다.

03 여러 가지 디자인을 클릭해보면서 원하는 디자인을 찾아봅니다. '스킨배경' 영역 아래의 '원래대로'를 클릭하면 다시 원래 디자인으로 돌아갑니다. 여기서는 '하늘' 디자인을 클릭하였습니다.

클릭

099

책의 내용을 따라하면서 중간중간 생길 수 있는 궁금한 내용들을 독자의 입장에서 설명하였습니다. 필요한 '잠깐만요' 목록을 목차에서 찾아볼 수 있습니다.

목차

첫째 마당

내 이야기를 담는 블로그 시작하기

둘째 마당

나만의 집, 블로그 멋지게 꾸미기

넷째 마당

블로그 활동의 핵심, 포스팅하기

소통 기능을 이용해 인기 블로그 만들기

첫째 마당

내 이야기를 담는 블로그 시작하기

인터넷에서 검색을 통해 궁금한 점을 찾거나 여행 정보를 얻고, 원하는 음악을 들을 수 있습니다. 이렇게 개인이 인터넷에서 찾은 정보는 다른 사람이 '블로그' 공간에 정리하여 저장해 둔 정보인 경우가 많습니다. 이제 여러분도 단순히 인터넷에서 정보를 찾는 '소비자의 입장'에서 벗어나 다른 사람들이 찾아볼 수 있는 정보를 블로그 공간에서 생산하는 '생산자의 입장'이 되어 보세요. 첫째마당에서는 내 이야기 혹은 정보를 담을 수 있는 '블로그'란 무엇인지, 왜 블로그를 하며, 어떻게 시작하는지 살펴보겠습니다.

어이~ 김씨!
오랜만이구만.
얼마 전에 여행
다녀왔다면서?
응! 아주 재미있게
구경하고 왔어.
근데 거기서 찍은 사진을
인화했더니 이렇게 많네.
이걸 다 언제 정리할지...
coffee & tea
아니~ 사진을
다 뽑았구먼!
자네 요새
컴퓨터하지 않나?
컴퓨터에 사진을
저장하는 것은 아는데
어디에서 무엇을 했는지도
써놓고 싶어서...
아이고...
이 친구야...
그럴 땐 블로그를
하면 되지 않나!
잉?
블로그는 또 뭐야?
일종의 인터넷에
쓰는 일기장이지
거기에 써두면
다른 사람들이 와서
구경도 한다네
손녀들이 와서
댓글도 달지
오오! 그렇게 좋은 게
있단 말이야?
나도 당장 블로그
시작해야겠네!

01 '블로그'란 무엇인가요

우리는 궁금한 점이 생기면 컴퓨터를 켜고 인터넷을 실행하여 정보를 검색합니다. 인터넷은 다양한 소식과 정보를 접할 수 있는 환경을 제공합니다. 예를 들어 '네이버'나 '다음'과 같은 포털 사이트에서 제공하는 '뉴스' 서비스를 통해 실시간 소식과 전문적인 정보를 얻을 수 있습니다. 또한 '검색' 서비스를 통해 개인이 블로그에 올린 여행이나 취미활동 이야기 등에서 원하는 정보를 얻을 수도 있습니다. 이렇듯 검색된 자료 중에는 포털 서비스에서 제공하는 '블로그' 서비스에 개인이 저장한 내용을 보여주는 경우도 많습니다.

그렇다면, '블로그'란 무엇인지 먼저 살펴볼까요?

'블로그(Blog)'는 인터넷을 뜻하는 '웹(Web)'의 알파벳 'B'와 기록을 뜻하는 '로그(Log)'의 합성어로, 개인의 일상생활부터 취미 활동, 관심사 등 나만의 이야기를 자유롭게 기록하는 인터넷 공간을 말합니다. 블로그를 통해 인터넷에 글을 올리고 그것을 다른 사람들과 공유합니다. 일종의 '인터넷(웹)에 쓰는 나만의 일기장'이라고 이해하면 쉽습니다. 하지만 일반적인 일기장과는 다르게 블로그 글은 다른 사람들이 함께 읽을 수 있다는 점이 특징입니다. 이렇게 내 이야기를 담아낸 블로그에서 다른 사람들과 소통하는 경험을 하며 일상을 공유하고 검색을 통해 정보를 찾는 사람에게 도움을 줄 수 있습니다.

블로그 Blog 1인 미디어	=	웹 Web 인터넷	+	로그 Log 기록하다

02 왜 블로그를 하나요

한국인터넷진흥원에서 발표한 '2014년 인터넷 이용 실태 조사' 보고서에 따르면 만 3세 이상 인구의 83.6%가 인터넷을 이용하는 것으로 나타났습니다. 인터넷을 이용하는 이유로는 상품이나 서비스를 검색하는 '자료 및 정보 검색'이 91.1%로 가장 높았고, '이메일이나 SNS 등 다른 사람들과 소통'하기 위한 이유가 그 뒤를 이었습니다. 이렇듯 인터넷 이용자 수가 늘어난 만큼 정보를 찾기 위한 '검색' 활동도 늘어나고 있으며 검색 결과의 중심에는 '블로그'가 있습니다.

그렇다면, 왜 이렇게 많은 사람들이 블로그를 할까요

우선, 인터넷 사용이 일상화되면서 다른 사람들이 블로그에 담긴 글들을 쉽게 접할 수 있게 되었습니다. 또한 컴퓨터를 잘 모르는 사람도 블로그를 쉽게 만들 수 있도록 '네이버'나 '다음'과 같은 포털 사이트에서 블로그 서비스를 제공하는 것이 더욱 인기를 누릴 수 있게 한 원인이 되었습니다. 나만의 인터넷 공간이 주어지고 그곳에 다양한 이야기를 올릴 수 있는 매력도 인기의 이유가 되었지요. 이러한 개인 블로그 공간을 개설하고 운영하는 이유는 사람마다 다양합니다.

1. 소소한 개인 일상을 기록할 수 있습니다

네이버 파워블로그에 선정된 한 분의 인터뷰 내용을 본 적이 있습니다. 블로그를 시작할 때쯤 아들과 함께 이곳저곳을 많이 돌아다녔다고 합니다. 아들이 '기차'를 주제로 한 어린이 프로그램을 좋아하다보니 실제 기차도 좋아하게 되었기 때문이죠. 그런데 하루는 철도가 폐선된 구간을 갔는데 아들이 진짜 이런 곳에 기차가 다녔냐고 물어보더랍니다. "그럼 다녔지!"라고 자신 있게 대답했는데 막상 설명해 주려니 사진이나 기록이 없었다고 합니다. 그래서 사라져가는 풍경들에 대해 관심을 갖기 시작했고 우리나라 간이역들을 돌아보며 블로그에 기록을 남기게 되었다고 합니다.

▲ 기차와 함께 하는 여행(http://blog.naver.com/lovtrout)

블로그는 글로 남기고 싶은 것을 우연히 발견하게 된 이유부터 그것을 기록으로 남기려는 행동으로까지 연결되어 시작되는 경우가 많습니다. 그래서 블로그는 주로 개인의 일상생활이나 취미 활동, 관심사 등의 나만의 이야기를 자유롭게 기록하는 공간으로 사용됩니다.

2. 정보와 지식을 공유할 수 있습니다

블로그를 소소한 일상을 다루는 곳이 아닌, 개인이 갖고 있는 지식이나 습득한 구체적인 정보를 수많은 사람과 공유하기 위한 공간으로 사용하기도 합니다. 개인이 알고 있는 유용한 정보나 경험, 노하우 등을 블로그를 통해 많은 사람들에게 공감을 얻고 가치 있는 정보로 활용될 수 있습니다.

여행을 좋아하는 사람이라면 여행을 하면서 겪었던 일들이나 여행지 정보를 올리기도 하고, 제품을 사용한 후 제품의 특징이나 사용한 경험 등을 블로그에 올리면 다른 사람들이 이와 관련된 정보를 검색했을 때 소중한 정보가 되며, 공감을 통해 커뮤니티(모임)를 형성하기도 합니다.

3. 나의 가치를 끌어올려 개인 브랜드를 만들 수 있습니다

내가 갖고 있는 정보와 지식을 블로그에 지속적으로 올리면 자연스럽게 인터넷 검색에 노출되고 방문자들이 내 블로그에 방문하게 됩니다. 이렇게 방문자들이 점차 늘어나면서 블로그를 개인의 가치를 끌어올려 브랜드화 하는 도구로 사용하기도 합니다.

평범했던 개인이 블로그에 지속적으로 글을 올리다보면 그 분야의 전문적인 정보까지 다루는 블로그 운영자가 되고 개인 브랜드가 만들어집니다. 예를 들어, 요리를 좋아한다면 요리를 직접 하면서 찍은 사진과 요리 과정 및 정보를 블로그에 공유할 수 있겠죠. 그리고 꾸준한 블로그 활동을 통해 요리 전문가로 개인 브랜드가 형성되면 요리책을 내거나 요리 강사로 활동하는 기회를 얻을 수 있고 다양한 전문가로 거듭나기도 합니다.

4. 비즈니스에 필요한 홍보나 광고 등의 마케팅 공간으로 활용할 수 있습니다

블로그를 비즈니스에 필요한 광고나 홍보와 같은 마케팅에 활용하기도 합니다. 기업에서 운영하는 기업 블로그부터 개인 상점 블로그까지 블로그를 통해 자사의 브랜드 및 제품, 서비스를 알리고 있죠. 블로그에 제품 리뷰를 올리거나 이벤트를 진행하면서 고객과의 신뢰를 쌓고 접근성을 유지할 수 있답니다. 체험 글을 통해 직접 구매로 연결되는 효과도 있습니다. 그러므로 개인 사업자나 소규모 사업장을 운영하는 경우라면 블로그를 고객과 소통하는 통로로 사용하면 좋습니다.

03 블로그는 어디서, 어떻게 만드나요

앞서 블로그는 무엇인지, 왜 하는지에 대해 살펴보았다면, 이제 본격적으로 블로그를 어디서 어떻게 만들지 선택해야 합니다. 블로그 서비스는 크게 두 가지로 나뉘는데, '네이버'나 '다음'과 같은 포털 사이트에 가입하기만 하면 자동으로 블로그 서비스가 제공되는 '가입형'과 직접 도구를 다운로드 받아 사용자가 설치하여 사용하는 '설치형'이 있습니다.

1. 가입형 블로그

가입형 블로그는 포털 사이트에 가입할 때 만든 아이디 한 개당 하나의 블로그를 운영할 수 있습니다. 이미 '네이버'나 '다음'과 같은 포털 사이트에 회원으로 가입되어 있다면 해당 사이트에서 내 블로그를 확인할 수 있으며 블로그 초보자를 위해 누구나 쉽게 사용할 수 있도록 다양한 기능이 마련되어 있습니다.

2. 설치형 블로그

설치형 블로그는 블로그 설치 프로그램을 다운로드 받아 컴퓨터에 설치해서 만들어야 합니다. 대표적으로 '제로보드'와 '텍스트큐브', '워드프레스' 등이 있습니다. 설치형 블로그는 사용자가 원하는 대로 자유롭게 블로그를 꾸미고 구성할 수 있도록 기능을 제공한다는 장점이 있는 반면, 블로그를 운영하기 전에 해당 프로그램 사용법을 익혀야 하고 초보자가 접근하기에는 어렵다는 단점이 있습니다.

3. 혼합형 블로그

가입형과 설치형이 결합된 혼합형 블로그도 있습니다. 서비스를 제공하는 사이트에 가입을 하고 여기서 제공하는 블로그 소스를 수정하여 운영할 수 있으며 가입형 블로그보다 전문적인 틀을 제공한다는 것이 특징입니다. '티스토리'가 대표적입니다.

초보자에게 알맞은 '가입형' 블로그

위에서 설명한 다양한 블로그 중에 초보자가 운영하면 가장 좋은 블로그 형태는 '가입형'입니다. 포털 사이트에 회원 가입을 하면 자동으로 블로그 서비스를 이용할 수 있고, 무엇보다 쉽고 편하게 운영할 수 있다는 장점이 있기 때문이지요. 또한, 글쓰기 도구가 제공되어 수월하게 글을 작성할 수 있으며 기본 기능만 숙지하면 운영하기 쉬워 초보 블로거들이 가장 많이 사용하는 블로그 형태입니다.

블로그를 개설할 포털 사이트 선택

네이버는 회원 가입을 하면 자동으로 블로그가 개설되기 때문에 국내에서 가장 많은 이용자 수를 갖고 있으며, 이용자 수가 많은 만큼 블로그 운영자 수도 많습니다. 이용자 수가 많아야 블로그의 글이 노출되는 횟수가 많아지고, 많은 방문자들이 블로그에 들어오므로 블로그를 운영하는 입장에서는 지속적으로 블로그를 운영할 수 있는 원동력이 되기도 합니다.

이 책에서는 여러 가지 가입형 블로그 중에서 '네이버' 블로그를 중심으로 다룹니다. 네이버 블로그는 가입도 쉽고 방문자 유입률도 높으며, 소셜미디어와의 연계도 수월하고 모바일 블로그로도 쉽게 연동하여 운영할 수 있어 초보자가 운영하기에 매우 적합합니다.

04 어떤 블로그를 만들고 싶은가요

어떻게 활동할 것인지 미리 계획을 세워보세요

무슨 일이든 시작하기 전에 계획을 세우는 것이 중요합니다. 블로그도 마찬가지입니다. 하루아침에 뚝딱 만들어 몇 번 글을 쓰고 저장하다가 끝나버리면 안되니까요. 블로그를 만들고 꾸준히 운영할 수 있으려면 블로그에 어떤 내용을 주로 담을 것인지 생각해 보는 것이 중요합니다. 아래 질문에 대해 답하면서 앞으로 나는 어떤 블로그를 만들 것인지 계획해보세요.

- 왜 블로그에 관심을 갖게 되었나요?
- 앞으로 블로그에 어떤 내용을 담고 싶은가요?
- 어떤 주제를 가지고 글을 쓰고 싶은가요?
- 일주일 혹은 한 달간 몇 회 정도 글을 쓰고 블로그에 게시할 예정인가요?

잠깐이지만, 질문에 대한 답을 생각해보셨나요?

처음 블로그를 개설하면서 제일 먼저 고민하는 내용이 '어떤 내용을 올릴까?'입니다. 무엇을 담아낼 것인가에 따라 블로그의 운영 목적도 달라집니다. 위 고민을 해결하려면 자신의 관심분야를 정해두고 이와 관련된 블로그의 주제를 찾아보는 것이 좋습니다.

블로그 운영 목적 및 주제	
블로그 제목	
블로그 별명(닉네임)	
블로그 소개 글	
블로그 메뉴	

인기 있는 블로그들을 방문해 보세요

사람들이 많이 찾는 맛집에는 분명 숨겨진 비법이 있습니다. 그래서 음식점을 창업할 때에는 여러 군데 맛집을 찾아다니며 그 집만의 숨은 노하우를 배우고 익혀 내 것으로 만들려고 하지요. 블로그도 마찬가지입니다. 블로그를 처음 시작할 때에 어떻게 만들지, 무슨 내용을 담아야 할지 막연할 때가 있습니다. 그럴 때에는 인기 있는 블로그들을 방문해 보면 도움이 됩니다.

인기 있는 블로그를 방문하면 나만의 특색 있는 블로그를 운영하기 위한 주제를 찾아보는 데 도움이 됩니다. 파워블로그를 방문해 보면서 내 블로그에 담을 정보를 적어봅니다. 작성하기 어렵다면 이 책을 다 익히고 난 후 다시 작성해보도록 합니다.

주제별로 관심 있는 블로그를 찾아보세요

네이버에는 주제별로 블로그를 모아 볼 수 있는 블로그 영역이 있습니다. 이곳에서 이미 활동하고 있는 블로그를 방문하여 블로그의 주제, 내용, 디자인 등을 꼼꼼히 살펴보면 내가 운영하고자 하는 블로그에 대한 아이디어를 얻을 수 있게 됩니다.

네이버 블로그 시작 화면을 보면 화면 상단에 '주제별' 메뉴를 확인할 수 있습니다. '영화', '책', '요리', '국내여행', 'IT' 메뉴에서 원하는 메뉴를 클릭하면 해당 주제에 관련된 블로그 목록을 확인할 수 있습니다. '모든 주제'는 크게 엔터테이먼트 · 예술 분야, 생활 · 노하우 · 쇼핑 분야, 취미 · 여가 · 여행 분야, 지식 · 동향 분야 등 다양한 주제의 블로그를 살펴볼 수 있고, '파워블로그' 메뉴를 클릭하면 네이버 블로그 중 가장 인기 있는 블로그를 찾아볼 수 있습니다. 이렇게 관심 있는 분야를 살펴보면 내 블로그 주제를 정하는 데 도움이 됩니다.

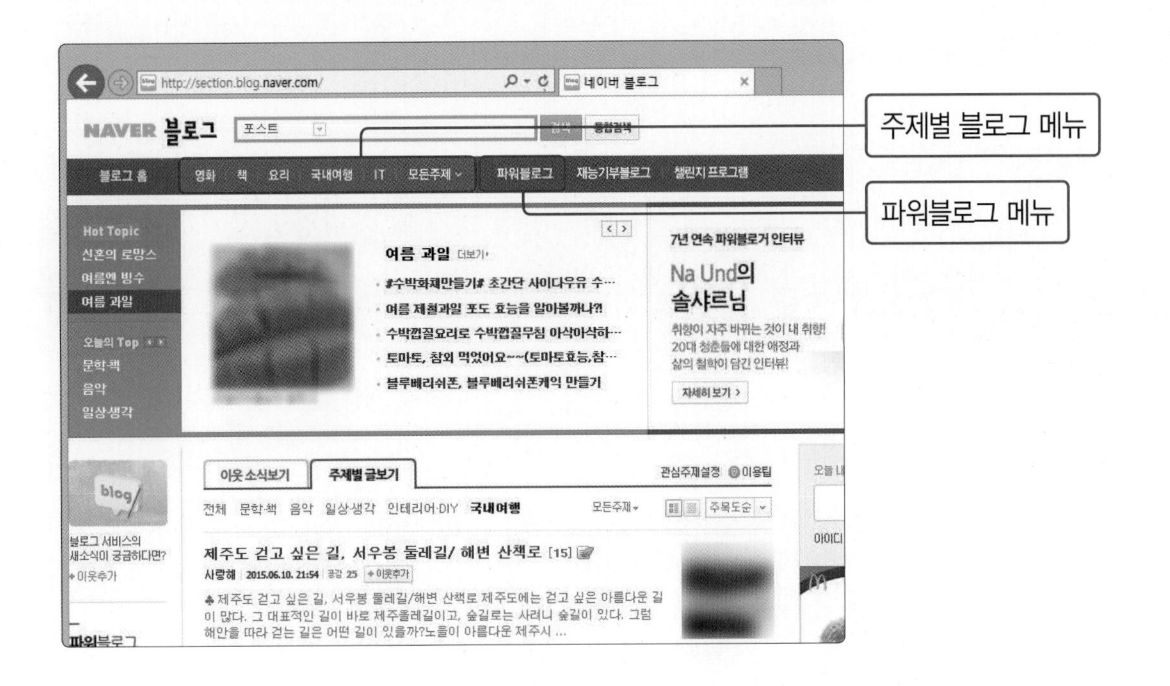

블로그 주제 중에 '요리' 메뉴를 클릭하면 아래 그림과 같이 요리와 관련된 글 목록이 나타납니다. 이 중에서 마음에 드는 글을 클릭해서 블로그를 직접 방문해보세요. 다른 글들도 클릭해서 여러 블로그를 방문해 보면 내 블로그를 운영하는 데 도움이 됩니다.

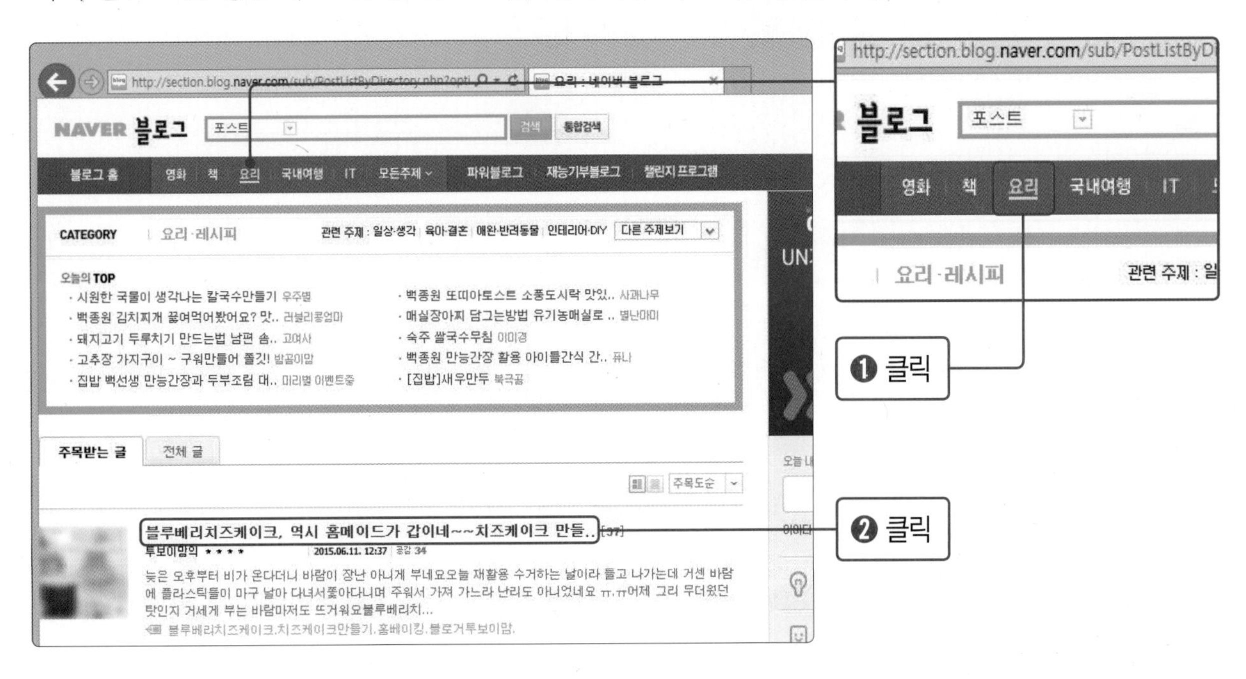

한 걸음 더 주제별로 인기 있는 블로그 살펴보기

블로그 주제는 내가 관심을 가지고 있는 것, 내가 좋아하는 것 위주로 선택하면 됩니다. 다만, 블로그를 시작하는 입장에서 블로그의 주제를 하나로 한정 짓지 말고 다양한 블로그를 먼저 살펴본 후 생각해 보세요. 여기서는 블로그 주제를 생각하는 데 도움이 될 수 있도록 각 주제별로 인기 있는 파워블로그를 소개합니다.

1. 영화

▲ 토마스모어의 영화방(http://blog.naver.com/cine212722)

고전영화는 올드하고 재미가 없다는 편견을 없애 주고 고전영화의 색다른 매력을 발견할 수 있는 블로그입니다. 본인이 직접 수집한 고전영화에 대한 방대한 정보를 바탕으로 운영하고 있습니다. 영화를 평하지 않고 제대로 즐기고 싶다는 이야기가 담긴, '영화' 분야에서 인기 있는 블로그입니다.

2. 요리

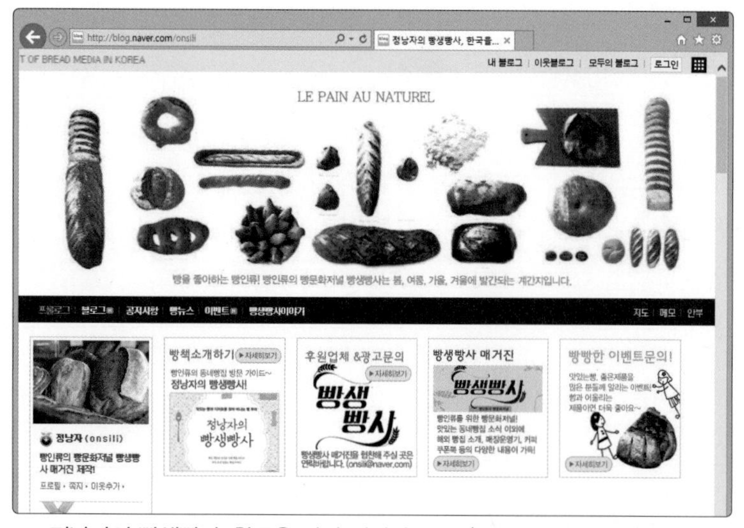

▲ 정낭자의 빵생빵사, 한국을 넘어 세계빵투어로(http://blog.naver.com/onsili)

단팥빵 소의 양과 질은 빵집마다 하늘과 땅만큼 차이가 있다는 것을 알게 해 준 '요리' 분야 파워블로그입니다. 블로거 '정낭자'는 무작정 동네 빵집을 찾아가는 '빵 투어'에 나섰다가 어느새 그 분야 전문가가 됐고, 《정낭자의 빵생빵사》라는 책까지 쓴 빵 전문가입니다. 7년 가까이 탐색한 것을 블로그에 담아내고 있으며, 대표적인 작업으로는 지하철 빵 지도가 있습니다.

3. 책

▲ 천천히 꾸준히(http://blog.naver.com/ljb1202)

투자를 위해 책을 읽기 시작했는데 지금은 1년에 200권 내외의 책을 읽고 블로그에 책 리뷰를 쓰고 있는 '핑크팬더' 님의 블로그입니다. 책은 읽는 것이 중요한 것이 아니라 읽은 후에 내 것으로 만들고 생각하는 것이 중요함을 블로그를 통해 알려주고 있습니다. 책을 읽고 리뷰를 남기다가 책을 집필하기도 했습니다.

4. 여행

▲ 기차와 함께 하는 여행(http://blog.naver.com/lovtrout)

기차를 좋아해서 철도회사에 다닌다는 블로거 '스팀로코' 님. 블로그 활동 10년 차이며, 블로그 주제도 '기차와 함께 하는 여행'으로 블로그의 모토가 '기차를 즐기자'입니다. 기차를 타고 꼭 어디를 가는 게 목적이 아니라 타고 가는 그 과정을 즐기자는 뜻이라고 합니다. 목적지에 가는 과정이 하나의 멋진 여행이 될 수 있음을 글을 통해 알려주고 있습니다.

5. 기타

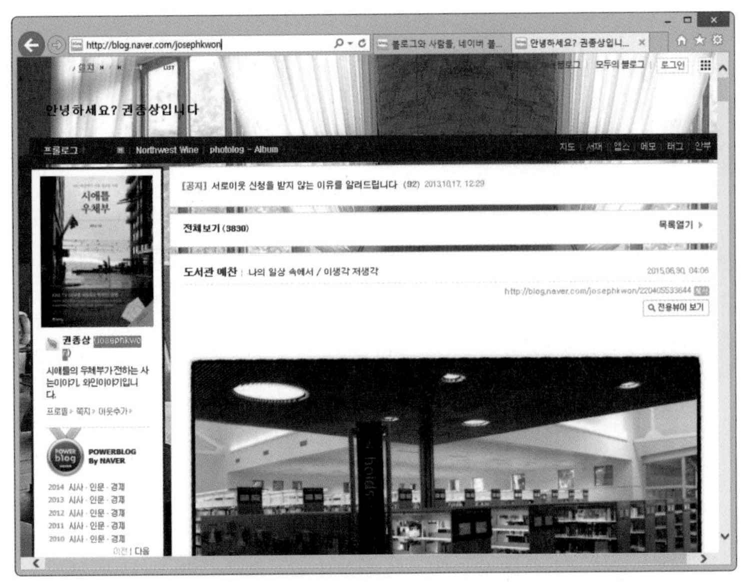

▲ 안녕하세요 권종상입니다(http://blog.naver.com/josephkwon)

미국 시애틀에서 근무 중인 우체부 '권종상' 님의 블로그는 7년 연속 네이버 파워블로그로 선정되었습니다. 와인부터 시사, 인문학 분야 파워블로거로 선정돼 온 그는, 어디선가 와인이 몸에 좋다는 기사를 읽고, 와인에 대해 관심을 가지기 시작했으며 '한국 와인은 왜 비쌀까'라는 궁금증을 해결하기 위해 본격적으로 글을 올리게 되었다고 합니다. 지금도 재미있다고 생각하는 주제를 남들과 나눠 보겠다는 생각으로 블로그를 운영하고 있다고 합니다.

▲ 올빼미 화원(http://blog.naver.com/manwha21)

도시농부 13년 차! 많은 블로거들이 '올쌤'이라고 부르며 따르는 도시농업계의 선구자 '올빼미' 님의 블로그입니다. '올빼미' 님은 도시농업을 시작하고 나서 삶에 많은 변화를 느꼈다고 합니다. '도시 농업'에 대해 더욱 많은 사람들에게 알려주고 싶어서 블로그를 이용하게 되었고 그 과정을 다른 사람들도 궁금해 할 것 같아서 블로그에 정보를 공유하기 시작했습니다.

05 포털 사이트에 회원 가입하기

이제 본격적으로 블로그를 운영하기 위해 네이버에 회원 가입을 하겠습니다. 포털 사이트에 회원으로 가입하면 가입과 동시에 블로그 서비스를 사용할 수 있습니다. 이 책에서는 '네이버'를 기준으로 회원 가입 방법과 블로그 운영 방법을 설명합니다. 이미 네이버에 회원 가입이 되어 있다면 해당 아이디로 로그인하여 블로그 서비스를 사용할 수 있으므로 아래 내용을 건너뛰어도 됩니다.

무작정 따라하기

01 컴퓨터를 켜고 바탕화면 또는 작업 표시줄에서 'Internet Explorer' 아이콘(e)을 클릭합니다.

02 인터넷 익스플로러가 실행되면 주소 표시줄에 『www.naver.com』을 입력하고 Enter를 눌러 네이버 사이트를 실행합니다. 네이버 시작 화면에서 오른쪽에 있는 '회원가입'을 클릭하세요.

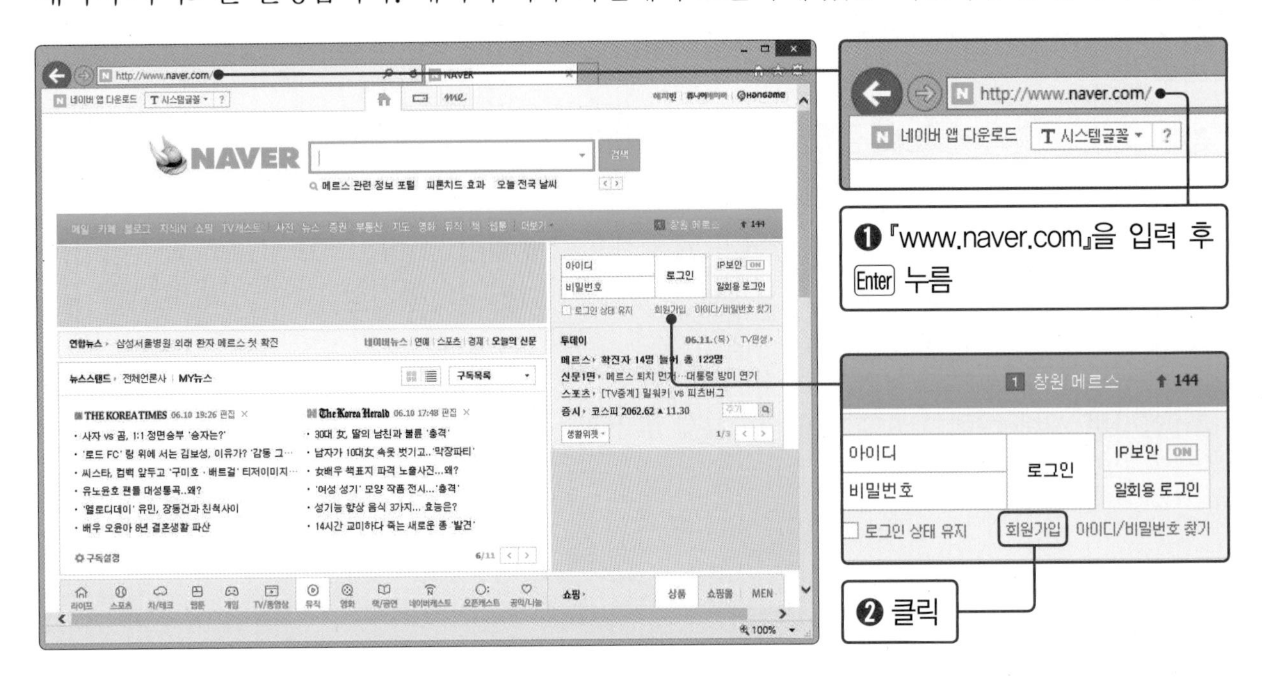

03 이용약관과 개인정보 수집 및 허용, 위치정보 이용약관 등에 대한 안내문이 나타납니다. 각 항목을 살펴본 후 화면 오른쪽 위에 있는 '이용약관, 개인정보 수집 및 이용, 위치정보, 이용약관...에 모두 동의합니다.'를 클릭해 ✓ 표시하세요. 내 위치정보를 제공하고 서비스를 이용하는 '위치기반 서비스'를 이용하고 싶지 않다면 '위치정보 이용약관 동의'를 클릭해 ✓ 표시를 해제합니다.

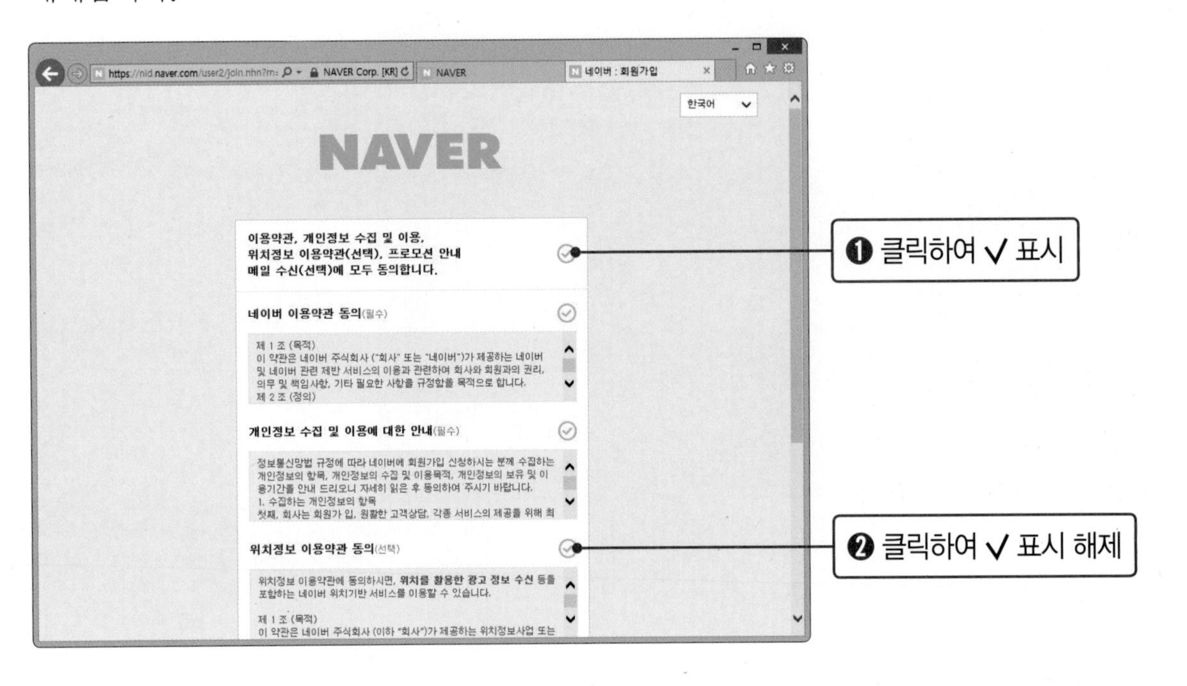

04 자동으로 화면이 아래쪽으로 이동하면 맨 아래의 [동의] 버튼을 클릭하세요.

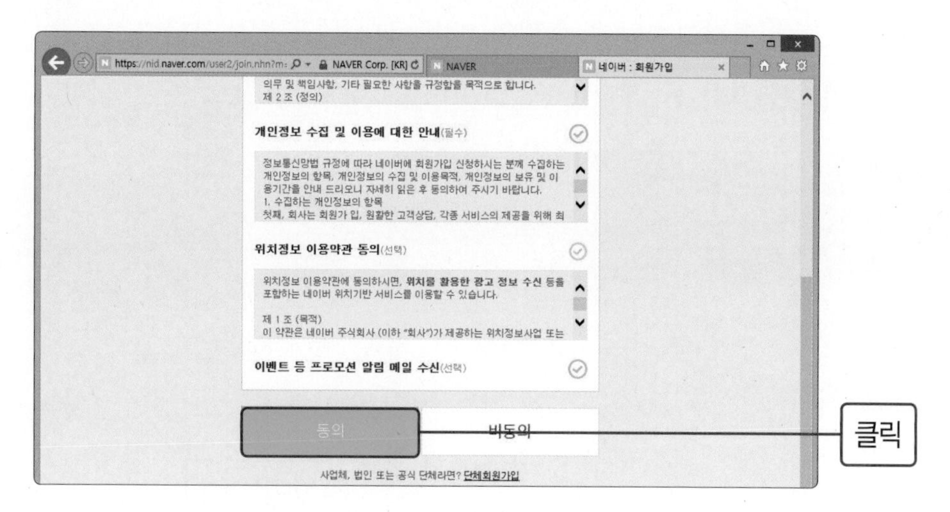

05 회원정보를 입력하는 화면이 나타납니다. '아이디' 입력란에 앞으로 내가 사용할 아이디를 입력하세요. 아이디는 간단하고 기억하기 쉬운 단어로 정하세요. '멋진 아이디네요!'라는 문구가 나타나면 입력한 아이디를 사용할 수 있다는 뜻입니다.

'비밀번호' 입력란에 영문, 숫자 등을 6~16자로 조합해 입력하세요. '비밀번호 재확인' 입력란에 비밀번호를 한 번 더 입력합니다.

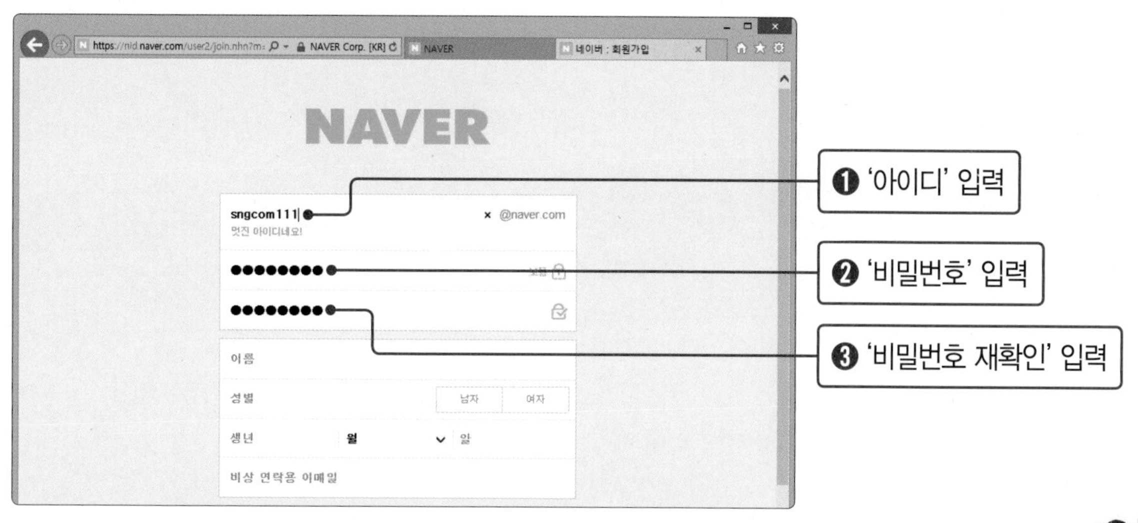

잠깐만요!

'아이디' 입력란에 '이미 사용 중 이거나 탈퇴한 아이디입니다'라고 나와요!

빨간색 글씨로 '이미 사용 중 이거나 탈퇴한 아이디입니다'라는 문구가 나오면 다른 사람이 그 아이디를 이미 사용하고 있다는 뜻입니다. 위 화면처럼 '멋진 아이디네요!'라는 문구가 나올 때까지 아이디를 변경해서 입력하는 과정을 반복해야 합니다.

06 '이름' 입력란을 클릭해 내 이름을 입력합니다. '성별'을 선택합니다. '생년월일' 항목의 '연도' 입력란을 클릭해 키보드로 입력하고, '월'을 클릭한 다음 해당 월을 선택합니다. '일'은 입력란을 클릭한 후 키보드로 입력합니다.

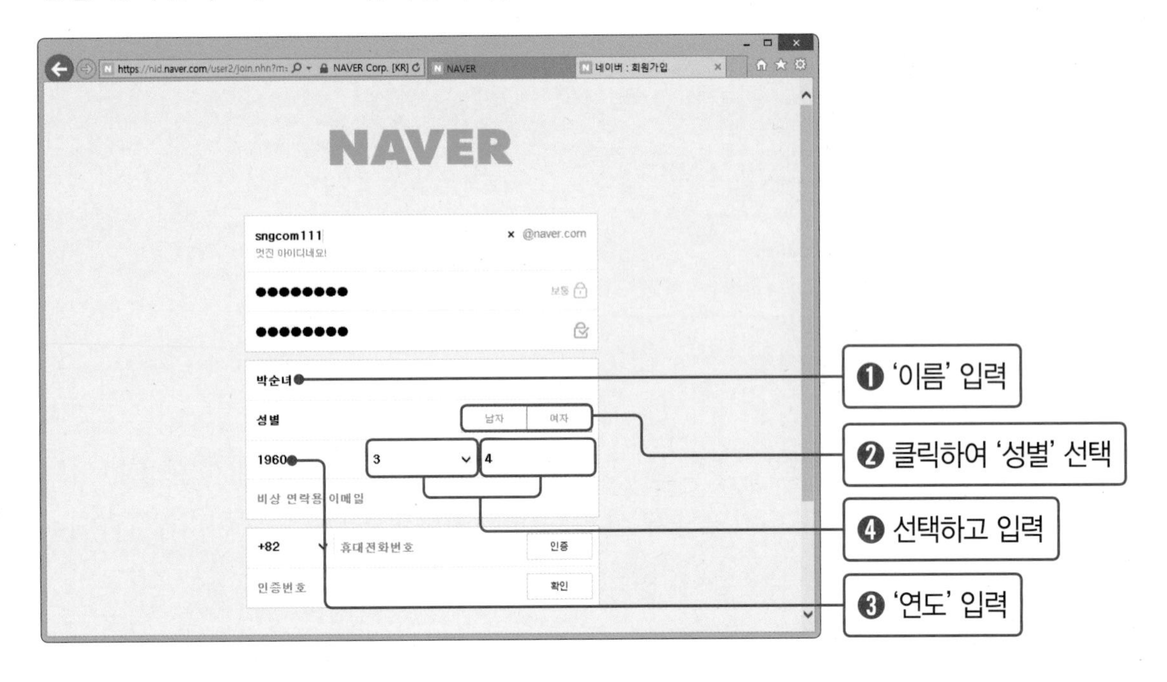

07 '휴대전화번호' 입력란을 클릭하여 내 휴대폰 번호를 입력한 후 [인증] 버튼을 클릭하세요. '인증번호가 발송되었습니다.'라는 문구가 나타납니다. 잠시 후에 내 휴대폰으로 문자 메시지가 옵니다.

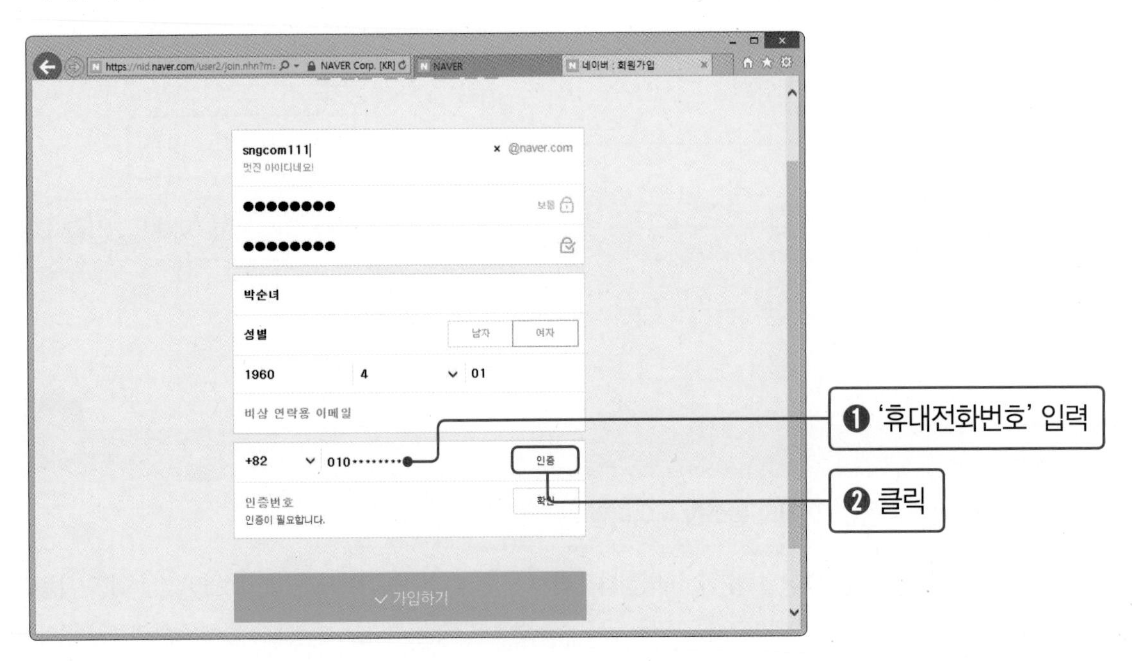

08 위의 과정에서 입력한 휴대폰으로 도착한 문자 메시지를 열면 네이버 인증번호를 확인할 수 있습니다.

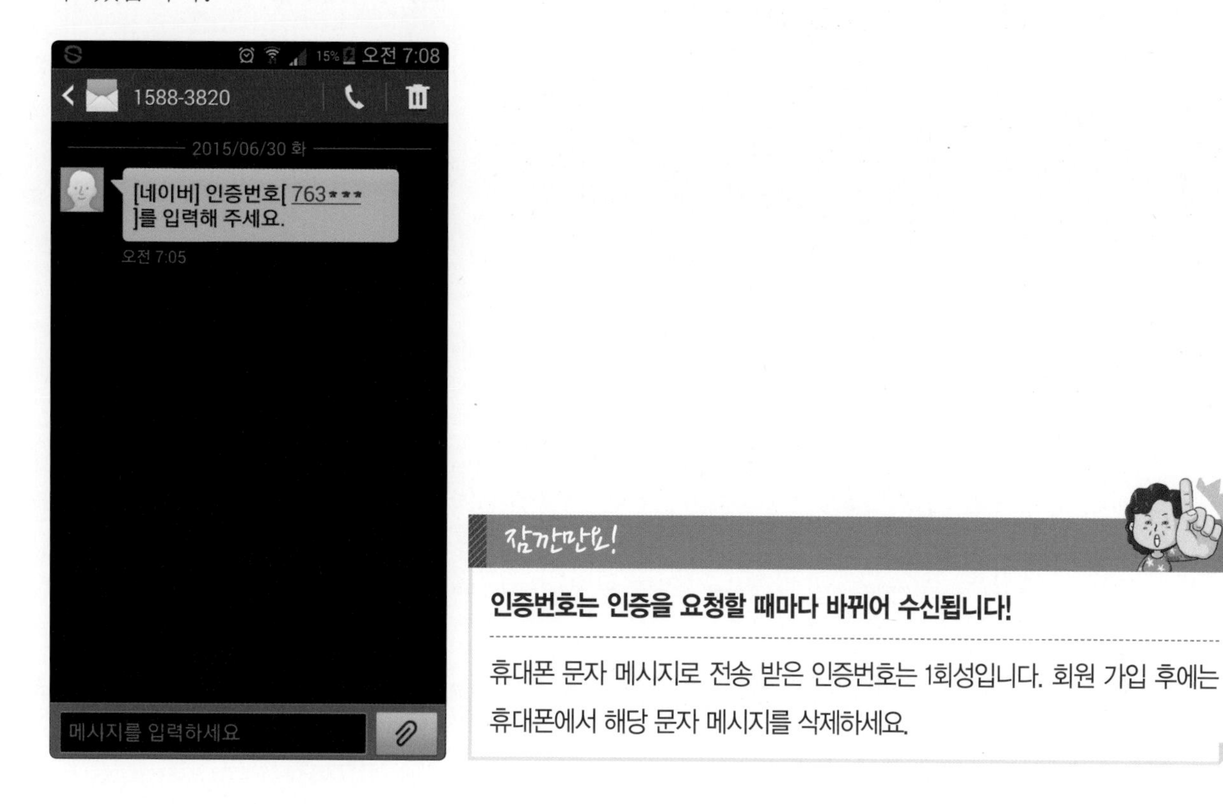

잠깐만요!

인증번호는 인증을 요청할 때마다 바뀌어 수신됩니다!

휴대폰 문자 메시지로 전송 받은 인증번호는 1회성입니다. 회원 가입 후에는 휴대폰에서 해당 문자 메시지를 삭제하세요.

09 휴대폰 문자 메시지로 받은 네이버 인증번호를 네이버 가입 화면의 '인증번호' 입력란에 입력 후 [확인] 버튼을 클릭하고 [가입하기] 버튼을 클릭하세요.

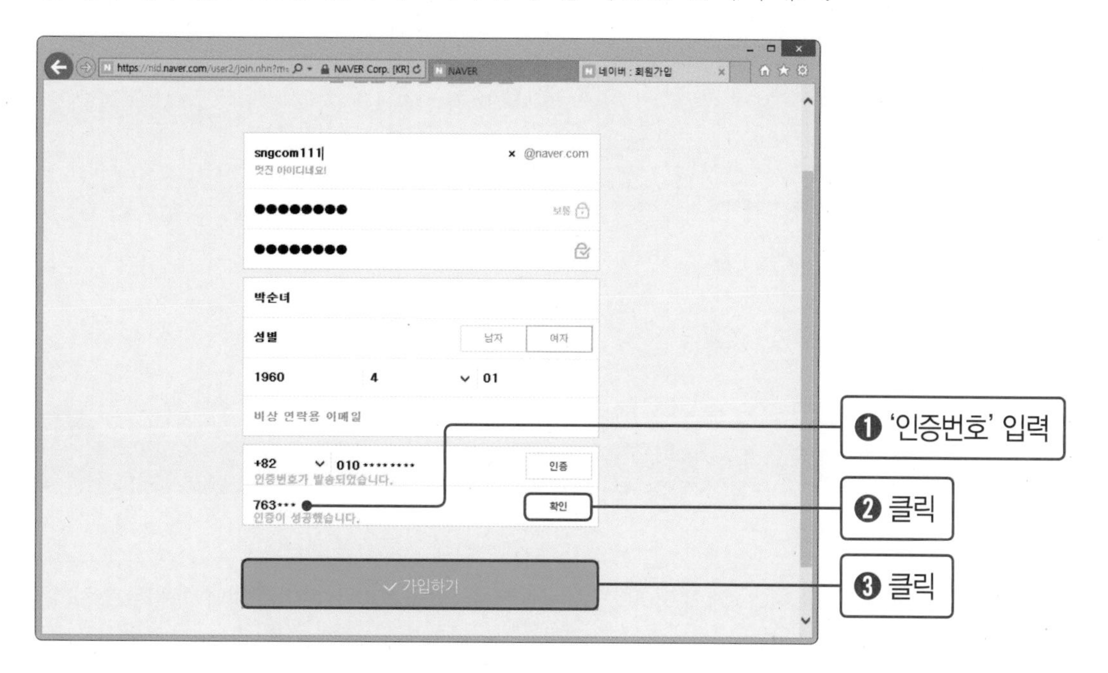

10 회원 가입이 완료되었습니다. 화면 아래에 있는 [시작하기] 버튼을 클릭하세요.

11 네이버에 회원 가입이 완료되고 자동으로 로그인됩니다. 화면 오른쪽 상단에 내 정보가 나타납니다.

잠깐만요!

아이디를 여러 개 생성할 수 있나요?

네이버에서는 동일한 휴대폰 번호로 최대 3개의 아이디까지 생성할 수 있습니다. 즉, 아이디 하나 당 블로그 하나를 운영할 수 있기에 아이디 3개를 생성하면 3개의 블로그를 운영할 수 있게 됩니다. 이미 블로그를 하나 운영하고 있는 경우라도 새로 아이디를 생성하여 다른 주제로 다른 블로그를 운영할 수 있습니다.

06 내 블로그에 접속하기

'네이버' 사이트에 회원 가입을 했으니 이제부터 네이버에서 제공하는 '블로그' 서비스를 무료로 이용할 수 있습니다. 이번에는 내 블로그에 접속하는 방법에 대해 알아보겠습니다. 먼저 네이버에 로그인하고 내 블로그에 접속하는 가장 대표적인 방법을 살펴본 후 내 블로그의 주소도 확인해보겠습니다.

무작정 따라하기

01 '네이버' 사이트에 접속합니다. 시작 화면에서 '아이디'와 '비밀번호' 입력란을 각각 클릭해 입력한 후 [로그인]을 클릭하세요. 이미 로그인이 되어 있다면 **02**번 과정으로 건너뛰세요.

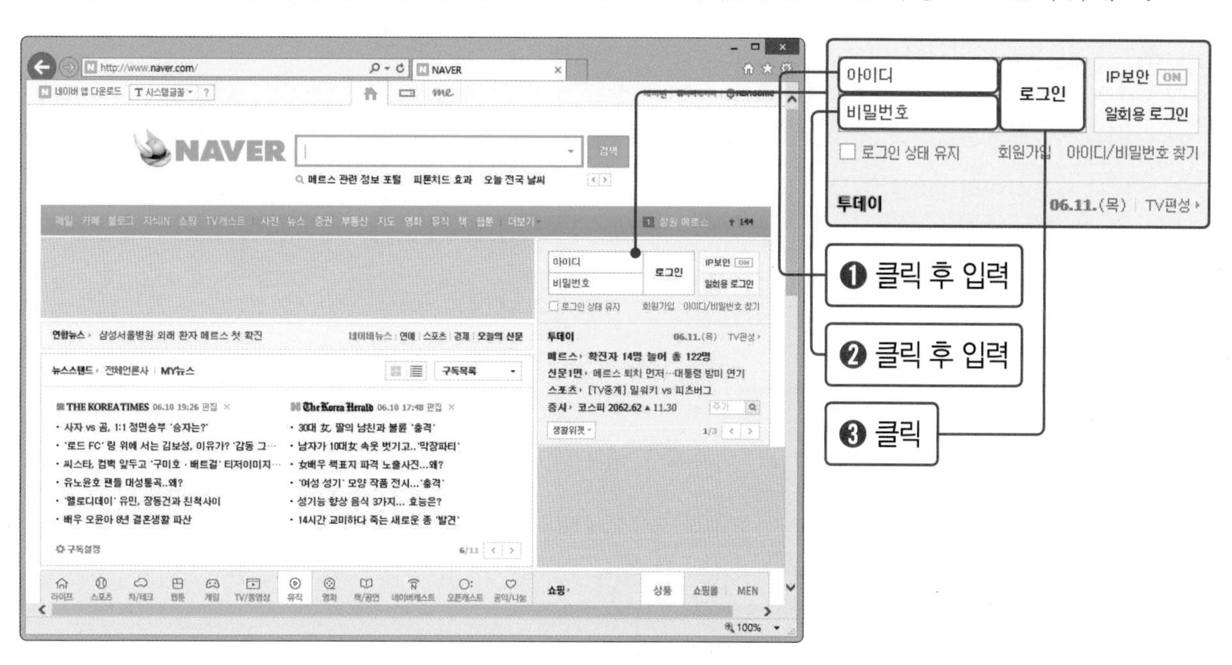

02 네이버에 로그인되었습니다. '블로그'를 클릭하세요.

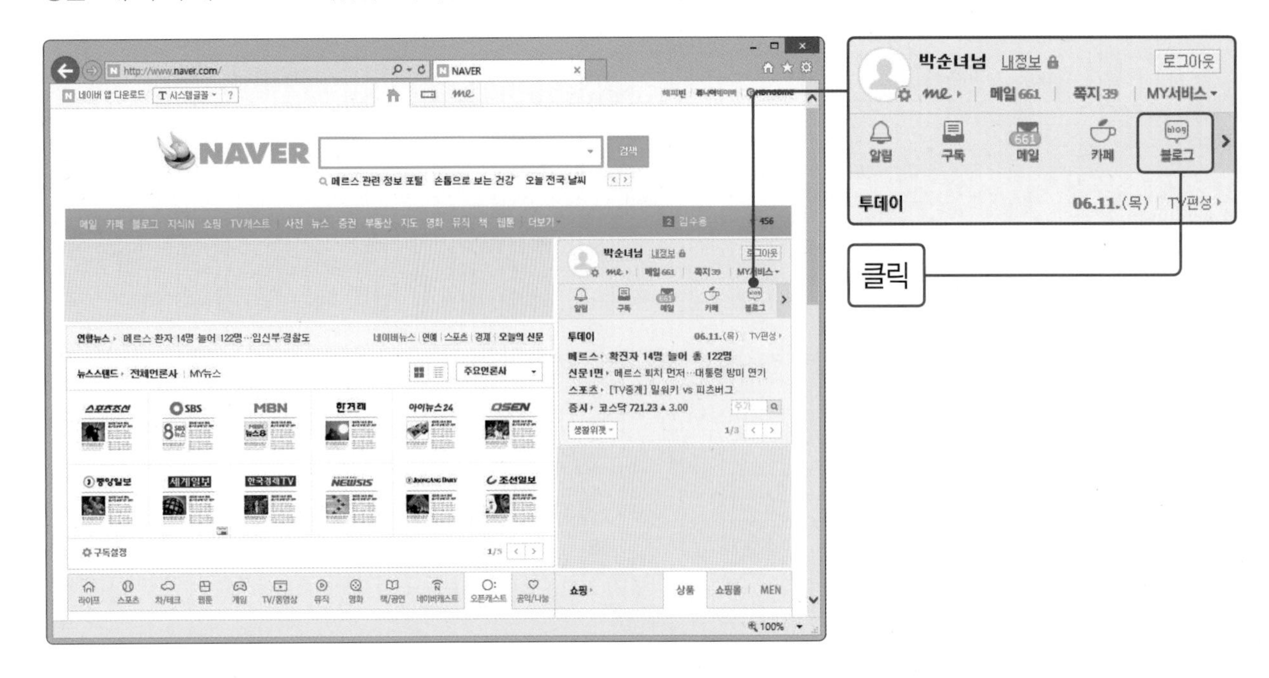

03 아래 화면과 같이 블로그 창이 열리면 창 아래쪽에 있는 '내 블로그'를 클릭하세요.

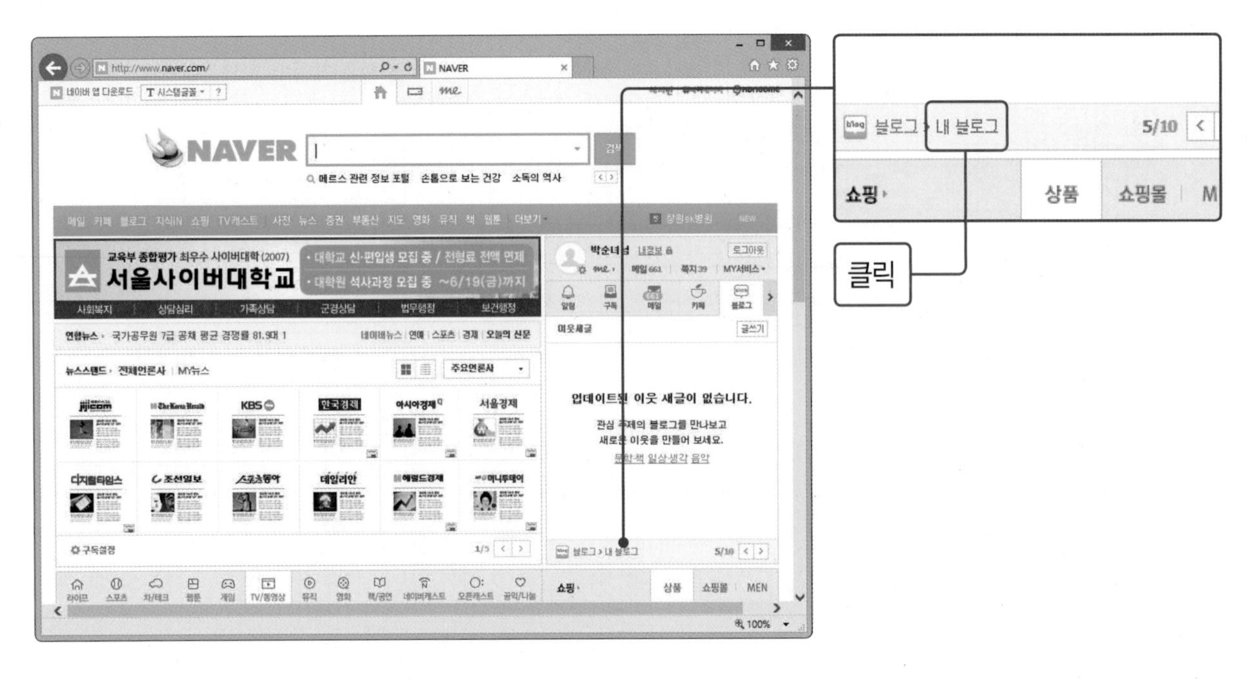

04 내 블로그의 시작 화면이 나타납니다. 아직은 블로그가 썰렁하죠? 앞으로 책의 내용을 따라해 보며 이곳을 멋지게 꾸미고 운영할 것입니다.

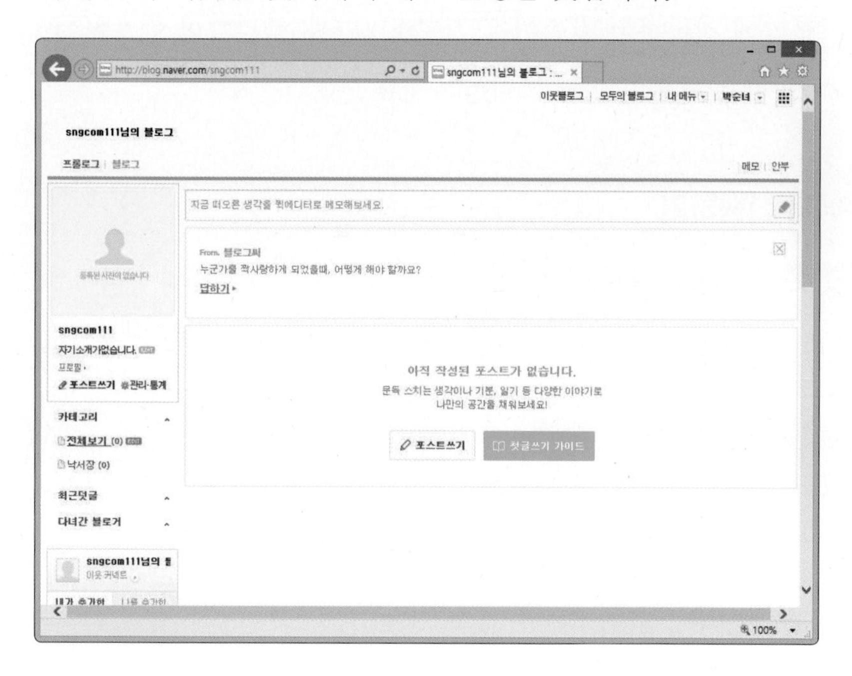

05 내 블로그의 주소를 확인해보겠습니다. 주소 표시줄에 'http://blog.naver.com/네이버ID' 형식의 주소가 보입니다. 이것이 내 블로그의 고유한 주소이므로 잘 메모해 두고 기억해 두는 것이 좋습니다.

한 걸음 더 내 블로그 접속하는 두 가지 방법 더 알아보기

앞서 설명한 방법 외에도 내 블로그에 접속하는 방법이 더 있습니다. 내 블로그에 접속하는 다른 두 가지 방법을 익혀 때에 따라 쉽고 편한 방법으로 사용하세요.

1. 네이버 시작 화면의 메뉴에서 선택하기

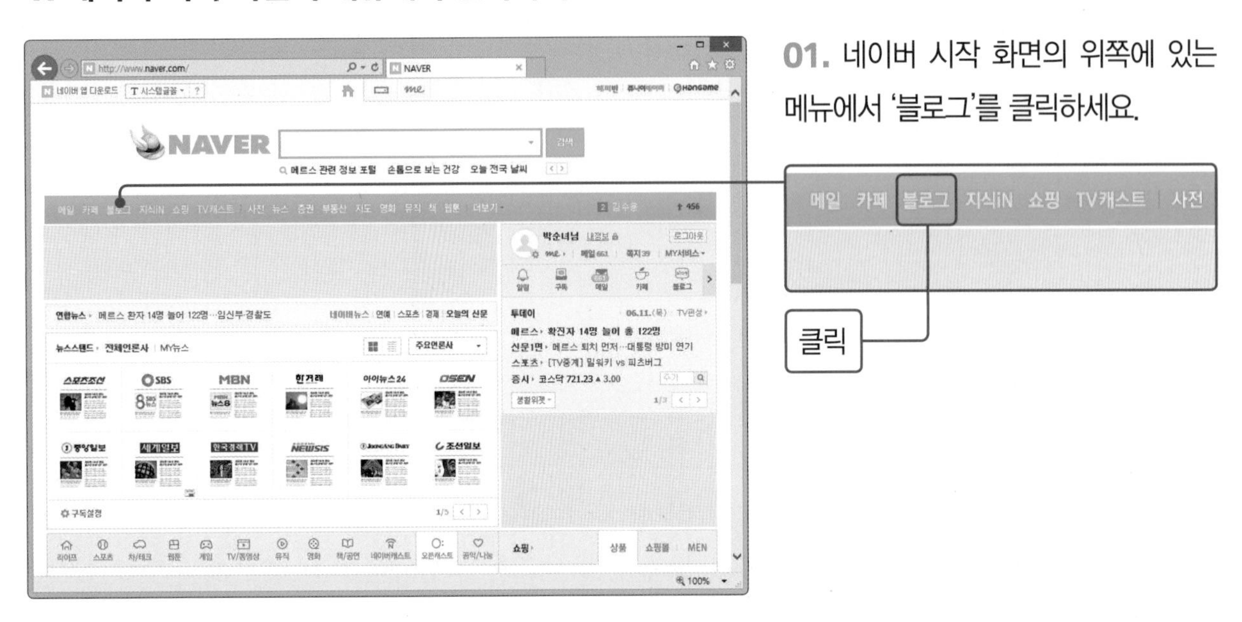

01. 네이버 시작 화면의 위쪽에 있는 메뉴에서 '블로그'를 클릭하세요.

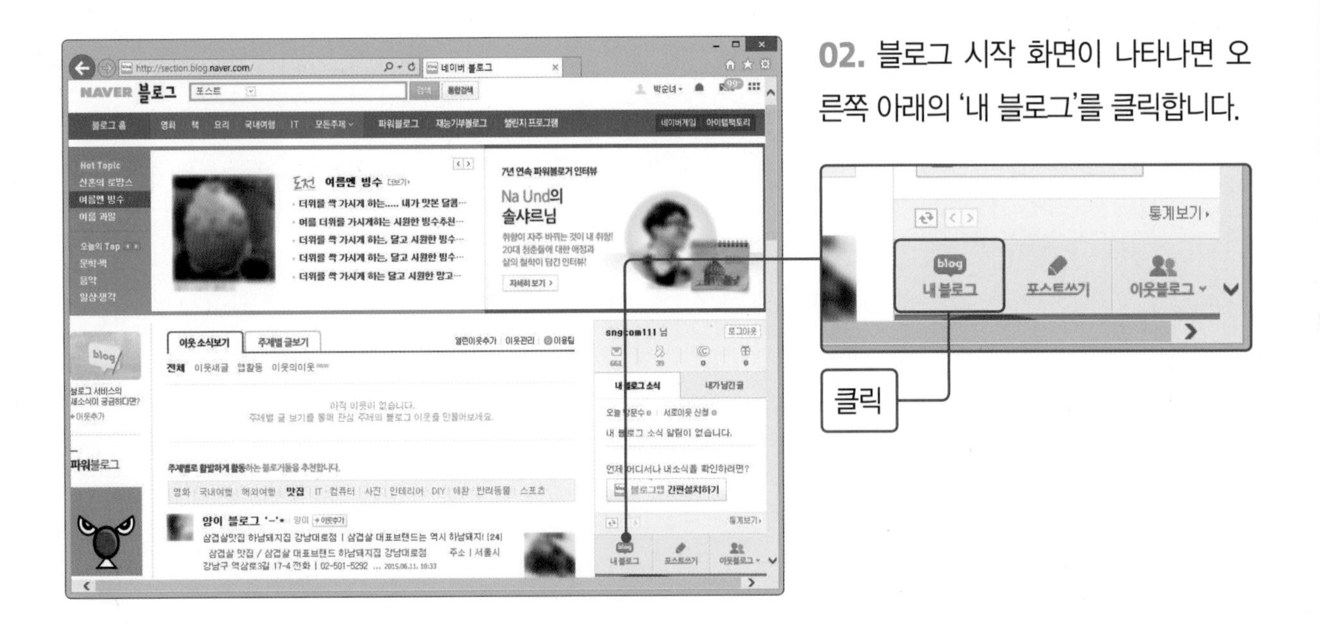

02. 블로그 시작 화면이 나타나면 오른쪽 아래의 '내 블로그'를 클릭합니다.

2. 주소 표시줄에 내 블로그 주소 입력하기

01. 주소 표시줄을 클릭한 후 키보드에서 Backspace를 눌러 기존에 있던 주소를 삭제합니다.

클릭 후 Backspace 누름

02. 주소 표시줄에 내 블로그 주소인 『blog.naver.com/네이버 ID』를 입력하고 키보드의 Enter를 누르세요. 여기서 '네이버 ID'는 내 네이버 ID를 입력하는 것입니다. 내 블로그 주소는 35쪽의 **05**번 과정에서 확인할 수 있습니다.

『blog.naver.com/네이버 ID』 입력 후 Enter 누름

잠깐만요!

주소 표시줄에서 내 블로그 주소 입력할 때 'http://'를 생략해도 되나요?

원래 내 블로그 전체 주소는 'http://blog.naver.com/네이버 ID'입니다. 하지만 이 주소를 주소 표시줄에 입력할 때에는 'http://'를 생략하고 'blog.naver.com/네이버 ID'만 입력해도 됩니다.

07 블로그의 화면 구성 살펴보기

내 블로그에 접속한 느낌이 어떠한가요? 다른 사람들의 블로그는 화면 가득 화려하고 멋지게 꾸며져 있는데 내 블로그는 너무 썰렁해서 앞으로 어떻게 해야 할지 고민되나요? 블로그를 꾸미기 전에 블로그 화면 구성을 이해하고 차근차근 따라하다 보면 초보자인 여러분도 충분히 멋지고 예쁘게 꾸며 운영할 수 있습니다. 07장에서는 '네이버' 블로그의 화면 구성과 블로그에서 사용하는 용어를 간략히 알아보겠습니다.

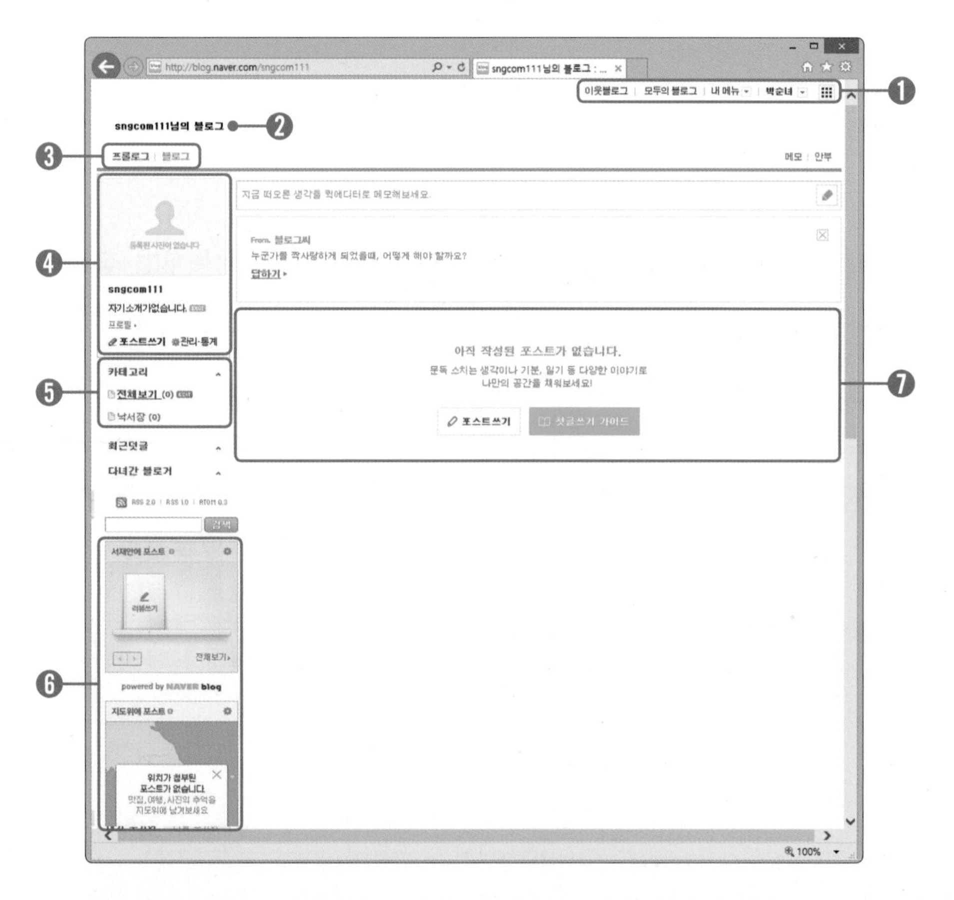

❶ 네이버 메뉴 : '이웃블로그', '모두의 블로그'를 클릭해 다른 블로그를 방문하거나, '내 메뉴', '로그인 정보' 등을 설정할 수 있습니다.

❷ 타이틀 영역 : 내 블로그의 제목이 보이는 공간으로. 대문 역할을 합니다. 내 블로그의 주제나 성격을 나타내는 곳이기도 합니다.

❸ **상단메뉴 영역 :** '프롤로그'와 '블로그' 중에서 원하는 구성으로 변경할 수 있고, 이곳에 메모, 지도, 서재 등 자주 사용하는 메뉴를 추가할 수 있습니다.

❹ **프로필 영역 :** 내 블로그를 대표할 수 있는 사진이나 별명, 블로그에 대한 간략한 소개 등을 나타내는 곳으로, 블로그 방문자에게 나와 블로그를 알리는 공간입니다.

❺ **카테고리 :** 블로그에 담을 내용을 주제별로 나누어 저장하고 보여주는 공간입니다. 방문자가 원하는 정보를 찾기 쉽게 구성하는 것이 좋습니다.

❻ **위젯 영역 :** '위젯(Widget)'은 블로그에서 제공하는 미니 프로그램 서비스이며, 위젯 종류로는 시계, 달력, 방문자 정보 등이 있습니다. 위젯을 적용하면 블로그 시작 화면에서 관련된 정보를 바로 볼 수 있어 매우 편리합니다.

❼ **포스트 영역 :** 블로그에 작성한 글을 보여주는 곳입니다. 블로그 글은 최근 게시한 글부터 보입니다.

잠깐만요!

블로그에서 자주 사용하는 용어 알아두기

블로거	해당 블로그를 소유하고 운영하는 사람을 의미합니다.
블로그 주소	네이버의 경우 'http://blog.naver.com/네이버 ID'의 형식이며, 해당 블로그에 접속할 수 있는 고유한 주소입니다.
포스트	블로그에 기록된 각각의 글을 의미합니다. 블로그 내에 글을 작성하는 영역을 '포스트 영역'이라고 합니다.
포스팅	블로그에 글을 쓰는 행위 즉, 글을 작성하여 올리는 것을 말합니다.
엮인글(트랙백)	해당 글과 관련된 다른 글로 갈 수 있는 링크를 의미합니다.
태그	일명 '꼬리표'라고 불리며, 글과 관련 있는 단어 또는 블로그 글을 검색에 연결하는 고리 역할을 하는 단어를 말합니다.
위젯	블로그 시작 화면에서 바로 볼 수 있는 작은 응용 프로그램입니다.
이웃	네이버에서 운영 중인 여러 블로그 중에서 자주 방문하고 싶은 블로그나 기억해 두고 싶은 블로그를 '이웃'으로 설정할 수 있습니다. '이웃'은 단방향으로 맺는 관계입니다.
서로이웃	서로가 이웃으로 설정하는 경우이며 쌍방향으로 맺는 관계입니다.
덧글(댓글)	블로그 포스트(글) 하단에 방문자가 해당 글에 대한 생각이나 의견을 짧게 표현하는 것입니다.
공감	블로그 포스트(글) 하단에 방문자가 해당 글에 대한 '공감'을 클릭하여 표현하는 곳입니다.
공유(스크랩)	일명 '퍼오기'로 다른 블로그에 좋은 글이나 마음에 드는 글을 내 블로그로 가져오는 것, 즉 내용을 복사해 내 블로그로 담아오는 것을 의미합니다.

한 걸음 더 사용 중인 블로그를 초기화하는 방법 알아두기

기존에 작성해 둔 블로그 내용을 초기화하고 새롭게 처음부터 운영하고 싶은 경우가 있습니다. 이런 경우에는 '블로그 초기화' 기능을 사용하면 됩니다. 블로그 초기화는 모든 환경 설정을 블로그를 사용하기 이전 상태로 되돌리는 것을 의미합니다. 초기화로 삭제된 블로그 데이터는 복구가 불가능하니, 초기화를 할 때에는 신중하게 결정하고 아래의 내용을 따라하세요.

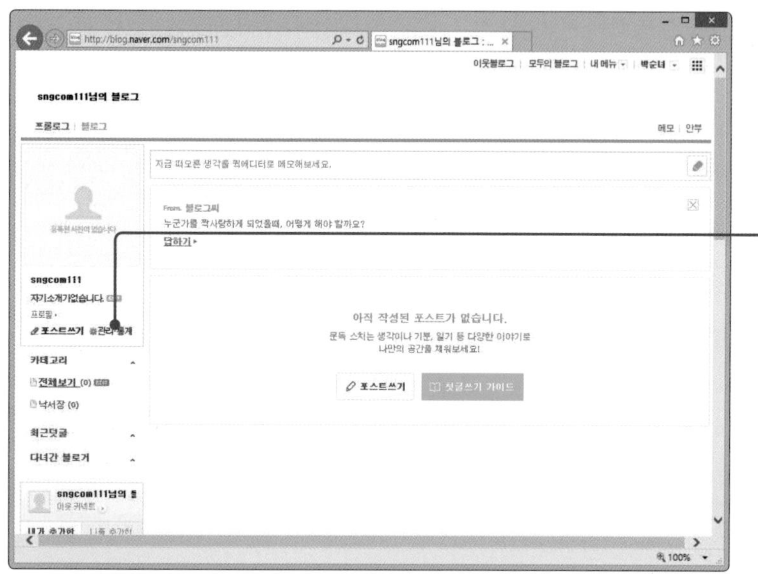

01. 내 블로그 시작 화면에서 '프로필 영역'의 '관리'를 클릭하세요.

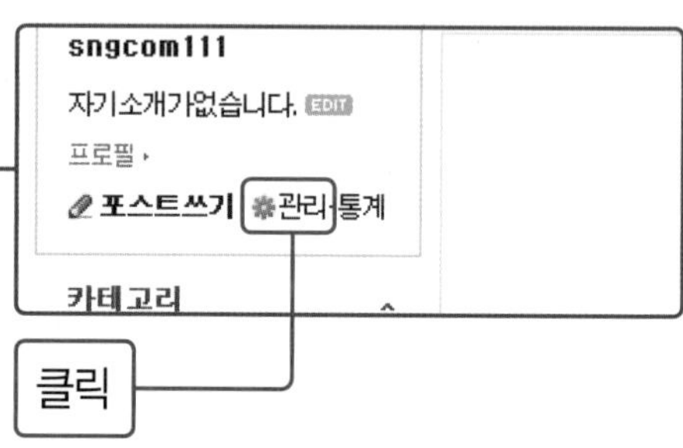

02. 블로그의 기능들을 변경하거나 설정하는 '관리' 페이지가 보입니다. 이 '관리' 페이지의 자세한 내용은 둘째마당에서 살펴볼 것입니다. 블로그 초기화를 진행하기 위해 '기본설정'의 '사생활 보호'에서 '블로그 초기화'를 클릭하세요.

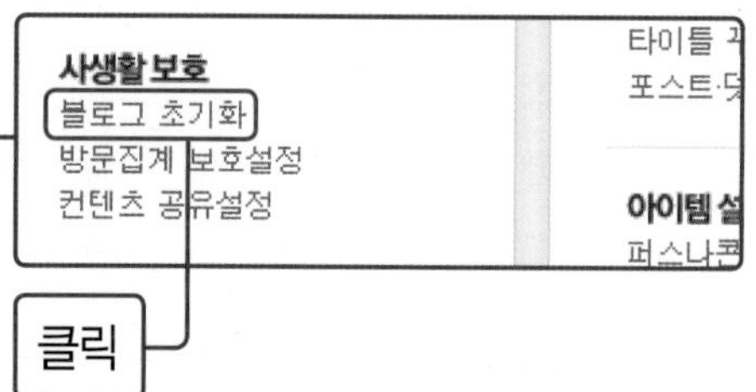

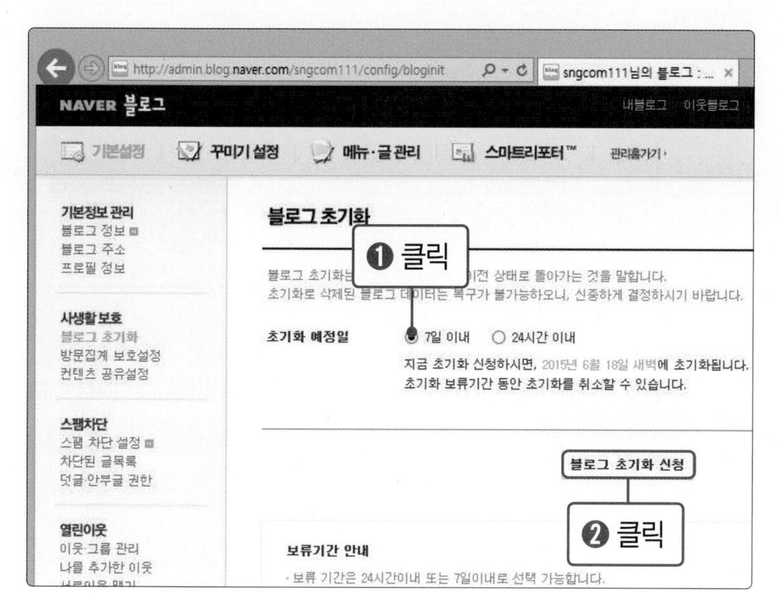

03. '블로그 초기화' 화면입니다. 화면 아래 초기화를 할 때 염두에 둬야 할 사항들을 자세히 살펴본 후 '초기화 예정일'에서 '7일 이내'를 클릭합니다. (보류기간은 24시간 이내 또는 7일 이내로 선택 가능합니다.) 블로그에 등록한 게시글은 초기화시 함께 삭제되며, 초기화가 완료된 이후, 삭제된 내용은 복구가 불가능합니다. 그래도 블로그 초기화를 진행하려면 [블로그 초기화 신청] 버튼을 클릭하세요.

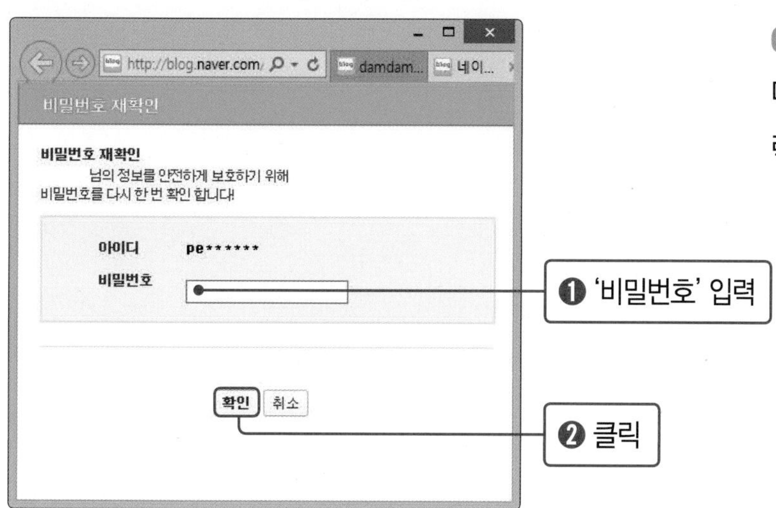

04. 비밀번호 재확인 창이 나타납니다. '비밀번호' 입력란에 비밀번호를 입력 후 [확인] 버튼을 클릭하세요.

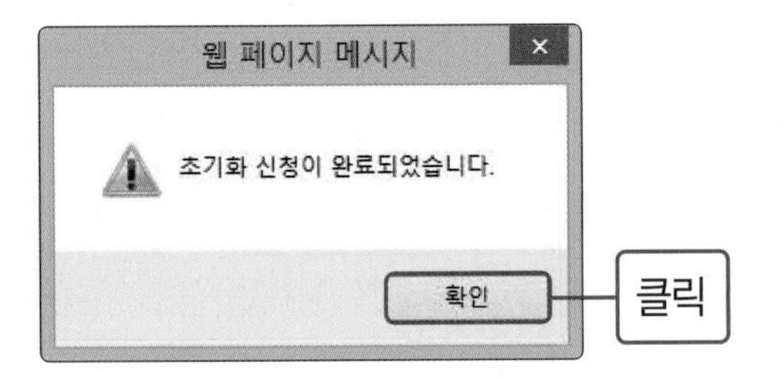

05. '초기화 신청이 완료되었습니다.'라는 메시지가 나타나면 [확인] 버튼을 클릭하세요.

06. 다음과 같이 화면에 '초기화가 신청되었습니다.'라는 메시지가 나타납니다. 초기화 보류기간(7일 이내)입니다. 신청일을 기준으로 7일 이후에 초기화됩니다.

둘째
마당

나만의 집, 블로그 멋지게 꾸미기

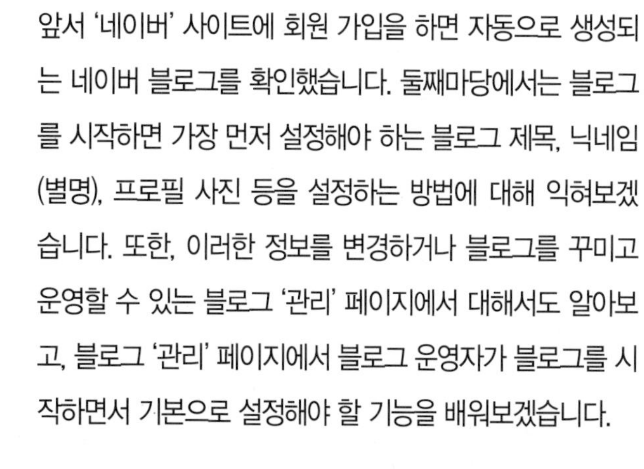

앞서 '네이버' 사이트에 회원 가입을 하면 자동으로 생성되는 네이버 블로그를 확인했습니다. 둘째마당에서는 블로그를 시작하면 가장 먼저 설정해야 하는 블로그 제목, 닉네임(별명), 프로필 사진 등을 설정하는 방법에 대해 익혀보겠습니다. 또한, 이러한 정보를 변경하거나 블로그를 꾸미고 운영할 수 있는 블로그 '관리' 페이지에서 대해서도 알아보고, 블로그 '관리' 페이지에서 블로그 운영자가 블로그를 시작하면서 기본으로 설정해야 할 기능을 배워보겠습니다.

도대체 블로그를
어떻게 만드는 건가?
어디 가입을 하면
된다는데...
전화하면 되는 거야?
어이~ 김 씨!
블로그 잘 만들었어?
컴퓨터로 인터넷에
들어간 다음
네이버 사이트에
회원으로 가입하면
블로그가 생기는 거야
그런 다음
내 블로그에 들어가면...
끝이지
네이버 :: 나의 경쟁력, 네이버 - Windo
http://www.naver.com/
네이버 :: 나의 경쟁력, 네이버
NAVER
아이디
비밀번호
@naver.com
비밀번호 재확인
이름
성별
남자
여자
생년
월
아!
일단 인터넷으로
사이트에 들어가서
가입을 하는 거였구먼!
그렇지!!
집을 한 채 짓는 거라
생각하면 쉽지!!
아하!
그럼... 오늘은 블로그를
하면서 놀아볼까?
집을 짓고 예쁘게 정원을
꾸미듯이, 블로그도 아기자기
예쁘게 꾸밀 수 있다고.

01 블로그 '관리' 페이지 살펴보기

'관리' 페이지는 블로그의 기본 기능과 꾸미기, 메뉴 관리, 통계 현황 등 내 블로그를 운영할 때 필요한 주요 기능들을 설정하는 곳입니다. '관리' 페이지에서 설정할 수 있는 기능들을 먼저 이해해야 앞으로 블로그를 꾸미고 관리하는 데 편리하므로 이번 장에서는 블로그 '관리' 페이지를 살펴보겠습니다.

'관리' 페이지에 접속하는 방법

내 블로그를 실행한 후 시작 화면에서 '프로필 영역'에 있는 '관리'를 클릭합니다. 혹은 네이버 메뉴에서 '내 메뉴 → 관리'를 차례로 클릭해 '관리' 페이지로 이동할 수 있습니다.

'관리' 페이지의 다양한 메뉴

블로그의 '관리' 페이지는 크게 '기본설정', '꾸미기 설정', '메뉴·글 관리', '스마트리포터' 총 4개 영역으로 구분되어 있습니다.

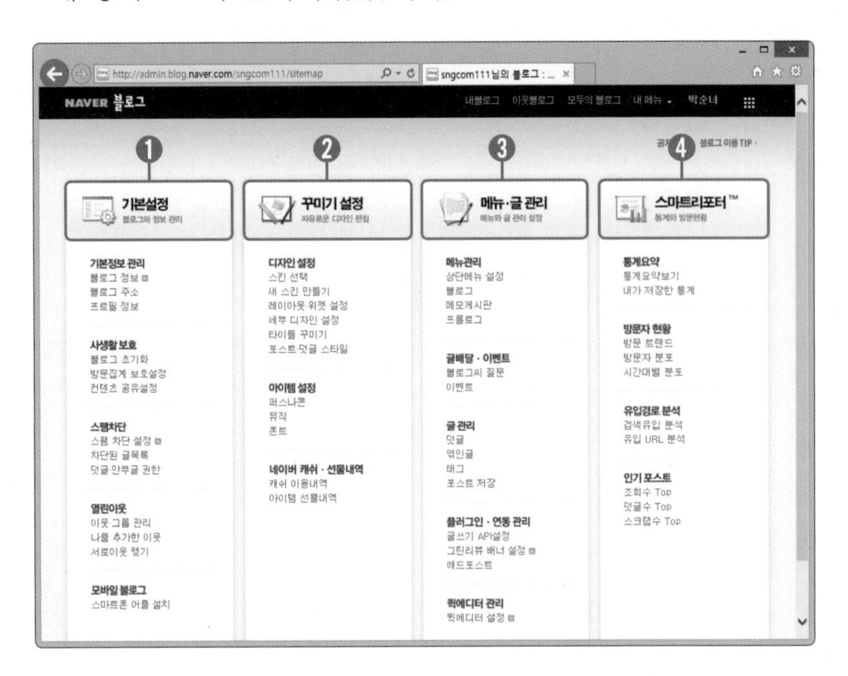

❶ 기본설정

블로그 운영에 필요한 가장 기본적인 항목들이 모여 있습니다. 내 블로그 정보인 블로그의 제목과 별명, 프로필 사진 및 소개와 블로그 주소, 사생활 보호 등의 기능들을 설정할 수 있습니다.

❷ 꾸미기 설정

블로그 디자인을 설정하는 곳으로, 내 블로그의 방문자들에게 마치 인테리어가 잘 된 집처럼 보여주고 싶다면 꾸미기 설정 메뉴에서 배경 디자인이나 타이틀 디자인, 글꼴, 위젯, 레이아웃 구조 등을 변경하고 설정합니다.

❸ 메뉴·글 관리

블로그의 카테고리 즉, 메뉴를 구성하고 변경할 수 있으며 블로그에 등록하고 저장한 글을 관리하고 다양하게 표현할 수 있도록 기능을 제공합니다.

❹ 스마트리포터

내 블로그에 얼마나 많은 방문자가 어떤 경로를 통해 다녀갔고 어떤 글을 자주 보았는지 분석할 수 있는 통계 기능을 제공합니다. 즉, 방문 현황을 분석할 수 있습니다.

02 블로그의 기본 정보 설정하기

사람에게 첫인상이 중요한 만큼 방문자가 내 블로그에 방문했을 때 보이는 블로그 기본 정보가 블로그의 첫인상을 결정하므로 보기 좋게 설정하는 것이 중요합니다. 그래서 02장에서는 '블로그 제목', '별명', '소개 글', '프로필 사진' 등을 설정하는 방법을 알아보겠습니다.

만일 기본 정보에 어떤 내용을 담아야 할지 고민이라면 첫째마당에서 소개했던 인기 블로그나 내가 관심 있는 분야의 파워블로그에 찾아가서 특징을 잘 살펴보고 내 블로그에도 적용하는 것도 좋습니다.

무작정 따라하기

01 '네이버' 사이트를 실행하여 내 블로그에 접속합니다. 기본 정보를 변경하기 위해 '프로필 영역'에 있는 '관리'를 클릭합니다.

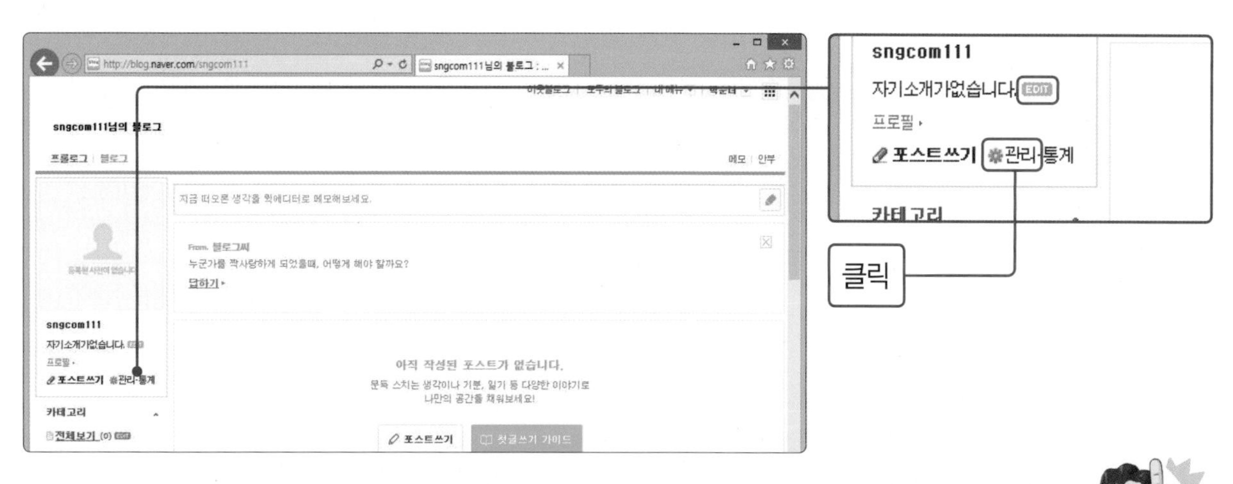

잠깐만요!

프로필 정보만 빠르게 수정하고 싶어요!

'프로필 영역'의 자기소개 란에 있는 [EDIT] 버튼을 클릭하면 바로 '기본정보 관리'의 '블로그 정보' 페이지가 나타납니다.

02 '관리' 페이지가 열리면 '기본설정'의 '기본정보 관리'에서 '블로그 정보'를 클릭합니다.

03 '블로그 정보' 페이지에서 '제목' 입력란을 클릭한 후 내용을 입력합니다. 동일한 방법으로 '별명', '소개글' 입력란에 내용을 입력합니다.

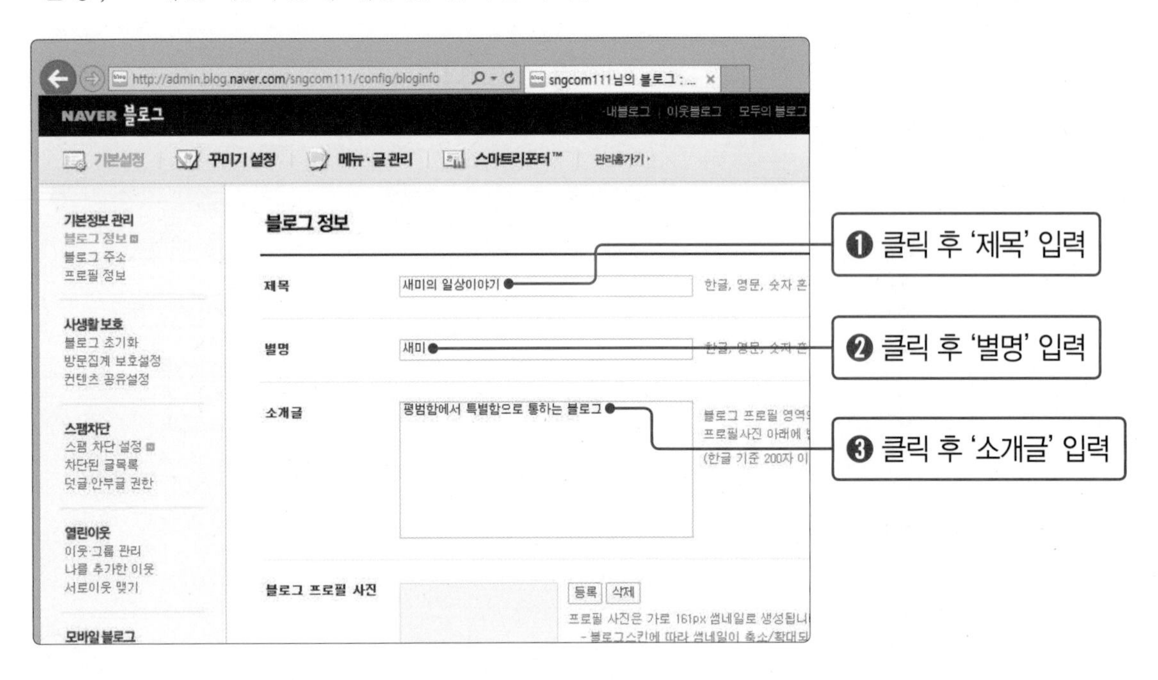

04 블로그 시작 화면에 보이는 프로필 사진을 등록하겠습니다. '블로그 프로필 사진' 항목의 [등록] 버튼을 클릭합니다.

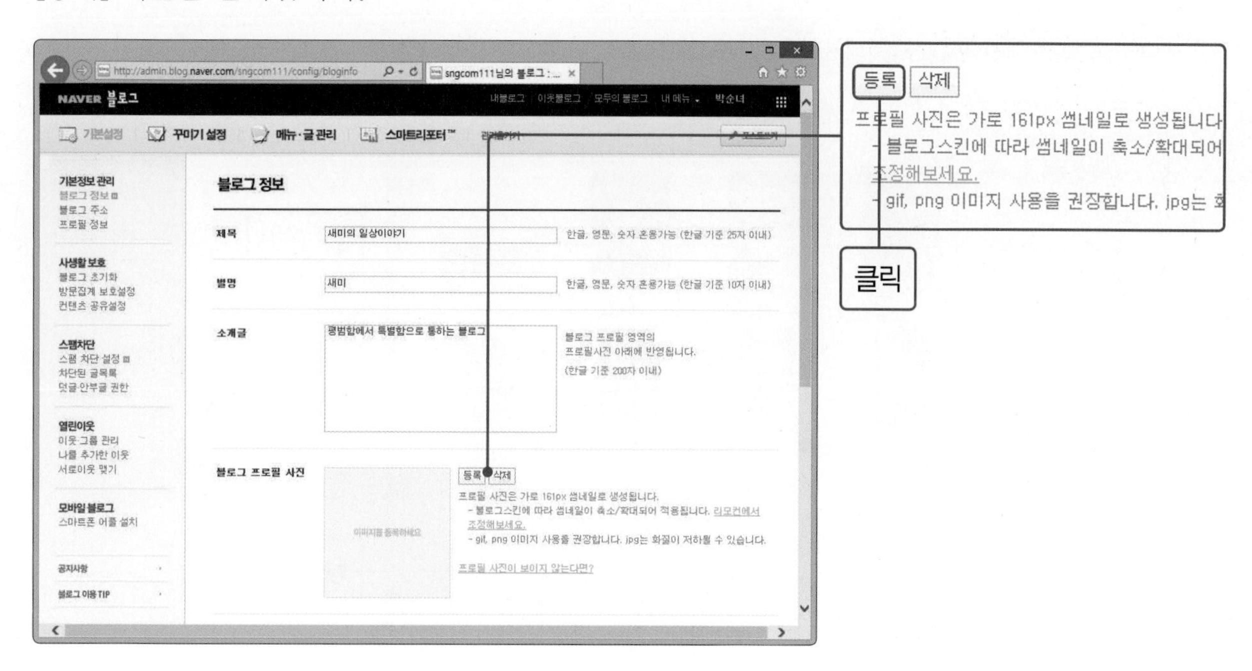

05 '이미지 첨부' 창이 나타나면 [찾아보기] 버튼을 클릭합니다.

06 내 컴퓨터에 저장한 사진 중에서 블로그의 프로필 사진으로 사용할 사진 파일을 선택하고 [열기] 버튼을 클릭합니다.

07 '이미지 첨부' 창에 내 컴퓨터에서 선택한 파일명이 나타나면 [확인] 버튼을 클릭합니다.

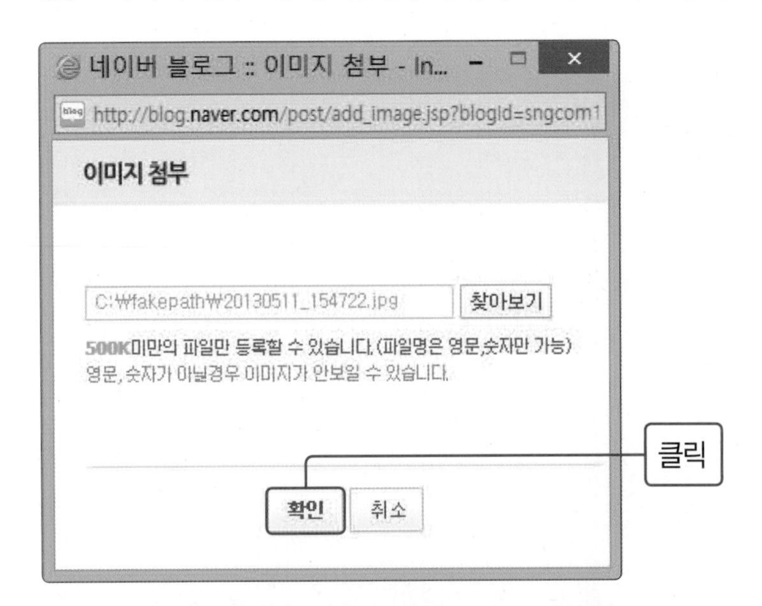

잠깐만요!

첨부 가능한 파일 용량을 초과하였다는 메시지가 나타납니다!

'첨부 가능한 파일 용량을 초과하였습니다.'라는 창이 나타나면 [확인] 버튼을 누르고 이미지가 작은 파일로 다시 등록합니다. 내 블로그의 프로필에 사용할 수 있는 사진은 가로 161픽셀의 사이즈 또는 용량이 500k미만의 파일만 가능합니다. 선택한 사진의 용량을 줄이고 싶다면 53쪽의 '한 걸음 더' 과정을 따라해 사진 용량을 줄여 저장한 후 앞의 과정을 반복해 프로필 사진으로 등록해보세요.

08 '블로그 프로필 사진' 미리보기 화면에 선택한 사진이 등록되면 화면 가장 아래쪽에 있는 [확인] 버튼을 클릭합니다. '성공적으로 반영되었습니다.'라는 창이 나타나면 [확인] 버튼을 클릭합니다.

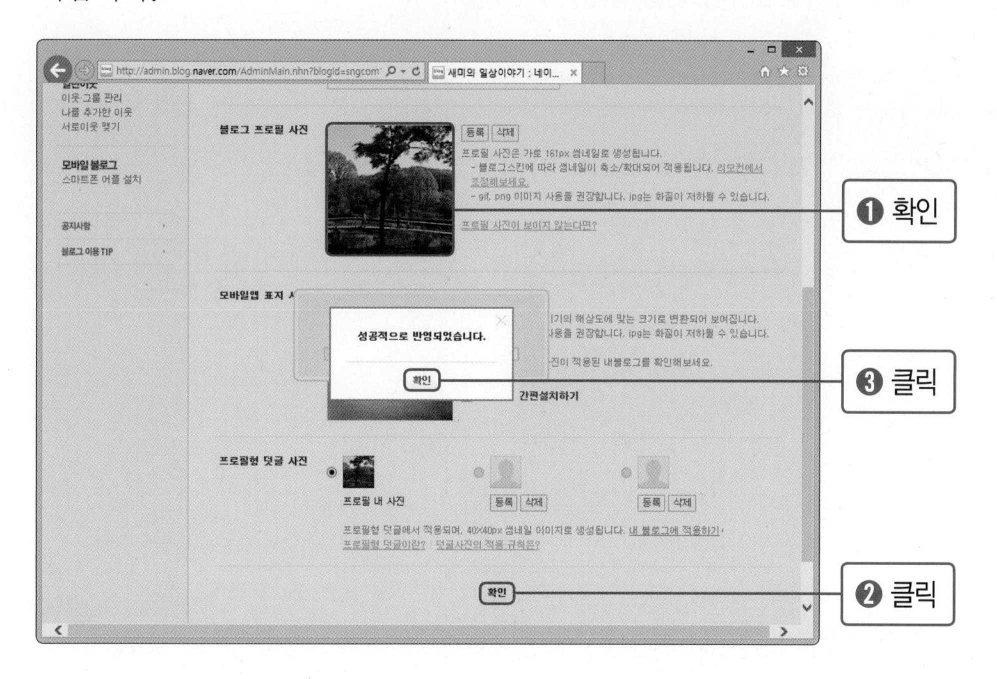

09 변경한 정보가 내 블로그에서 등록된 것을 확인하기 위해 화면 위쪽의 '내블로그'를 클릭합니다.

10 내 블로그의 시작 화면이 나타납니다. 앞서 설정한 대로 '제목', '별명', '소개글', '프로필 사진'이 적용된 것을 확인할 수 있습니다.

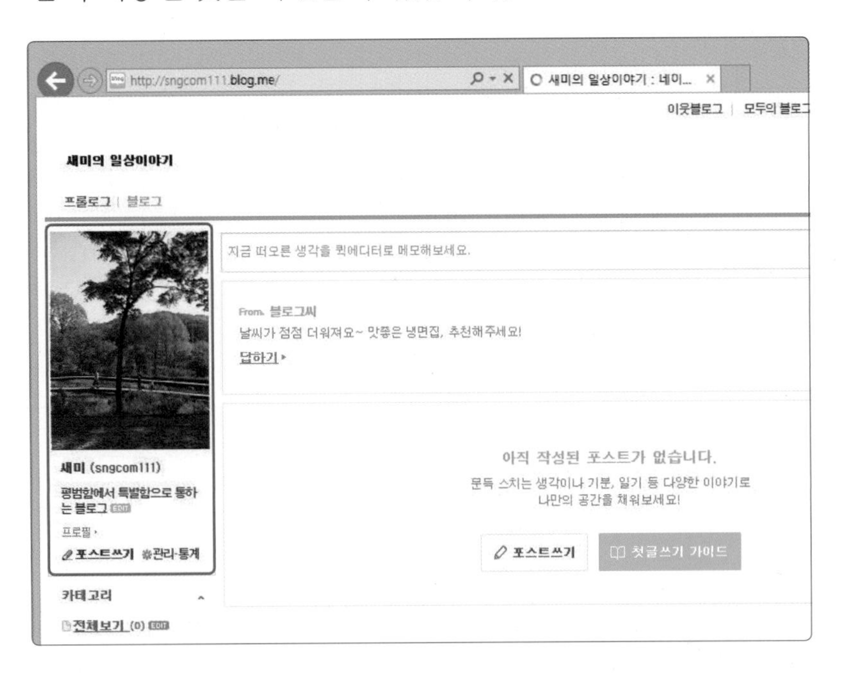

잠깐만요!

블로그 기본 정보를 다시 변경하고 싶어요!

블로그 기본 정보는 필요에 따라 언제든지 바꿀 수 있습니다. 하지만, 너무 자주 바꾸면 내 블로그를 방문하는 이들에게 혼란을 줄 수 있으므로 신중하게 고려하는 것이 좋으며, 나와 잘 어울리는 정보로 설정하도록 합니다. 다만, 블로그를 시작하는 단계에서는 언제든지 '프로필 영역'의 [EDIT] 버튼을 클릭하여 변경할 수 있습니다.

한 걸음 더 프로필 사진 파일을 첨부 가능한 용량으로 줄이기

요즘에는 스마트폰으로 촬영한 사진을 컴퓨터에 저장해 놓는 경우가 많습니다. 스마트폰 사진은 해상도가 높아 용량이나 크기가 제각각 다릅니다. 일반 사진을 블로그 프로필 사진으로 등록하려면 가로 161픽셀 크기 혹은 500k 미만의 용량이어야 합니다.

만약 크기가 커서 첨부 가능한 크기로 줄이려면 윈도우 보조프로그램에 설치된 '그림판' 프로그램을 사용하여 간단히 사진 용량을 줄일 수 있습니다.

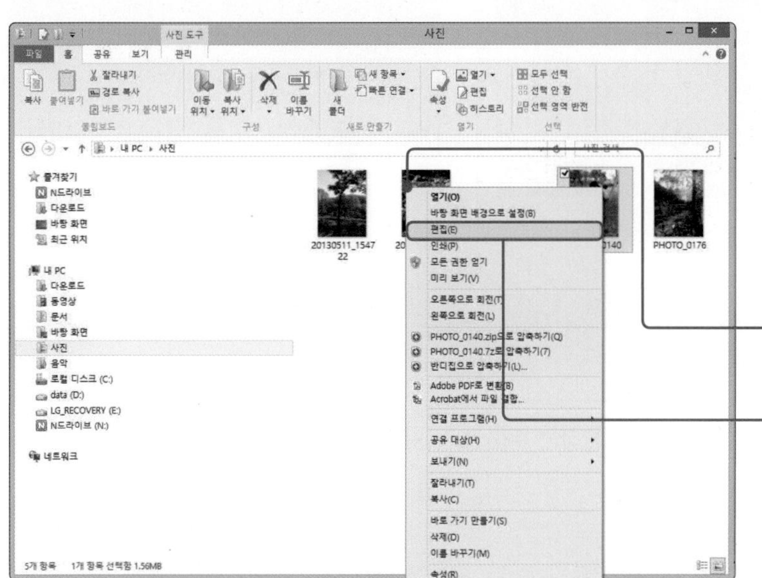

01. 내 컴퓨터에 저장되어 있는 사진 중에 프로필 사진으로 등록하려는 사진 파일을 찾아 마우스 오른쪽 버튼으로 클릭합니다. 바로가기 메뉴에서 '편집'을 클릭합니다.

잠깐만요!

'그림판' 프로그램이 안 열려요!

윈도우 7, 윈도우 8에는 보조프로그램 안에 '그림판' 프로그램이 기본으로 설치되어 있습니다. 만약 01번 과정으로 '그림판'이 열리지 않는다면 사진 파일에서 마우스 오른쪽 버튼을 클릭하고 바로가기 메뉴에서 '연결 프로그램 → 그림판'을 차례로 클릭하여 실행할 수 있습니다.

02. '그림판' 프로그램이 실행되면서 선택한 사진이 보입니다. 화면 아래쪽에서 현재 사진의 크기를 확인할 수 있습니다. 사진의 용량을 줄이기 위해 [크기 조정]을 클릭합니다.

잠깐만요!

사진에서 원하는 부분만 잘라내어 사용하고 싶어요!

사진을 자르려면 [선택]을 클릭한 후 마우스로 드래그하여 원하는 부분만 지정합니다. 그리고 나서 [자르기]를 클릭하면 드래그한 부분만 남습니다.

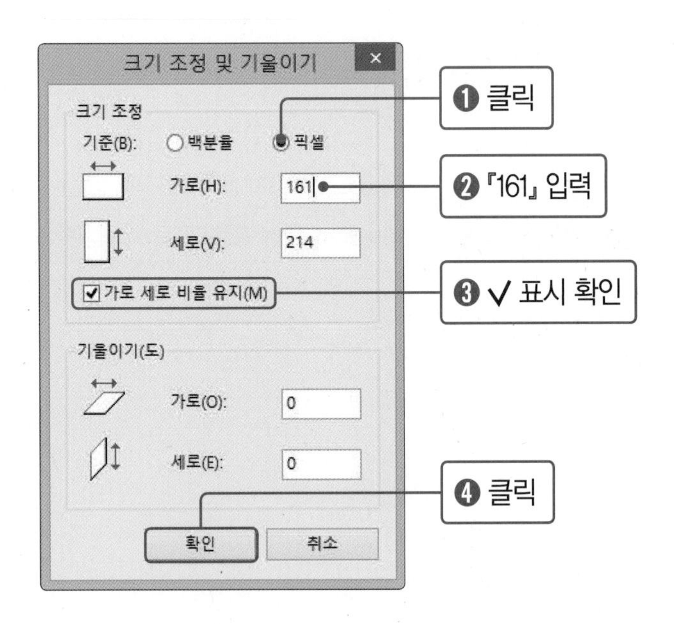

03. '크기 조정'의 '픽셀'을 클릭한 후 가로 입력란을 클릭해 『161』을 입력합니다. '가로 세로 비율 유지'에 ✓ 표시가 되어 있는 것을 확인한 후 [확인] 버튼을 클릭합니다.

잠깐만요!

'크기 조정'에서 '가로' 값만 조정하면 되나요?

'가로 세로 비율 유지'에 ✓ 표시가 되어 있으면 가로 값이 변경될 때 세로 값도 자동으로 같은 비율로 변경됩니다.

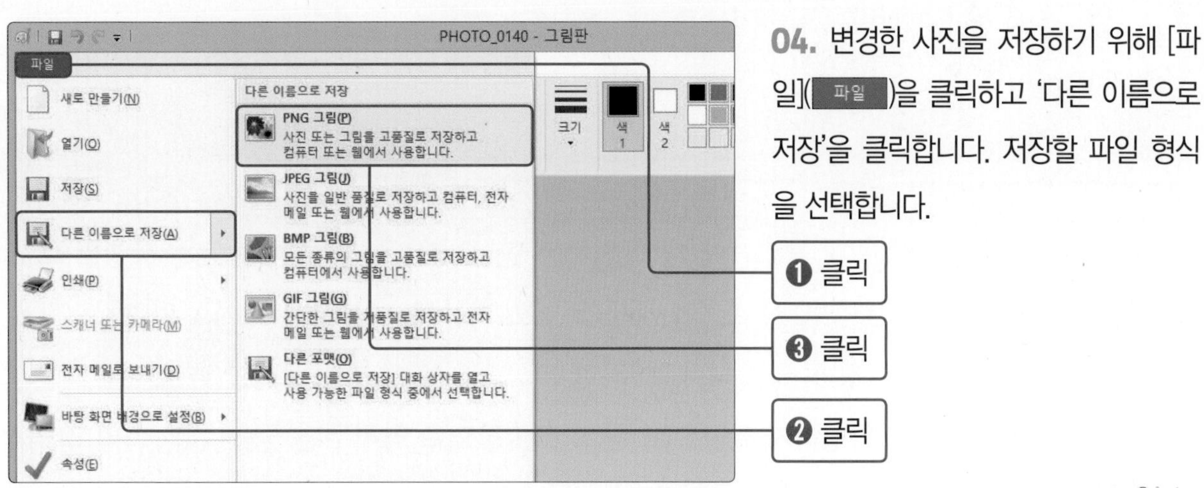

04. 변경한 사진을 저장하기 위해 [파일](파일)을 클릭하고 '다른 이름으로 저장'을 클릭합니다. 저장할 파일 형식을 선택합니다.

잠깐만요!

[파일] 메뉴 그림이 다르게 나타납니다!

위 화면은 윈도우 8에서 '그림판' 프로그램을 실행한 모습입니다. 윈도우 7에서 '그림판'을 사용한다면 [메뉴 아이콘]로 보입니다.

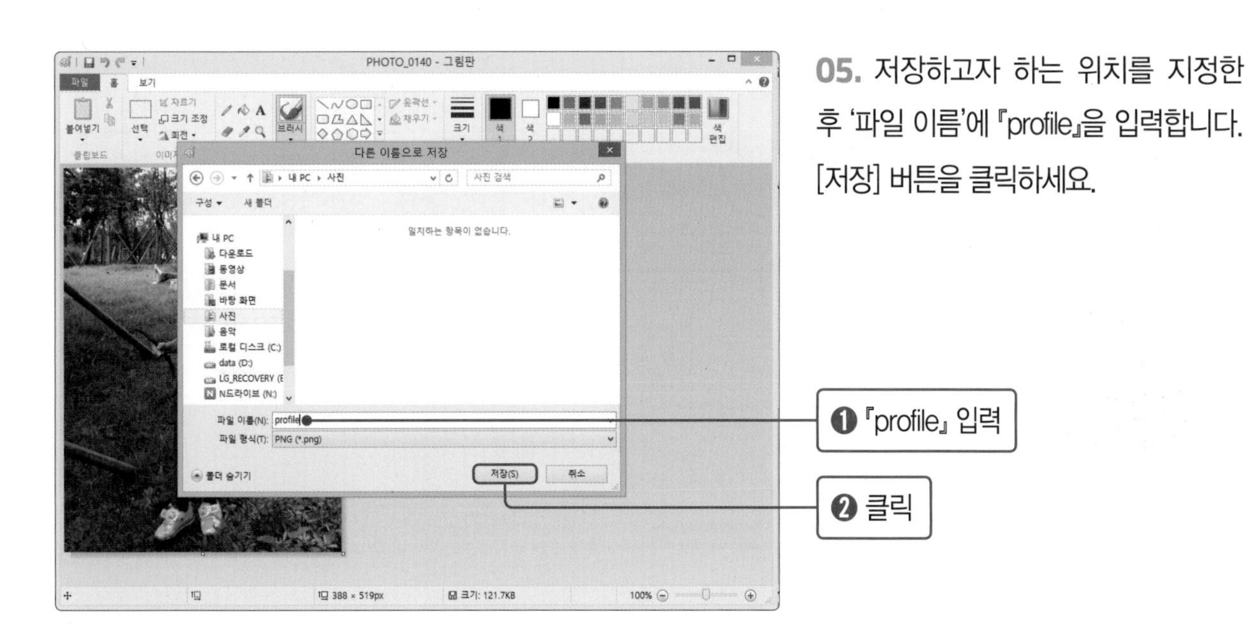

05. 저장하고자 하는 위치를 지정한 후 '파일 이름'에 『profile』을 입력합니다. [저장] 버튼을 클릭하세요.

03 내 블로그에 사생활 보호 기능 설정하기

여러 사람들이 방문하는 내 블로그에 내가 원하는 만큼 내용을 공개할 수 있는 사생활 보호 기능을 설정할 수 있습니다. 내 블로그의 사생활 보호 기능에는 '블로그 초기화'와 '방문 집계 보호설정', '컨텐츠 공유설정'이 있습니다. 이러한 기능들은 블로그를 시작할 때 한 번 설정한 후 계속 사용하거나 자주 변경하지 않으므로 참고하는 정도로 익혀두면 좋습니다. 이번 장에서는 내가 만든 저작물을 다른 사람들이 허락 없이 이용하지 못하도록 보호하는 설정인 '컨텐츠 공유설정' 기능을 알아보겠습니다.

무작정 따라하기

01 '네이버' 사이트를 실행하여 내 블로그에 접속합니다. 기본 정보를 변경하기 위해 '프로필 영역'에 있는 '관리'를 클릭합니다.

02 '관리' 페이지에서 '기본설정'의 '컨텐츠 공유설정'을 클릭하세요.

03 'CCL 설정'의 '사용'을 선택합니다. 내가 만든 저작물을 다른 사람이 허락 없이 사용하거나 바꾸지 않도록 하기 위해 '저작물을 영리 목적으로 이용'과 '저작물의 변경 또는 2차 저작'에 모두 '허락하지 않음'을 클릭합니다.

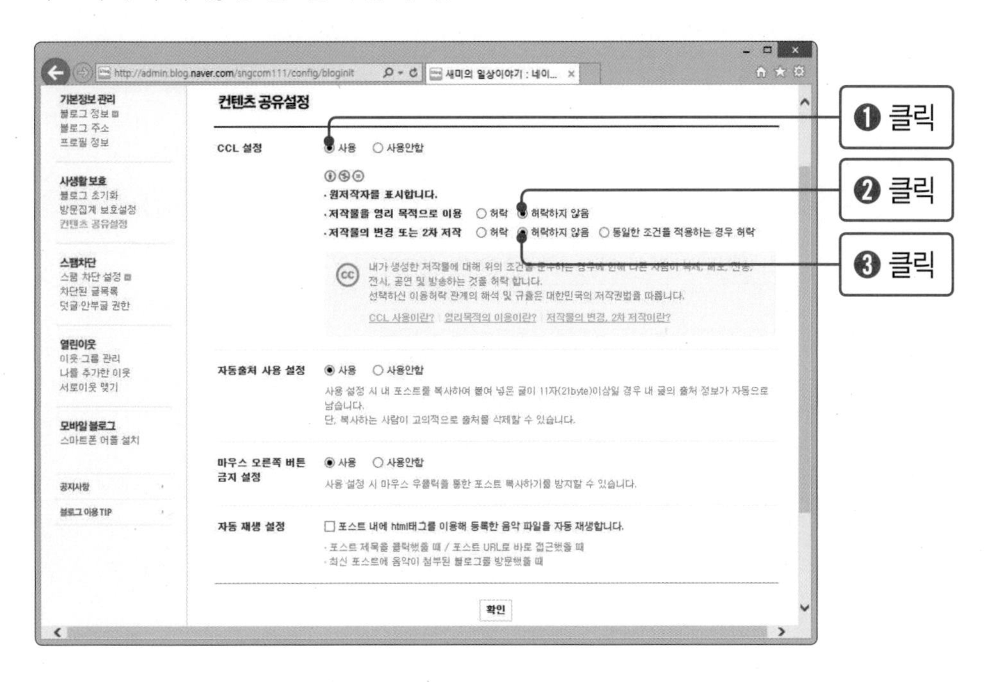

04 '자동출처 사용 설정'에서 '사용'을 선택하고 '마우스 오른쪽 버튼 금지 설정'을 '사용'으로 클릭하세요. 설정을 모두 완료한 후 [확인] 버튼을 클릭하세요.

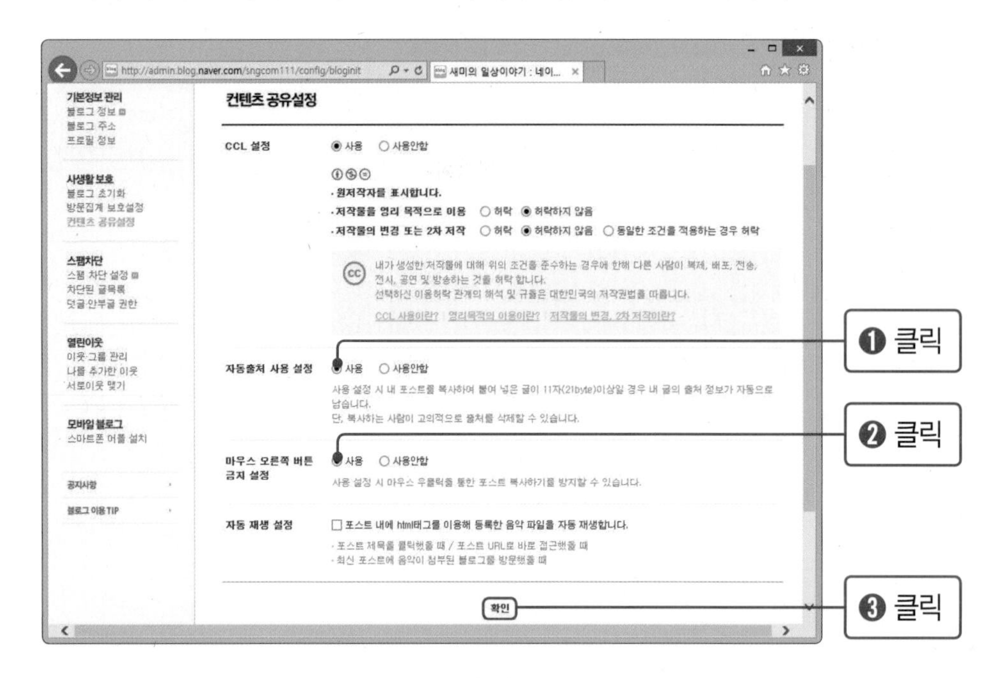

왜 마우스 오른쪽 버튼 금지 설정을 하나요?

내가 직접 작성한 글은 하나의 소중한 자산이므로 보호받아야 하며, 글 내용이 무단으로 복제되어 사용되지 않도록 하기 위함입니다. 즉, 마우스 오른쪽 클릭을 통해 내가 올린 글과 사진 등이 허락 없이 복사되는 것을 방지할 수 있습니다.

05 아래 그림과 같이 '컨텐츠 보호 설정이 성공적으로 저장되었습니다.'라는 메시지가 나타나면 [확인] 버튼을 클릭하세요. 컨텐츠 보호 설정이 적용됩니다.

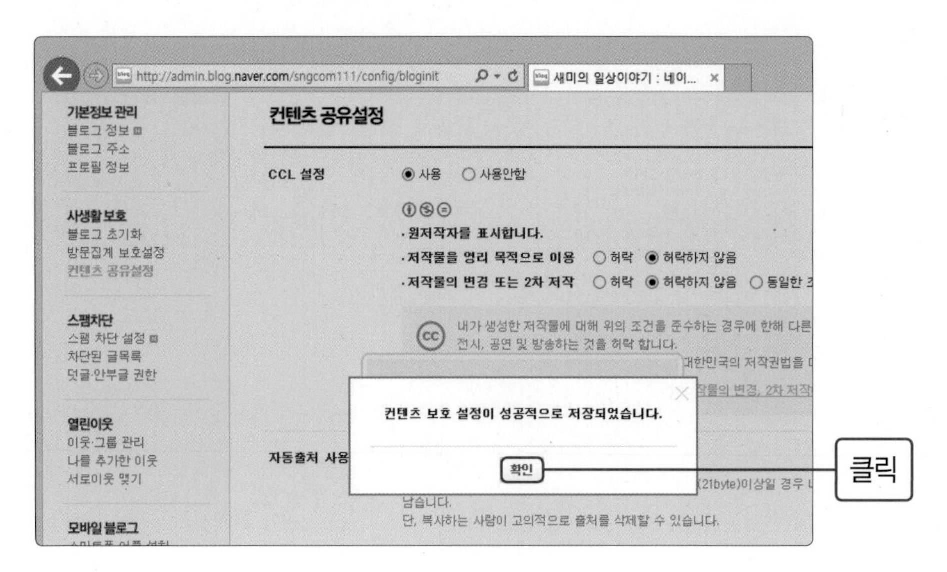

04 블로그에 카테고리 만들고 구분선 넣기

블로그를 만드는 이유는 글을 쓰고 공유하기 위함입니다. 그래서 블로그를 운영할 때에는 포스팅(글쓰기)이 중요하며 내 블로그의 특색이 잘 드러나고 블로그를 만든 목적에 알맞도록 카테고리(메뉴)를 설정하는 것이 중요합니다. 그래야 방문자들이 블로그에 방문했을 때 어떤 이야기들이 담겨 있는지 한눈에 알아볼 수 있기 때문입니다.
카테고리를 만들 때에는 처음부터 너무 많이 만들지 말고 블로그를 운영하면서 차근차근 늘려 나가는 것이 좋습니다. 블로그 초기에는 블로거의 일상 이야기, 정보 이야기, 관심 주제와 관련된 게시판을 구성하면 좋습니다.

무작정 따라하기

01 기본 정보를 변경하기 위해 '프로필 영역'에 있는 '관리'를 클릭합니다.

02 '메뉴 · 글 관리' 화면이 나타납니다. 왼쪽의 '메뉴관리'의 '블로그'를 선택합니다. 메뉴를 설정하기 위해 '카테고리 관리 · 설정' 항목에서 '카테고리 전체보기'를 클릭하여 선택하고 [카테고리 추가] 버튼을 클릭합니다.

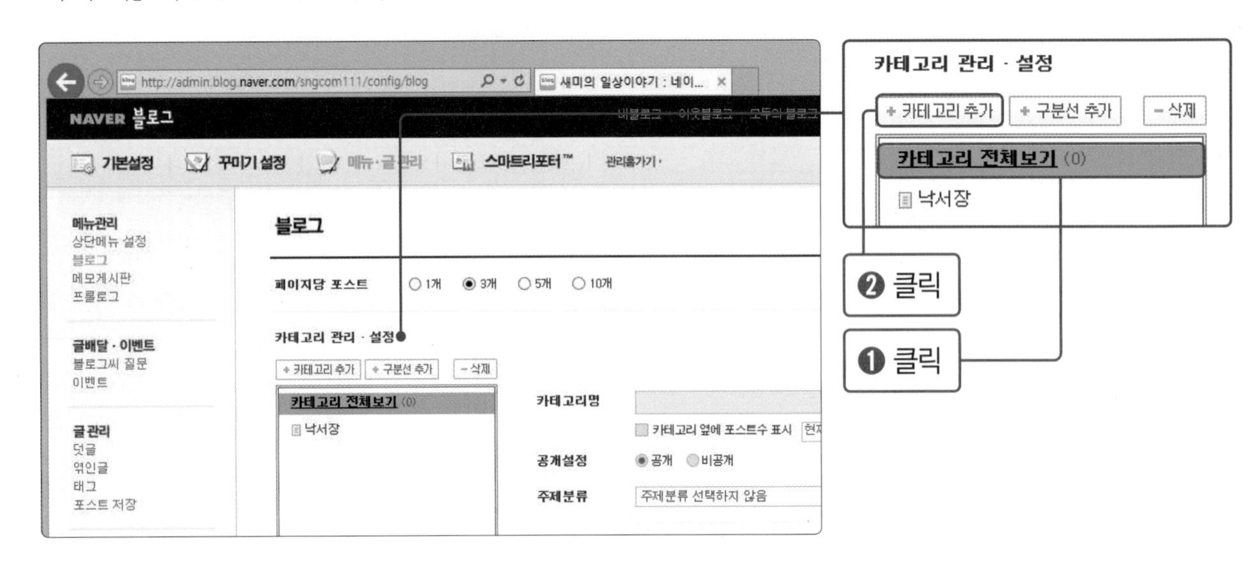

03 '게시판'이라는 기본 이름의 카테고리(메뉴)가 만들어졌습니다. '카테고리명' 입력란에 『소소한일상』을 입력합니다.

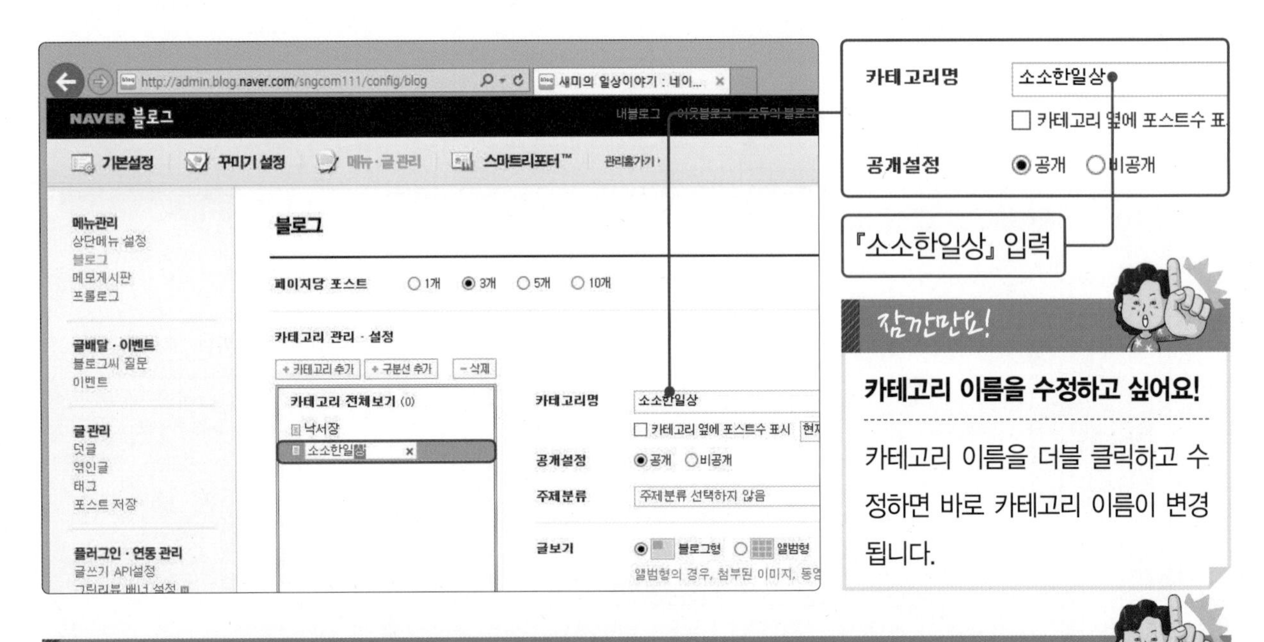

잠깐만요!

카테고리 이름을 수정하고 싶어요!

카테고리 이름을 더블 클릭하고 수정하면 바로 카테고리 이름이 변경됩니다.

잠깐만요!

카테고리(메뉴)를 삭제하고 싶어요!

삭제하고자 하는 카테고리를 클릭해 선택하고 [삭제] 버튼을 클릭합니다. '카테고리 삭제' 창이 나타나면 [확인] 버튼을 클릭해 삭제합니다. 단, 해당 메뉴에 이미 포스팅된 글이 있다면 함께 삭제되므로 유의하세요.

04 **02~03**번과 같은 방법으로 카테고리를 하나 더 추가한 후 '카테고리명'에 『책리뷰』를 입력합니다.

05 이번에는 메뉴와 메뉴 사이에 구분선을 추가해보겠습니다. 구분선은 주제별로 새로운 메뉴를 만들고자 할 경우 사용하면 좋습니다. 구분선을 넣을 메뉴인 '책리뷰'를 클릭하고 [구분선 추가] 버튼을 클릭합니다. 선택한 메뉴 아래에 구분선이 생성됩니다.

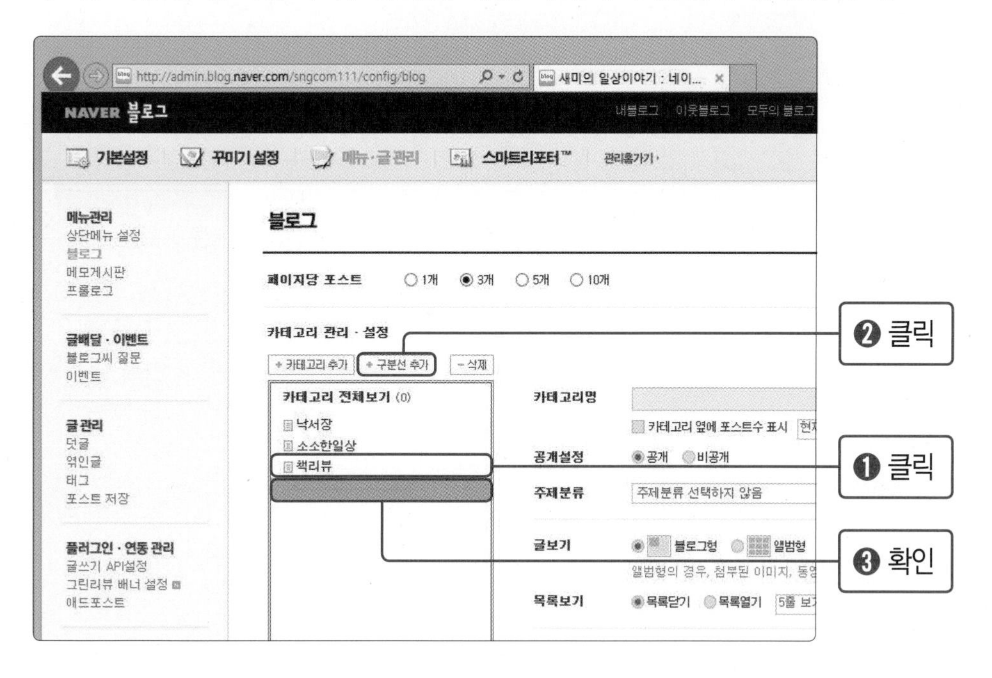

05 하위 메뉴를 만들어 세분화하기

이번에는 카테고리를 그룹으로 만들어 보겠습니다. 그룹이 있는 카테고리는 카테고리를 더 세분화해서 구성하고 싶을 때 활용합니다. 예를 들어 '여행'의 카테고리를 구성한 후 다시 '강원도여행, 경기도여행, 제주도여행' 등으로 하위 카테고리를 만들면 방문자가 쉽게 구분하여 글을 찾아 읽을 수 있습니다. 글을 작성하는 입장에서도 카테고리별로 꼼꼼하게 운영할 수 있어 도움이 됩니다.

무작정 따라하기

01 04장 과정에 이어서 실습하겠습니다. 먼저 '카테고리 관리 · 설정' 항목의 [카테고리 추가] 버튼을 클릭합니다. '카테고리명'의 입력란을 클릭하고 『여행이야기』를 입력합니다.

02 '카테고리 관리 · 설정' 항목에서 '여행이야기'를 클릭하고 [카테고리 추가] 버튼을 클릭합니다.

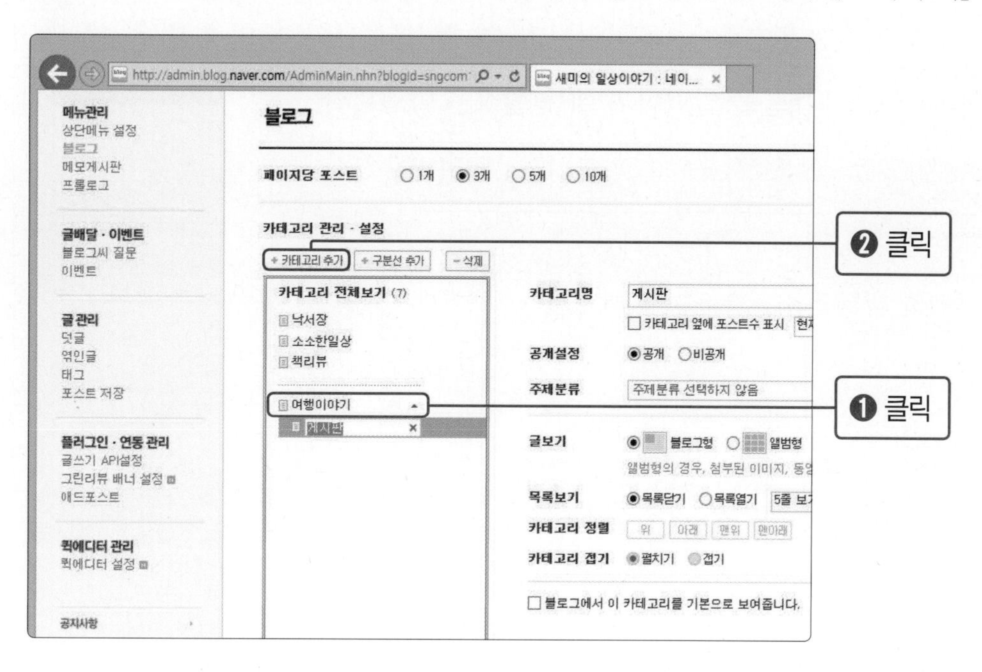

03 '여행이야기' 카테고리 아래에 새로운 하위 메뉴가 추가됩니다. 새로운 '카테고리명'을 『강원도여행』이라고 입력합니다.

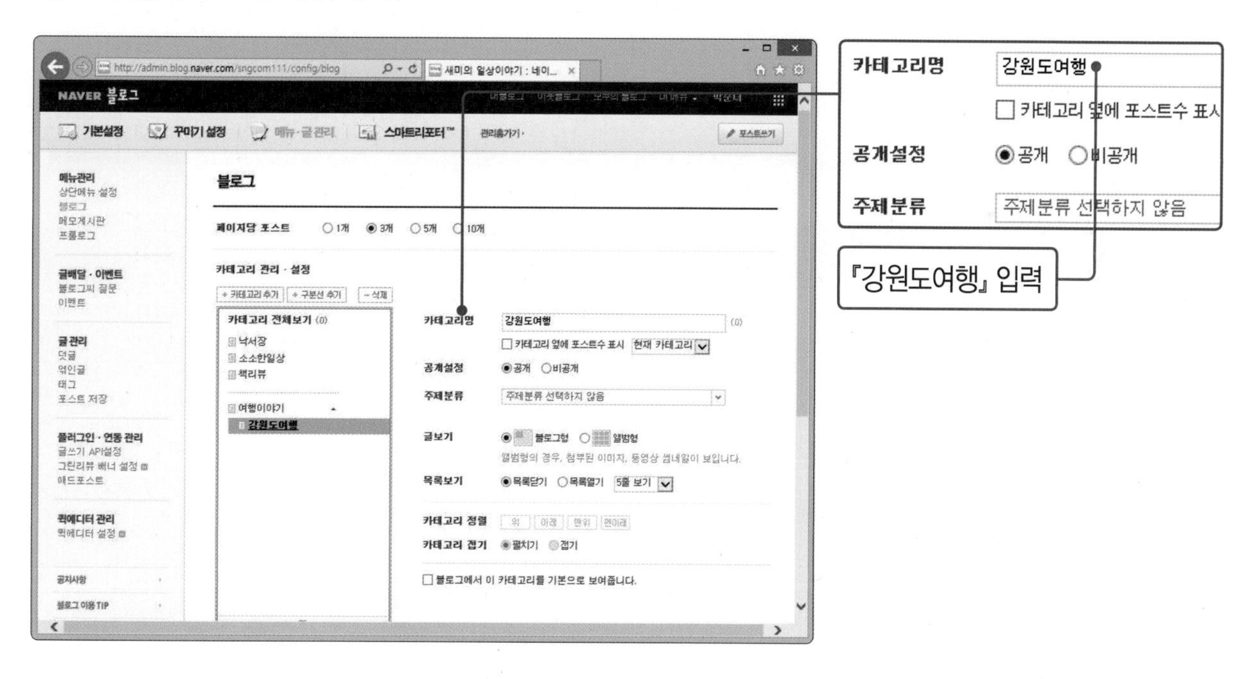

04 **02**번 과정을 참고하여 '경기도여행'과 '서울여행' 카테고리를 추가합니다. 메뉴가 완성되면 각 메뉴를 클릭해 '공개설정', '주제분류', '글보기' 형태, '목록보기' 등의 기본 옵션을 설정합니다. 화면 아래쪽의 [확인] 버튼을 클릭하여 메뉴 설정을 마칩니다.

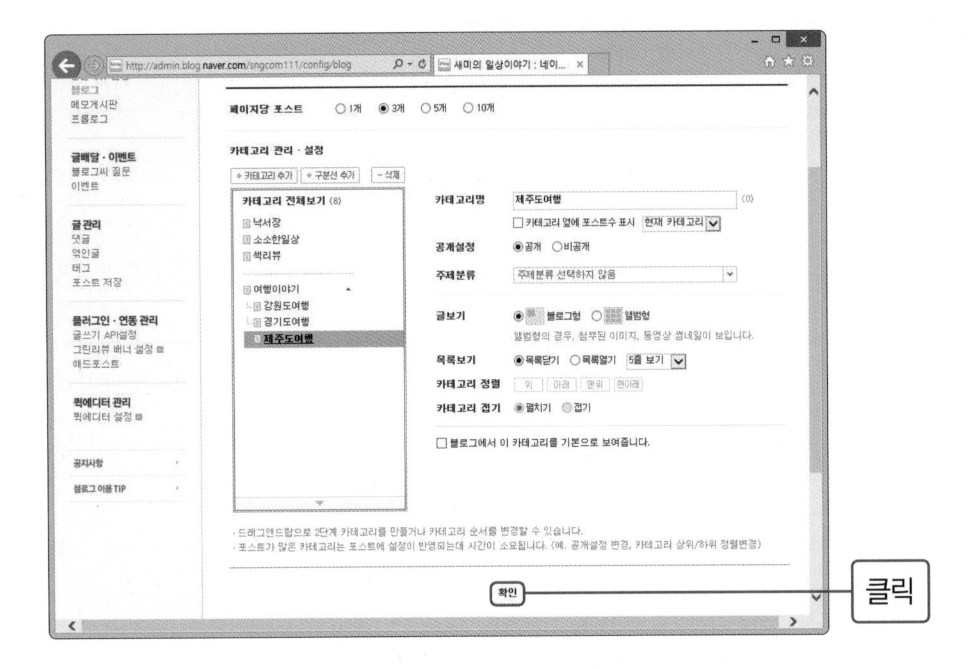

05 이번에는 카테고리를 삭제해보겠습니다. 삭제하고자 하는 카테고리를 클릭해 선택하고 [삭제] 버튼을 클릭하세요. '카테고리 삭제' 메시지 창이 나타나면 [확인] 버튼을 클릭합니다. 해당 카테고리에 이미 포스팅 된 글이 있다면 함께 삭제되므로 유의하세요.

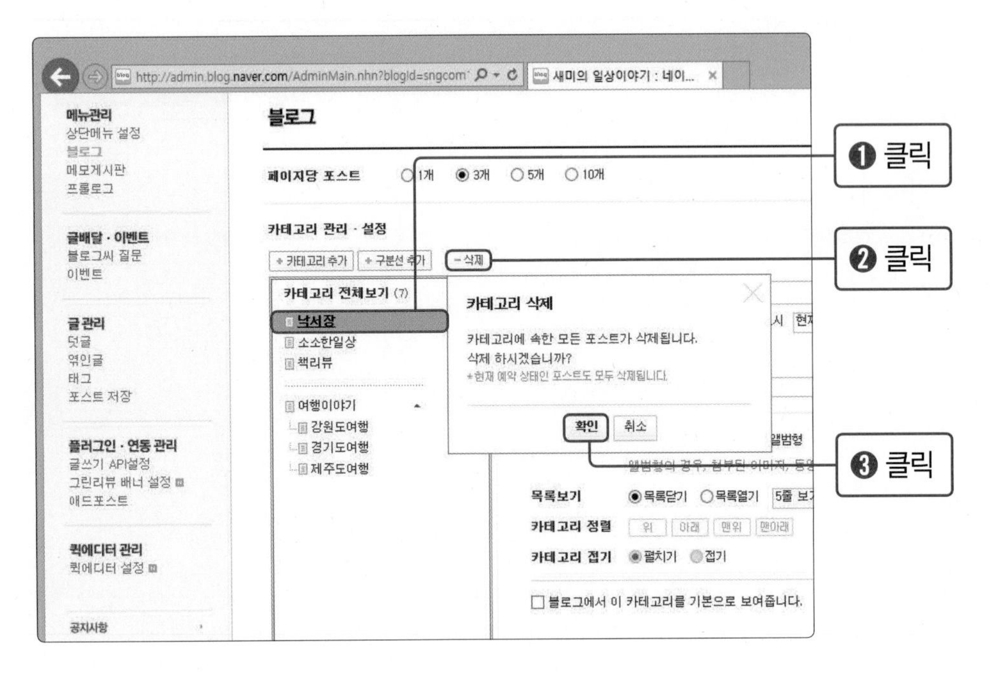

잠깐만요!

기본 옵션 설정 항목 자세히 살펴보기

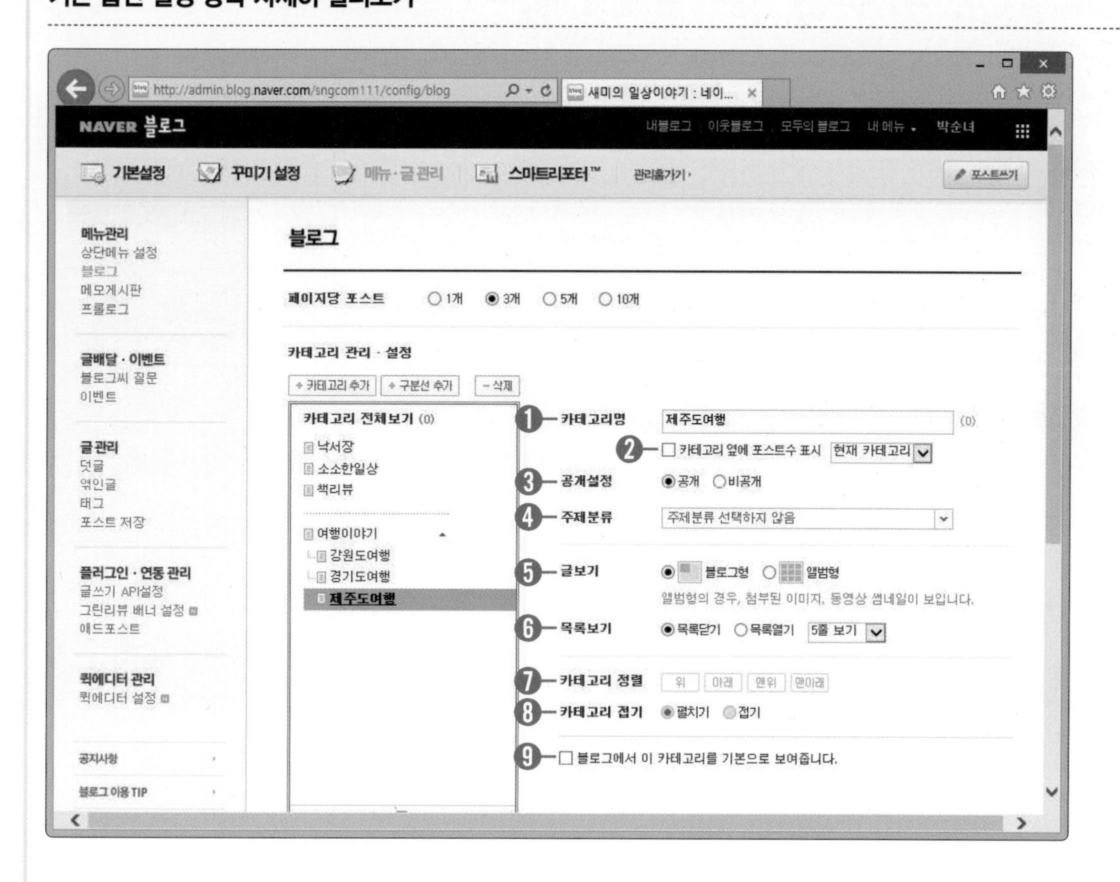

❶ **카테고리명 :** 카테고리 이름을 입력하는 란입니다.

❷ **카테고리 옆에 포스트수 표시 :** ✓ 표시를 하면 해당 카테고리에 등록된 포스트(글)의 개수를 표시할 수 있습니다.

❸ **공개설정 :** 해당 카테고리를 방문자에게 공개할 것인지, 비공개할 것인지 선택할 수 있습니다. 해당 카테고리를 '비공개'로 설정하면 블로그 운영자에게만 보입니다.

❹ **주제분류 :** 해당 카테고리와 연관성 있는 주제를 선택할 수 있습니다. 예를 들어 '제주도여행' 카테고리이면 '주제분류 선택하지 않음'의 내림 단추를 클릭한 후 '국내여행'을 선택합니다. 이는 블로그 포스팅을 할 때에도 설정한 주제 분류와 같이 연결됩니다.

❺ **글보기 :** '블로그형'으로 선택하면 해당 글과 사진이 함께 보이고, '앨범형'으로 선택하면 이미지와 제목만 보입니다. 또한 '앨범형'으로 선택했다면 사진과 글을 함께 작성하여 포스팅해야 합니다. 보통은 '블로그형'으로 많이 설정하며, 여행이나 맛집 후기처럼 사진을 강조해 포스팅을 노출하고 싶을 때 '앨범형'을 주로 사용합니다.

❻ **목록보기 :** 내 블로그에서 해당 카테고리를 클릭했을 때, 포스트 영역 상단 부분에서 카테고리 안에 다른 글 목록을 미리 보여주려면 '목록열기'를 선택하고 보여주고자 하는 목록의 개수를 선택합니다. '목록닫기'를 클릭하면 목록보기 기능이 비활성화됩니다.

❼ **카테고리 정렬 :** 메뉴의 위치와 순서를 위, 아래, 맨 위, 맨 아래를 클릭해 이동할 수 있습니다.

❽ **카테고리 접기 :** 카테고리가 상위, 하위로 나뉘었을 때 사용하는 기능으로 '펼치기'는 하위 카테고리까지 내 블로그에서 바로 보이도록 하는 설정이며, '접기'는 내 블로그에 꼭 필요한 카테고리만 보여주는 기능을 합니다.

❾ **블로그에서 이 카테고리를 기본으로 보여줍니다 :** ✓ 표시를 하면 블로그를 방문했을 때 해당 카테고리를 기본으로 보여줍니다.

06 이제 화면 하단의 [확인] 버튼을 클릭하여 메뉴 구성을 완성합니다.

07 '성공적으로 반영되었습니다.' 메시지가 나타나면 [확인] 버튼을 클릭하세요.

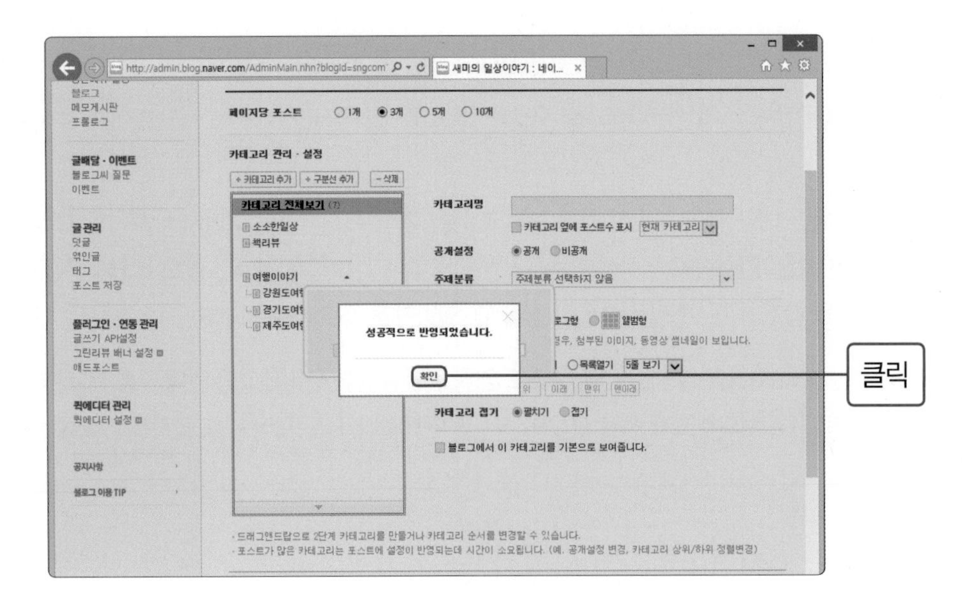

08 완성한 메뉴를 내 블로그 화면에서 확인하기 위해 화면 위쪽에 있는 '내블로그'를 클릭합니다.

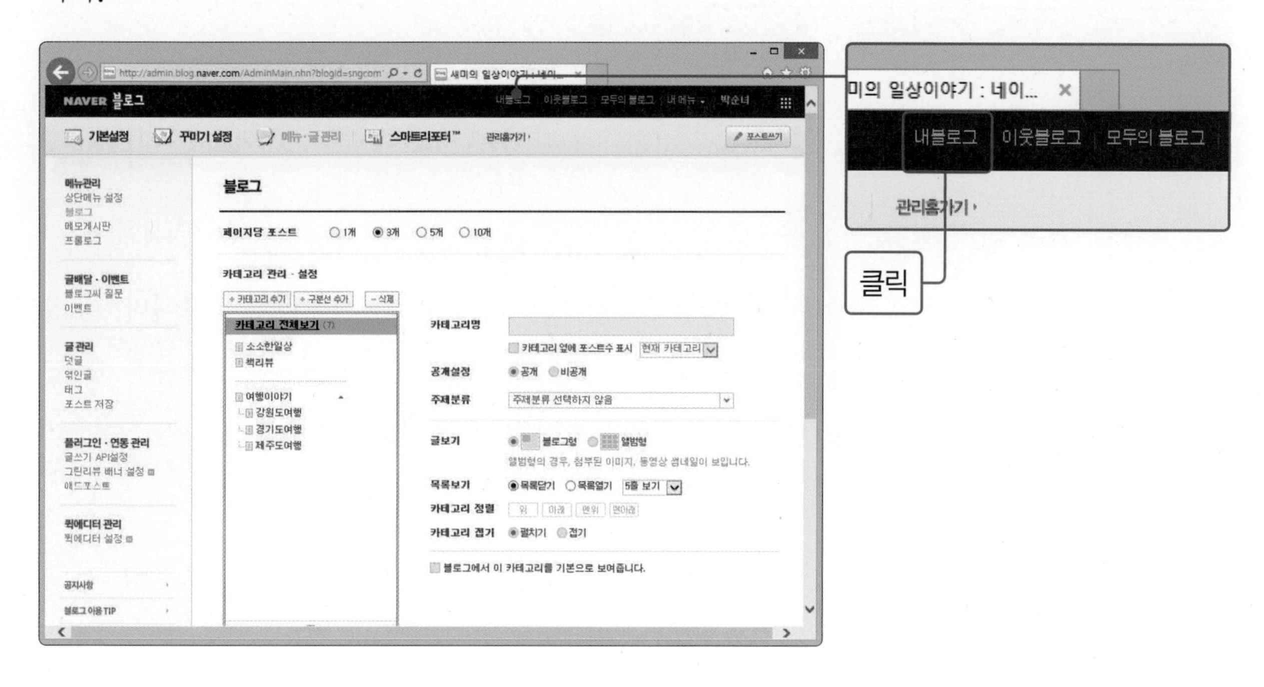

09 내 블로그 시작 화면에서 아래 그림과 같이 메뉴가 추가된 것을 확인할 수 있습니다. 만일 메뉴를 수정하고 싶으면 '카테고리'의 [EDIT] 버튼을 클릭해 다시 설정할 수 있습니다.

06 상단 메뉴 설정하기

블로그 '상단 메뉴'는 블로그 제목 아래에 표시되는 메뉴입니다. 상단 메뉴에는 기본으로 '프롤로그(prologue)', '블로그(blog)'와 '메모(meno)', '안부(guest)'가 설정되어 있습니다. 05장에서 만들어 놓은 카테고리(메뉴) 중에 더 알리고 싶은 메뉴를 상단 메뉴에 추가할 수도 있습니다. 이번 장에서는 상단 메뉴에 카테고리를 추가하는 방법에 대해 알아보겠습니다.

무작정 따라하기

01 상단 메뉴를 설정하기 위해 내 블로그의 시작 화면에서 '프로필 영역'에 있는 '관리'를 클릭합니다.

02 '관리' 페이지가 나타납니다. '메뉴 · 글 관리'의 '상단메뉴 설정'을 클릭합니다.

03 '상단메뉴 설정' 화면에서 자주 사용하지 않는 메뉴인 '지도', '서재', '소셜앱스'를 클릭하여 ✓ 표시를 해제합니다.

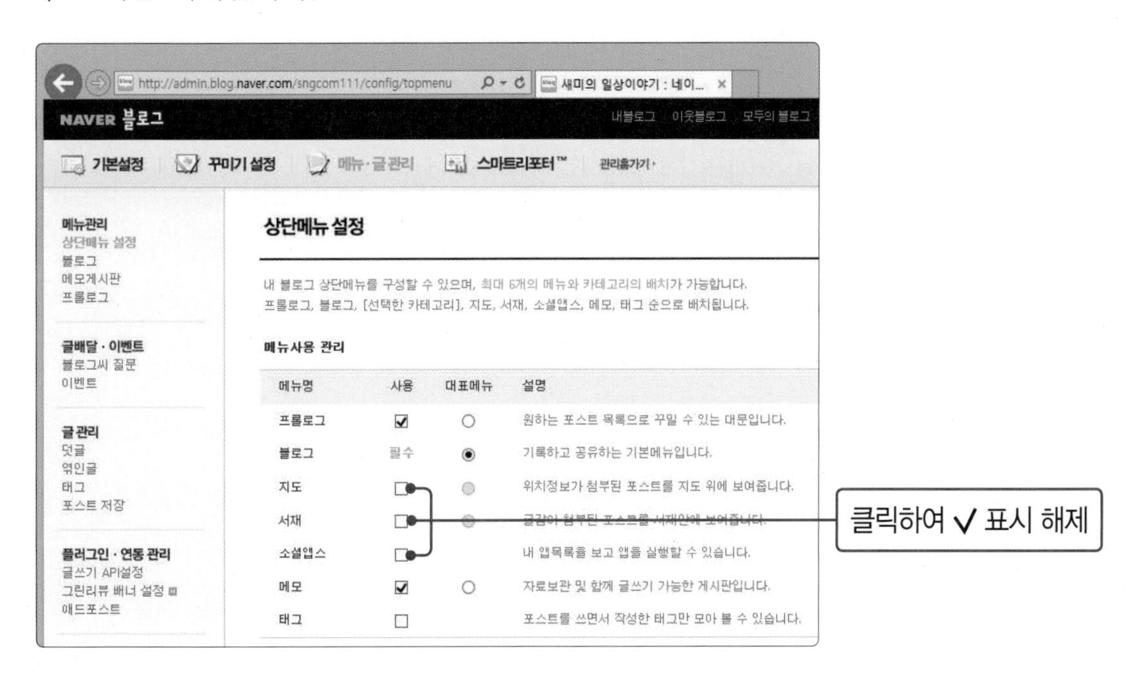

04 이동 막대를 아래로 드래그하여 화면을 이동하면 이전에 만들어 놓았던 카테고리가 보입니다. 왼쪽에 보이는 카테고리 중에 상단 메뉴로 지정할 메뉴를 선택하고 [선택] 버튼을 클릭하세요. 오른쪽의 '선택한 메뉴' 목록에 추가됩니다.

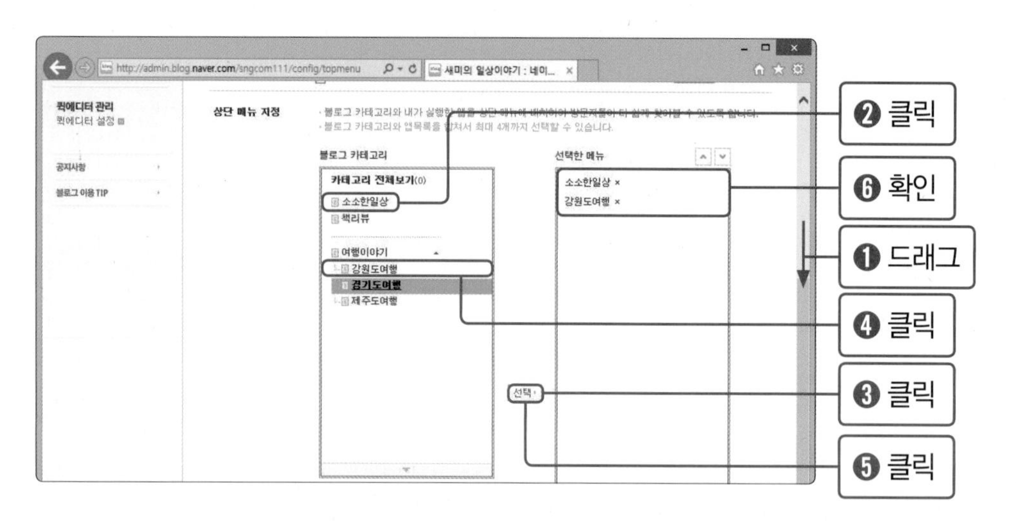

'선택한 메뉴'의 목록을 삭제하거나 순서를 변경하고 싶어요!

오른쪽에 추가된 메뉴 목록에서 메뉴명 옆에 있는 '×'를 클릭하면 해당 메뉴를 삭제할 수 있습니다. 또한, 메뉴의 순서를 변경하려면 메뉴를 선택하고 [^]를 클릭하면 위로, [v]를 클릭하면 아래로 이동합니다.

05 **04**번 과정과 같은 방법으로 상단 메뉴에 등록할 카테고리 선택하여 추가합니다. 최대 4개까지 선택할 수 있습니다. 선택이 끝나면 화면 하단에 있는 [확인] 버튼을 클릭합니다. '성공적으로 반영되었습니다.'라는 메시지 창이 나타나면 [확인] 버튼을 클릭합니다.

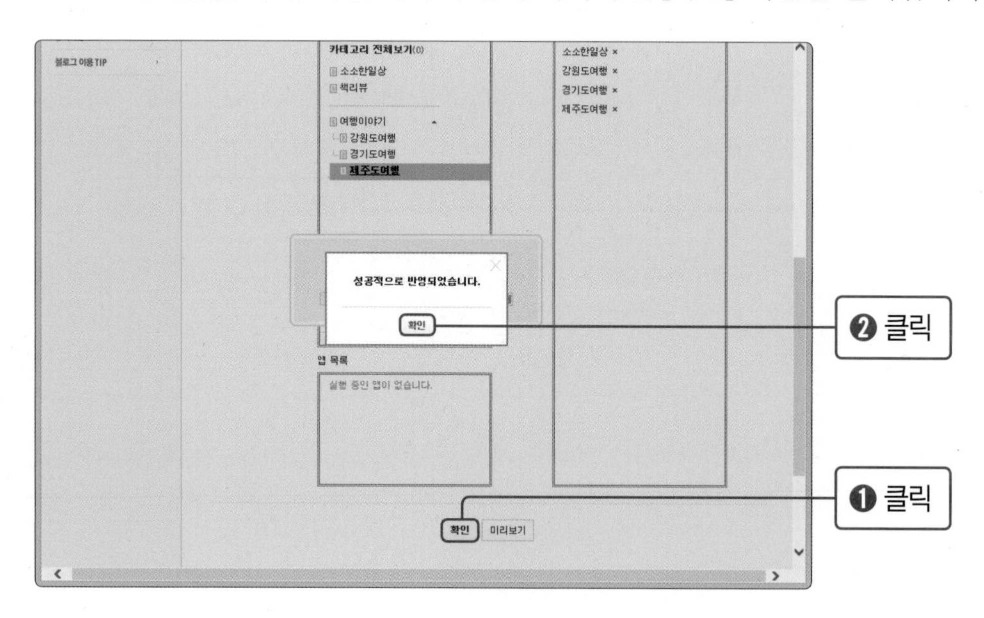

06 추가된 상단 메뉴를 내 블로그에서 확인하기 위해 화면 위에 있는 '내블로그'를 클릭합니다.

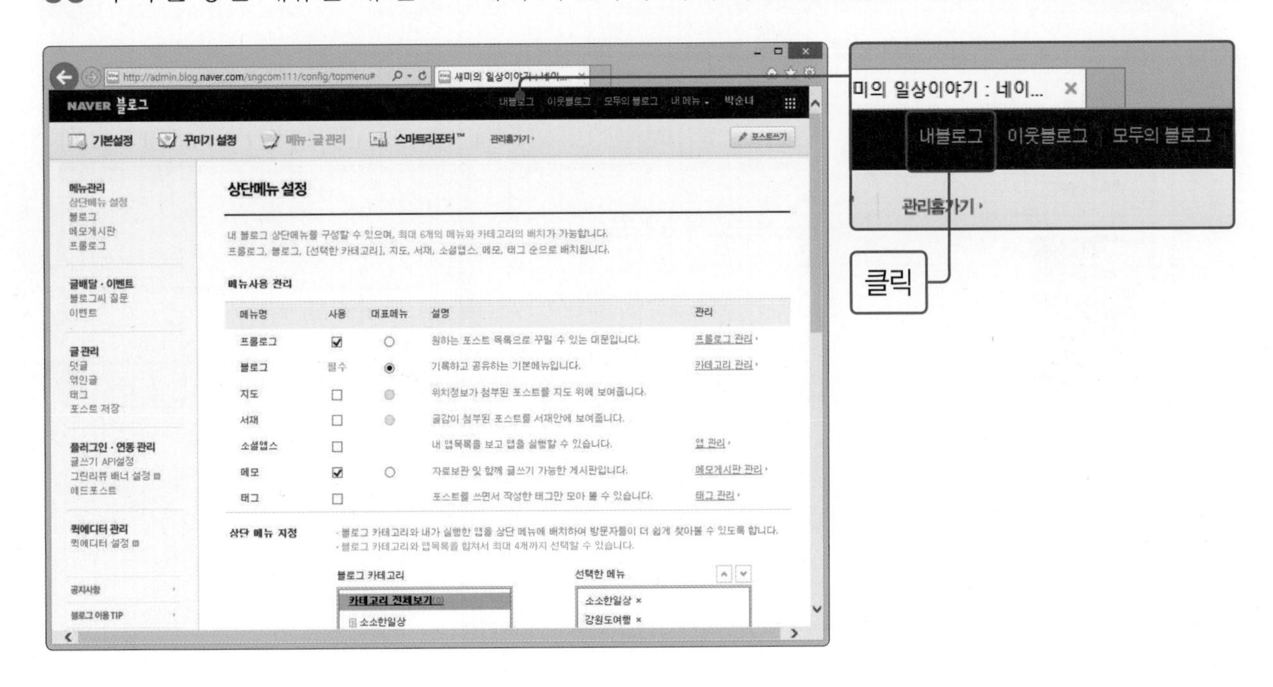

07 내 블로그 시작 화면이 보이면 블로그 제목 아래의 상단 메뉴 부분이 변경된 것을 확인할 수 있습니다. 새롭게 등록된 상단 메뉴를 클릭하면 해당 카테고리(메뉴)로 바로 이동합니다. 즉, 왼쪽의 카테고리 영역에 있는 메뉴와 상단 메뉴에 등록된 같은 이름의 카테고리를 확인할 수 있습니다.

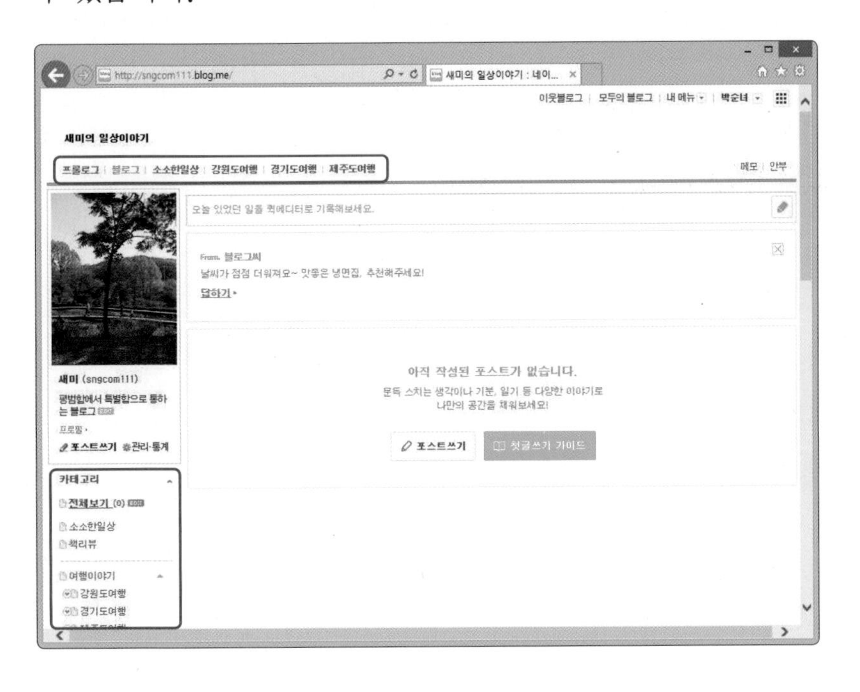

잠깐만요!

상단 메뉴의 '안부' 게시판은 언제 사용하나요?

'안부' 게시판은 '메모' 게시판과 같이 타인과 함께 쓰는 게시판으로, 메모 게시판보다 간편하게 글을 작성하고 등록할 수 있습니다.

'안부' 게시판은 최소한의 기능만 제공되며, 글자 속성(크기, 굵기, 색 등)은 지정할 수 없지만 '사진 올리기'와 '그림 그리기' 기능을 이용하여 작성할 수 있습니다.

'안부' 게시판의 글쓰기 권한을 변경하려면 '관리 → 기본설정 → 스팸차단 → 덧글 · 안부글 권한' 순으로 메뉴를 선택해 설정 값을 변경할 수 있습니다.

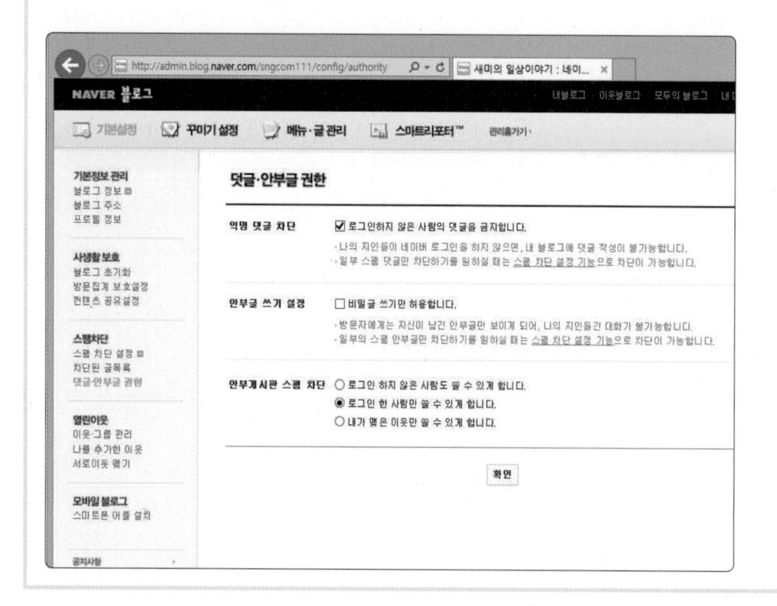

셋째 마당

블로그 꾸미고 디자인 설정하기

블로그가 '집'이라고 생각하고 '인테리어'에 해당하는 꾸미기 기능에 대해서 알아보겠습니다. 블로그의 꾸미기 기능은 '관리' 페이지의 '꾸미기 설정'에서 설정할 수 있으며, 블로그 배경인 스킨 디자인, 위젯, 레이아웃 설정, 퍼스나콘, 폰트 등 다양한 요소들을 설정할 수 있습니다. 셋째마당에서는 각 요소들의 정의를 살펴보고 다양한 기능을 익혀 내 블로그를 멋지게 꾸미고 관리해보겠습니다.

01 네이버 블로그 스킨으로 배경 꾸미기

가장 먼저 블로그 배경을 꾸밀 수 있는 '스킨' 기능에 대해 살펴보겠습니다. 블로그 배경에 따라 블로그의 전체적인 분위기가 결정되므로 내 블로그 주제와 관련된 스킨을 적용하는 것이 좋습니다.

블로그 스킨을 적용하는 방법으로는 전문가 및 일반인이 디자인한 '아이템 팩토리 스킨'과 네이버에서 기본으로 제공하는 '네이버 블로그 스킨', 내가 직접 디자인하고 적용할 수 있는 '내가 만든 스킨' 3가지 방법이 있습니다. 01장에서는 '네이버 블로그 스킨'을 적용하여 블로그 배경을 꾸며보겠습니다. 네이버의 전문 디자이너들이 만든 스킨이라서 깔끔하고 정돈된 분위기를 연출할 수 있습니다.

무작정 따라하기

01 블로그의 배경을 바꾸기 위해 '프로필 영역'에 있는 '관리'를 클릭하여 '관리' 페이지를 엽니다.

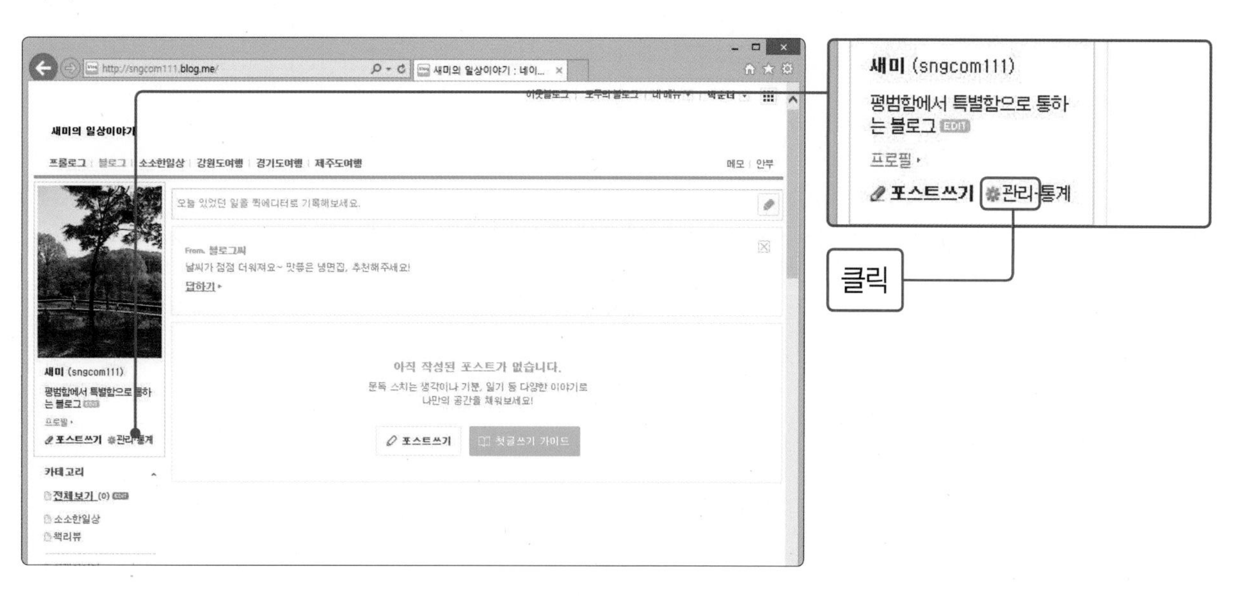

02 '꾸미기 설정'의 '스킨 선택'을 클릭하세요.

03 '스킨 선택' 화면이 나타납니다. 네이버에서 제공하는 블로그 스킨을 선택하기 위해 '네이버 블로그 스킨' 탭을 클릭하세요.

04 네이버에서 제공하는 블로그 스킨 목록이 나타납니다. 이동 막대를 아래로 드래그하여 화면을 이동하면서 여러 가지 블로그 스킨 중에서 맘에 드는 스킨을 찾아보세요.

05 화면 아래의 '1, 2, 3, 4...'를 차례로 클릭하면서 화면을 이동해 더 많은 스킨을 살펴볼 수 있습니다.

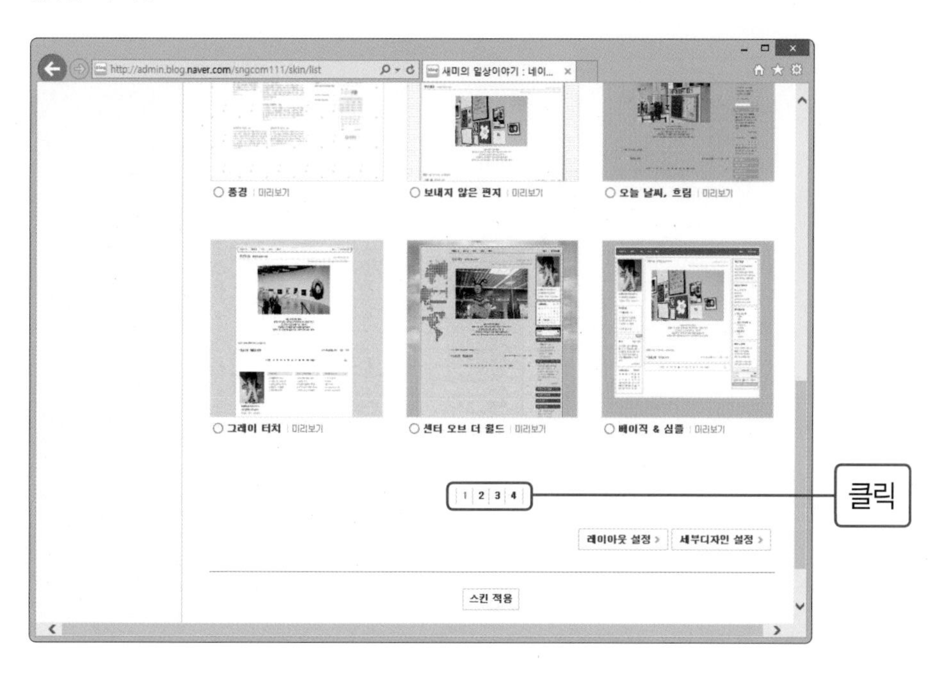

06 블로그 배경으로 설정하고 싶은 스킨의 제목을 클릭하여 선택합니다. 여기서는 '기분좋은 하루' 스킨을 선택하였습니다.

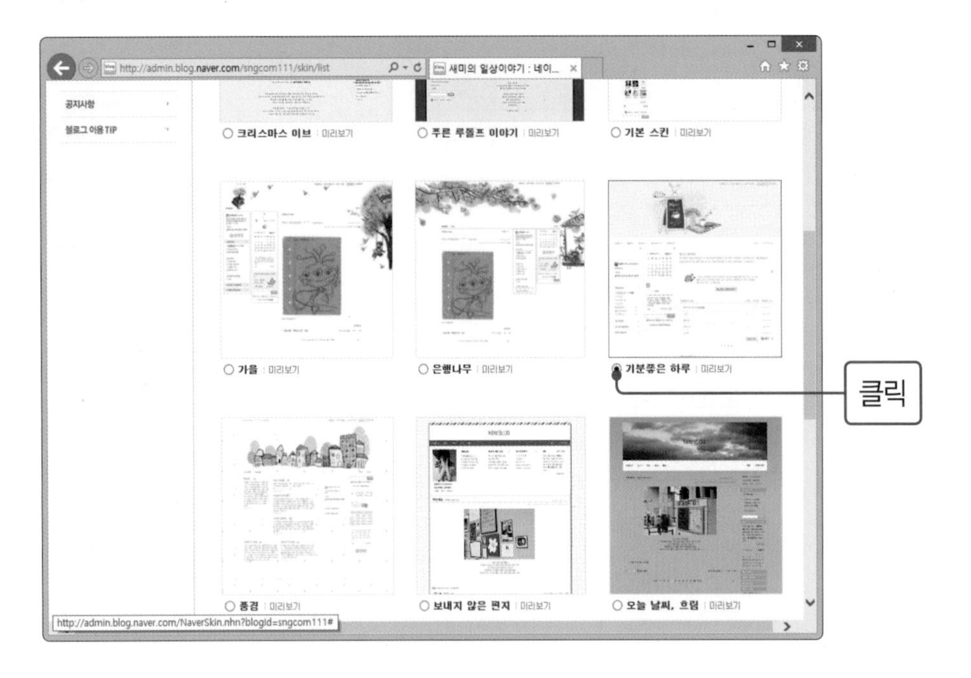

07 배경으로 적용할 스킨 선택을 마쳤으면, 이동 막대를 드래그하여 화면을 아래로 이동한 후 [스킨 적용] 버튼을 클릭합니다.

08 '스킨이 적용되었습니다. 내 블로그에서 확인하시겠습니까?'라는 메시지가 나타나면 [확인] 버튼을 클릭하세요.

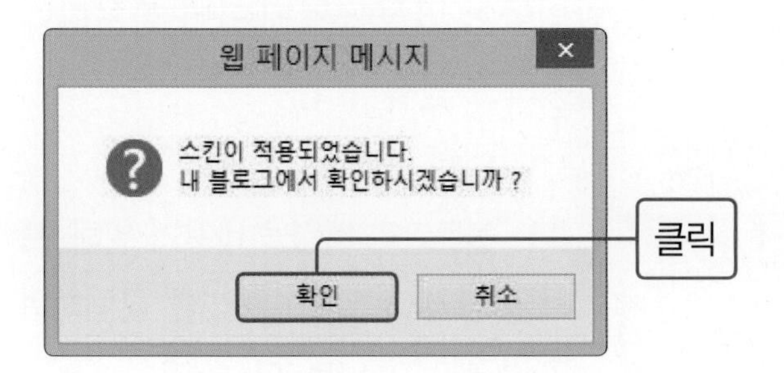

09 선택한 스킨이 내 블로그에 적용된 것을 확인할 수 있습니다.

잠깐만요!

스킨을 적용했더니 이전과 다른 모습으로 나타납니다!

스킨을 새롭게 적용하면 블로그의 배경만 바뀌는 것이 아니라 내가 선택한 블로그 디자인에 관련된 요소들도 함께 바뀝니다. 즉, 배경 디자인, 글자 색, 프로필 위치 및 구조가 함께 바뀌기도 합니다. 이러한 요소를 다시 변경하고 싶다면 98쪽을 참고하세요.

한 걸음 더 아이템 팩토리에서 제공하는 스킨으로 멋지게 꾸미기

아이템 팩토리에 있는 스킨 디자인은 전문 디자이너나 일반인들이 만들어서 네이버 블로그에 등록한 스킨이 모여 있는 공간으로, 네이버에서 서비스를 제공하고 있습니다.

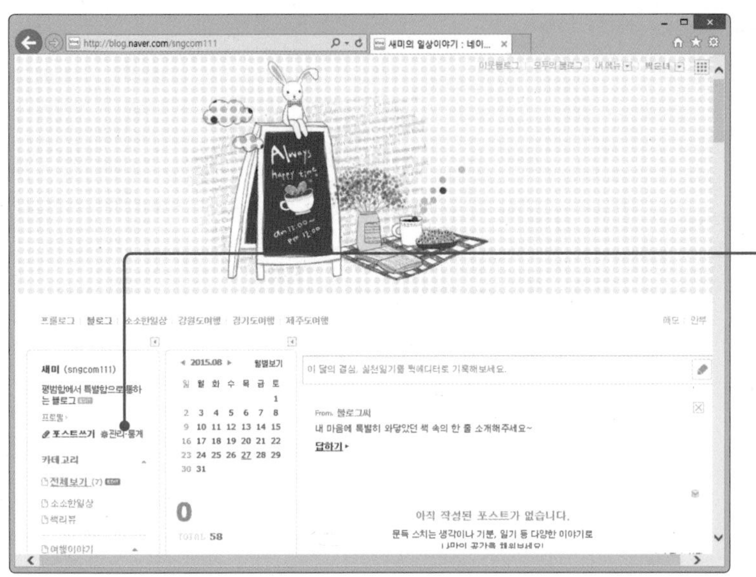

01. 블로그의 배경을 바꾸기 위해 '프로필 영역'에 있는 '관리'를 클릭하여 '관리' 페이지를 엽니다.

02. '관리' 페이지에서 '꾸미기 설정'의 '스킨 선택'을 클릭합니다.

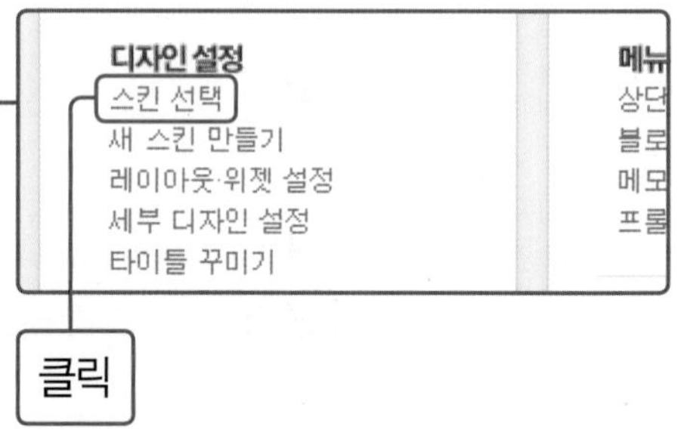

03. '스킨 선택' 화면이 나타납니다. [아이템 팩토리 스킨] 탭을 클릭합니다. 아직 아이템 팩토리에서 적용한 스킨이 없다면 '아이템 팩토리에서 담은 스킨이 없습니다.'라는 메시지가 보입니다. 이제 아이템 팩토리 스킨에 어떤 종류가 있는지 살펴보기 위해 화면 오른쪽 상단의 '아이템 팩토리 바로가기'를 클릭하세요.

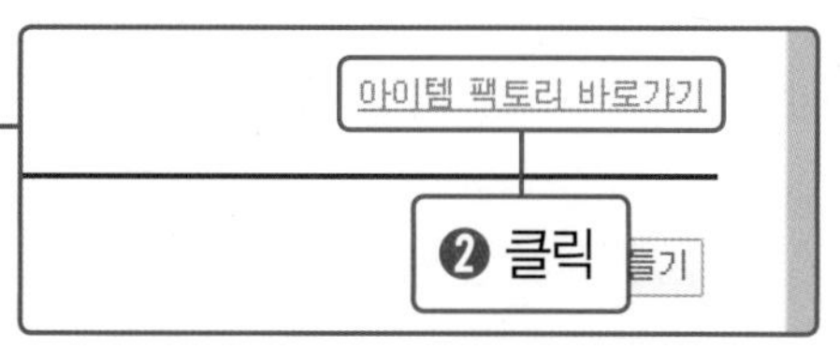

04. '아이템 팩토리' 시작 화면이 나타납니다. 현재 인기 있는 스킨이나 최근에 등록된 스킨들이 나타납니다. 다양한 스킨을 둘러보기 위해 메뉴에서 '일러스트', '사진', '디자인'을 각각 클릭한 후 이동 막대를 아래로 드래그하면서 여러 가지 스킨을 살펴보세요. 여기서는 '일러스트'를 클릭하였습니다.

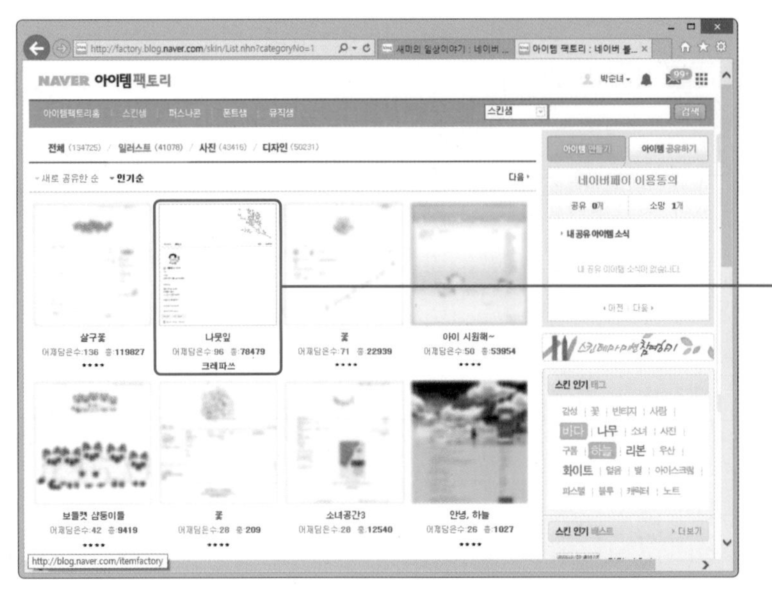

05. '일러스트' 주제와 관련된 스킨들이 나타나면 맘에 드는 스킨을 찾아 클릭합니다.

잠깐만요!

스킨 종류가 그림과 다르게 보여요!

스킨 종류는 계속 업데이트됩니다. 또한, 최근에 등록된 스킨이나 인기 스킨들이 먼저 화면에 보이게 설정되어 있습니다. 스킨 종류가 책의 설명과 다르게 보이더라도 마음에 드는 스킨을 찾아 선택한 후 따라해 보세요.

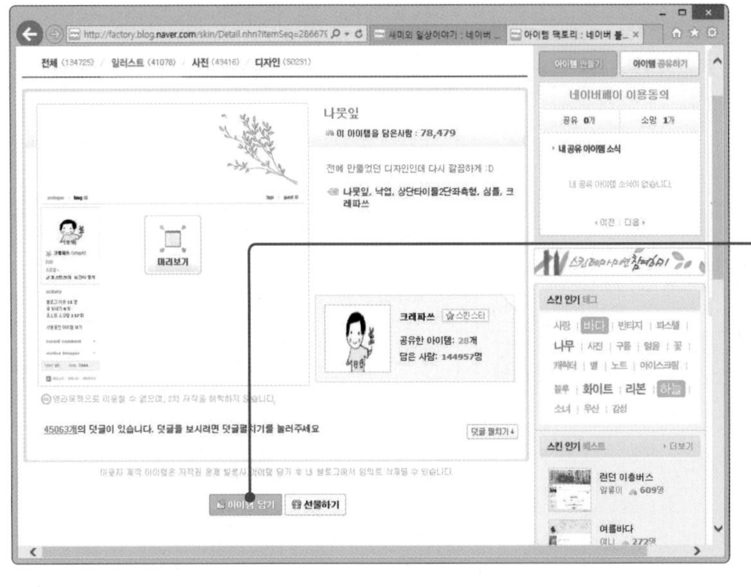

06. 선택한 스킨의 화면이 나타납니다. 마음에 들면 화면 아래쪽에 있는 [아이템 담기] 버튼을 클릭합니다.

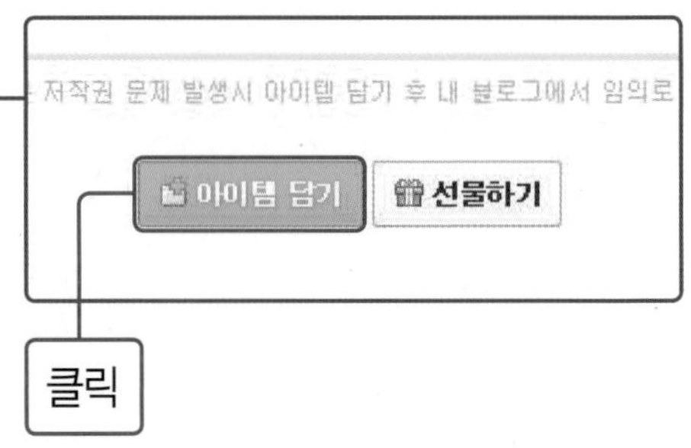

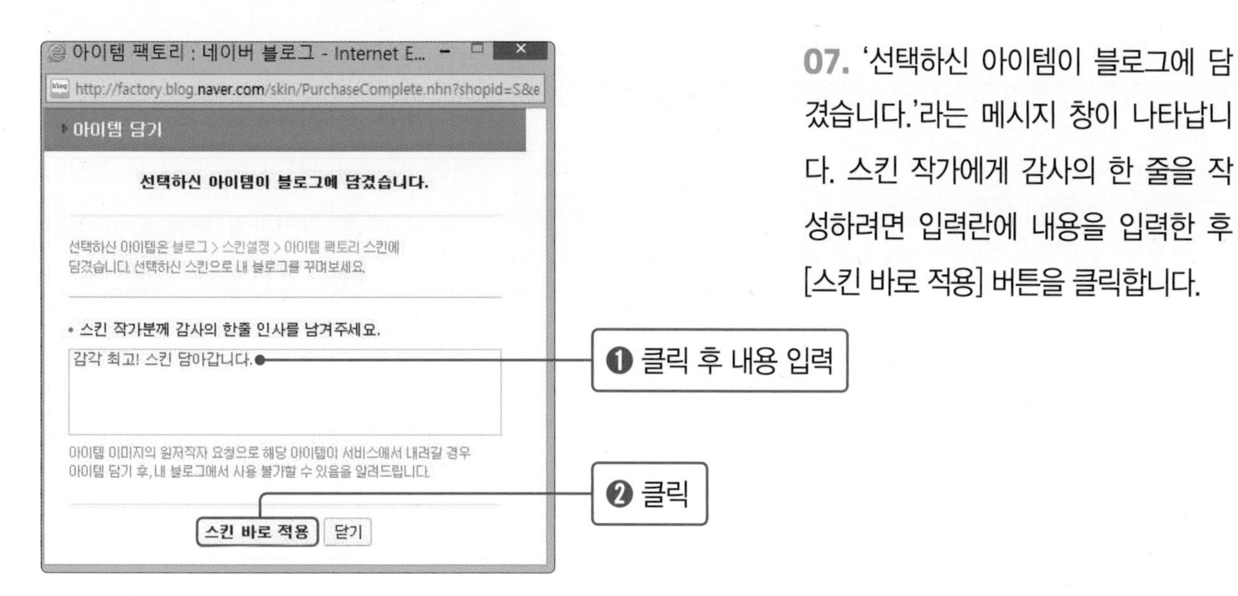

07. '선택하신 아이템이 블로그에 담겼습니다.'라는 메시지 창이 나타납니다. 스킨 작가에게 감사의 한 줄을 작성하려면 입력란에 내용을 입력한 후 [스킨 바로 적용] 버튼을 클릭합니다.

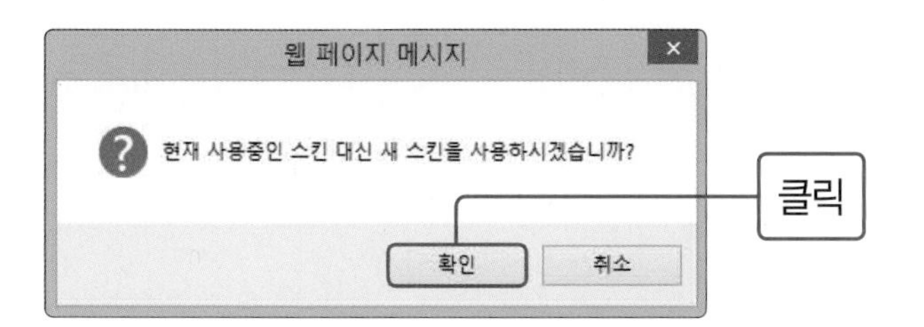

08. '현재 사용중인 스킨 대신 새 스킨을 사용하시겠습니까?'라는 메시지가 나타나면 [확인] 버튼을 클릭하세요.

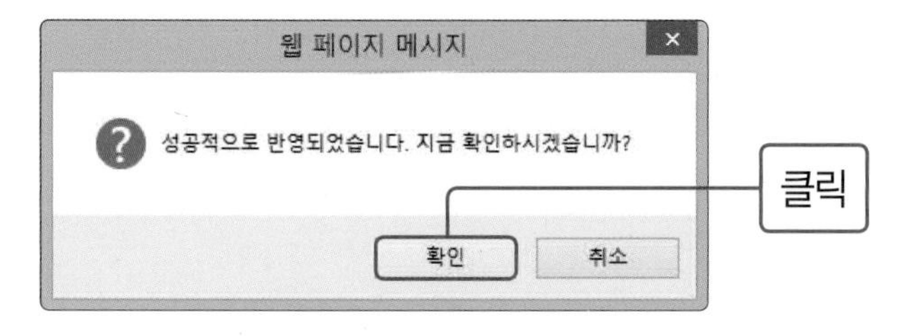

09. '성공적으로 반영되었습니다. 지금 확인하시겠습니까?'라는 메시지가 나타나면 [확인] 버튼을 클릭합니다.

잠깐만요!

아이템 팩토리의 스킨을 사용할 때 유의하세요!

'스킨은 영리 목적으로 이용할 수 없으며, 2차 저작을 허락하지 않습니다.'라는 저작물 저작권 표시가 있으니 영리 목적으로 사용할 시 저작권자에게 상업적 허락을 받아 사용하세요.

10. 선택한 블로그 스킨이 내 블로그에 적용되면서 '아이템 팩토리 스킨' 항목에 저장됩니다. 이제 블로그 스킨이 바뀐 모습을 확인하기 위해 화면 상단에 있는 '내블로그'를 클릭하세요.

11. 내 블로그의 첫 화면이 아이템 팩토리에서 선택한 스킨이 적용되었습니다.

잠깐만요!

블로그 상단에 기존에 설정해 둔 블로그 제목, 즉 타이틀이 안 보여요!

스킨을 변경하게 되면 위의 화면처럼 상단 블로그 제목이 안 보이는 경우가 있습니다. 스킨 요소를 저작자가 다양하게 설정할 수 있기 때문에 디자인을 하면서 타이틀 표시 기능을 해제한 것입니다. 타이틀 표시를 하려면 102쪽의 '한 걸음 더'를 확인해 보세요.

02 ‘레이아웃·위젯’ 이해하기

앞서 블로그 배경인 스킨을 변경해보았습니다. 스킨을 변경하면 전체 디자인과 구조도 함께 변경되는 것을 알 수 있었습니다. 블로그의 구조를 변경하기 위해서는 ‘레이아웃 · 위젯’ 항목에서 기능을 설정하여 블로그 디자인을 변경할 수 있습니다. 여기서 ‘레이아웃’은 블로그의 구조 및 배치를 의미합니다. ‘위젯’은 블로그에서 독립적으로 운영되는 작은 프로그램으로, 시계나 달력과 같은 일상생활에 자주 사용하는 프로그램이나 블로그에서 광고를 보여주는 프로그램 등이 있습니다.

‘레이아웃·위젯’ 설정 화면의 구성 요소

블로그의 ‘관리’ 페이지→꾸미기 설정→‘레이아웃 · 위젯 설정’의 경로로 ‘레이아웃 · 위젯’ 설정 화면을 열 수 있습니다.

블로그에서 글이 보이는 ‘포스트 영역’을 기준으로 화면 왼쪽이나 오른쪽에 내 블로그의 정보가 보이는 2단 혹은 3단 구조의 레이아웃과 상단, 하단에 블로그 정보가 보이는 1단 레이아웃 구조를 합해 총 12가지의 레이아웃이 제공됩니다. 아래 그림의 레이아웃 구조는 12가지의 레이아웃 중에서 제일 첫 번째로 보이는 2단 레이아웃 구조의 모습입니다.

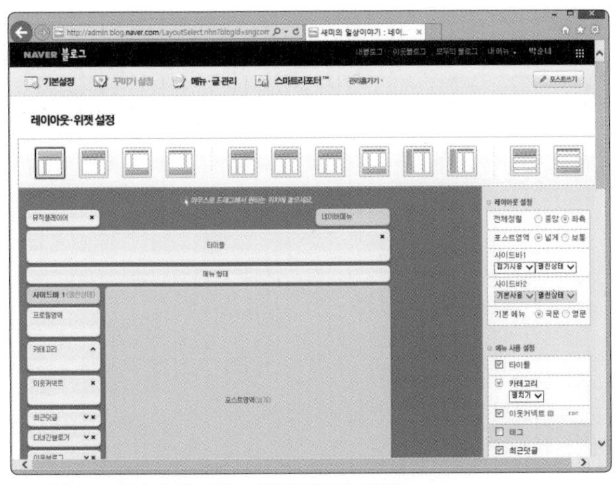

▲ 블로그의 ‘레이아웃 · 위젯 설정’ 화면

▲ 2단 레이아웃 구조의 내 블로그 첫 화면

화면 왼쪽의 '사이드 1'에는 '프로필 영역', '카테고리' 등 블로그 요소들이 있으며 이를 위, 아래로 드래그해 요소의 순서를 변경할 수 있습니다. 블로그에 나타내고 싶지 않은 요소의 'X' 표시를 클릭하면 해당 요소를 삭제할 수도 있습니다. 'X' 표시가 없는 요소는 필수 요소라서 삭제가 불가능합니다.

화면 오른쪽의 '설정'에는 블로그의 세부 기능을 설정할 수 있는 '레이아웃 설정', '메뉴 사용 설정', '위젯 사용 설정'이 있습니다. 이를 자세히 살펴볼까요?

1. 레이아웃 설정

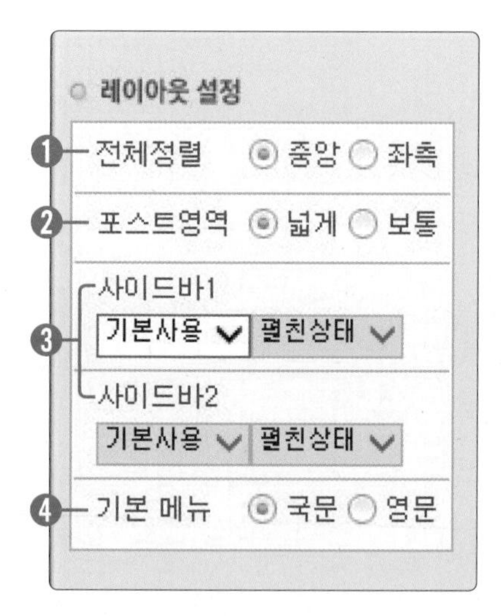

❶ 전체정렬 : 내 블로그 화면을 모니터 '중앙'에 맞춰 정렬할 것인지, '좌측'에 맞춰 정렬할 것인지 선택할 수 있습니다. 보통 '중앙'을 선택하여 사용합니다.

❷ 포스트영역 : 블로그 글을 보여주는 영역으로, '넓게'를 선택하면 글이 잘 보이도록 영역을 넓힐 수 있습니다. 단, 3단 레이아웃 구조에서는 화면 왼쪽과 오른쪽에 블로그 요소를 배치해야 하므로 '넓게'를 선택할 수 없습니다.

❸ 사이드바1/사이드바2 : 블로그 화면 왼쪽 또는 오른쪽 영역에 '프로필', '카테고리', '달력', '카운터' 등 블로그 요소들이 표시되는 부분이 사이드바이며 이 부분을 접거나 펼칠 수 있습니다.

❹ 기본 메뉴 : 블로그의 상단 메뉴, 최신 덧글, 최근 방문자 등의 메뉴를 '국문'과 '영문' 중에서 선택하여 사용할 수 있습니다.

2. 메뉴 사용 설정

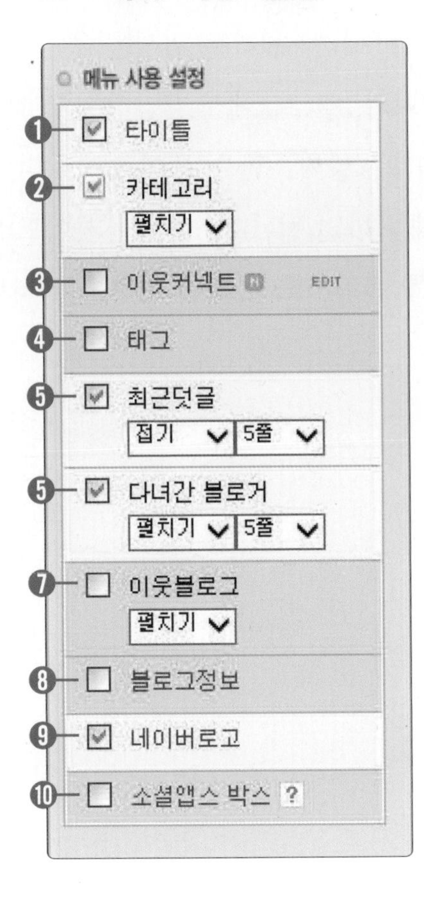

❶ **타이틀 :** 블로그 상단의 블로그 제목이 표시되는 영역으로, 항상 ✓ 표시가 되어 있어야 합니다.

❷ **카테고리 :** 내 블로그의 메뉴에 해당되는 부분으로, 내림 단추를 클릭해 '펼치기'와 '접기' 중에서 선택할 수 있습니다. 메뉴가 항상 보이도록 '펼치기'를 선택해 설정하는 것이 좋습니다.

❸ **이웃커넥트 :** 내 블로그의 이웃 현황을 알려주는 위젯으로, '사이드바' 영역에 이를 표시할 것인지 아닌지 선택할 수 있습니다.

❹ **태그 :** 내 블로그에 글을 포스팅하면서 글과 관련된 키워드(핵심 단어)를 입력하는 것인데, 이를 입력해 태그로 등록하면 한데 모아서 보여주는 기능을 합니다.

❺ **최근덧글 :** 내 블로그에 방문한 다른 블로거가 내 글에 덧글을 남겼을 때 최신순으로 보여줍니다.

❻ **다녀간 블로거 :** 내 블로그에 방문한 블로거들의 목록을 보여줍니다.

❼ **이웃블로그 :** 나와 이웃을 맺은 블로거들의 목록을 보여줍니다. 이 기능은 '이웃커넥트' 기능과 유사하여 두 기능 중 하나만 표시하는 것이 좋습니다.

❽ **블로그 정보 :** 내 블로그 이웃의 수 혹은 내 글을 다른 블로거가 공유한 횟수 등 블로그 정보를 보여주는 기능입니다.

❾ **네이버로고 :** 'Powered by Naver blog'로 네이버 블로그 로고를 표시합니다.

❿ **소셜앱스 박스 :** 소셜앱스의 앱에는 게임, 커뮤니티, 유틸리티 등의 앱이 제공되며 원하는 앱을 골라 블로그에 설치하여 블로그 이웃들과 함께 즐길 수 있습니다. 일반적으로 거의 사용하지 않는 기능입니다.

3. 위젯 사용 설정

'위젯'은 블로그 내에서 별도로 운영하는 프로그램으로, 내 블로그에 원하는 위젯을 추가하여 간편하게 정보를 바로 블로그에서 확인하고 이용할 수 있습니다. 블로그에서 제공하는 위젯은 '콩저금통', '달력', '지도', '서재', '카운터', '뮤직플레이어', '시계', '날씨', '환율' 등이 있습니다. 원하는 위젯을 내 블로그에 추가하려면 해당 위젯에 ✓ 표시를 하면 됩니다. 그러면 '사이드바' 영역에 위젯이 표시됩니다. 블로그에 추가한 위젯의 위치를 변경하고 싶다면 원하는 위치로 드래그하여 이동시킬 수 있습니다.

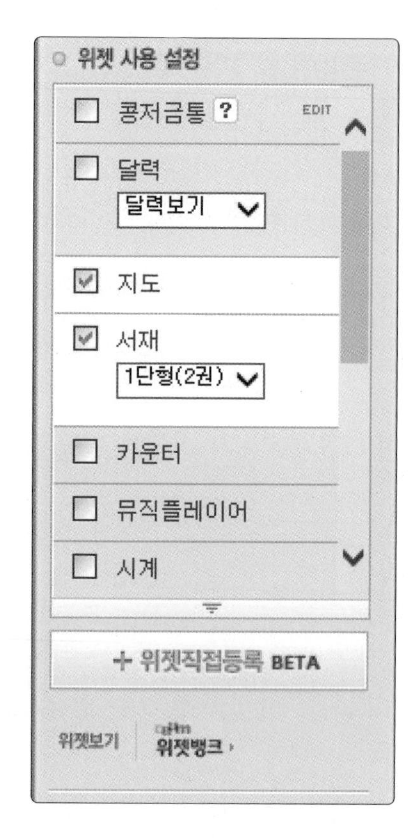

03 레이아웃 구조 변경하기

레이아웃은 전체적인 블로그의 디자인 형식을 결정하고, 사용하려고 하는 메뉴의 종류와 위치를 결정하는 곳입니다. 레이아웃 구조는 2단 4가지, 3단 6가지, 1단 2가지로 총 12가지의 레이아웃이 제공됩니다. 가장 많이 사용되는 레이아웃으로는 왼쪽의 사이드바와 포스트 영역이 보이는 1번과 화면 중심으로 포스트를 보여주는 사진을 부각시킬 수 있는 구조인 11번을 선호하는 편입니다. 레이아웃 구조를 변경해보겠습니다.

무작정 따라하기

01 내 블로그 화면에서 '프로필 영역'에 있는 '관리'를 클릭하여 '관리' 페이지를 엽니다.

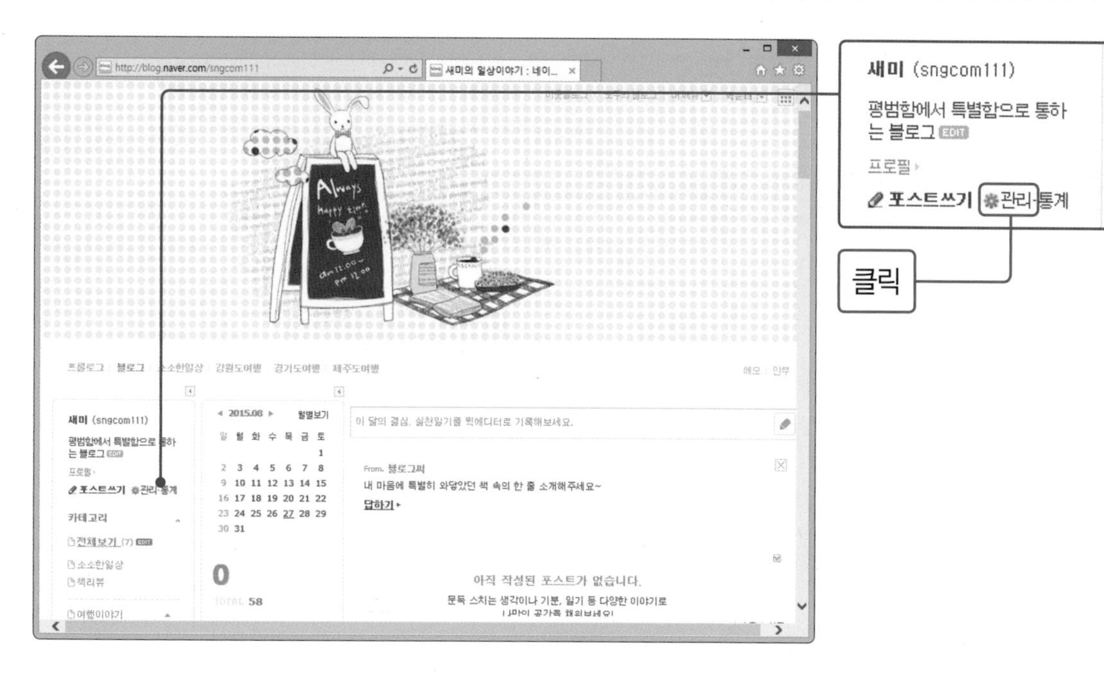

02 '꾸미기 설정'의 '디자인 설정'에서 '레이아웃·위젯 설정'을 클릭합니다.

03 '레이아웃·위젯 설정' 화면이 나타납니다. 아래 그림과 조금 다르게 보이더라도 걱정하지 마세요. 이전에 설정한 내용에 따라 다르게 보일 수 있습니다. '레이아웃 미리보기' 화면에서 12개의 레이아웃 중 마음에 드는 구조를 선택합니다. 여기서는 1번 구조를 클릭했습니다. '레이아웃을 변경하시겠습니까?'라는 메시지가 나타나면 [확인] 버튼을 클릭하세요.

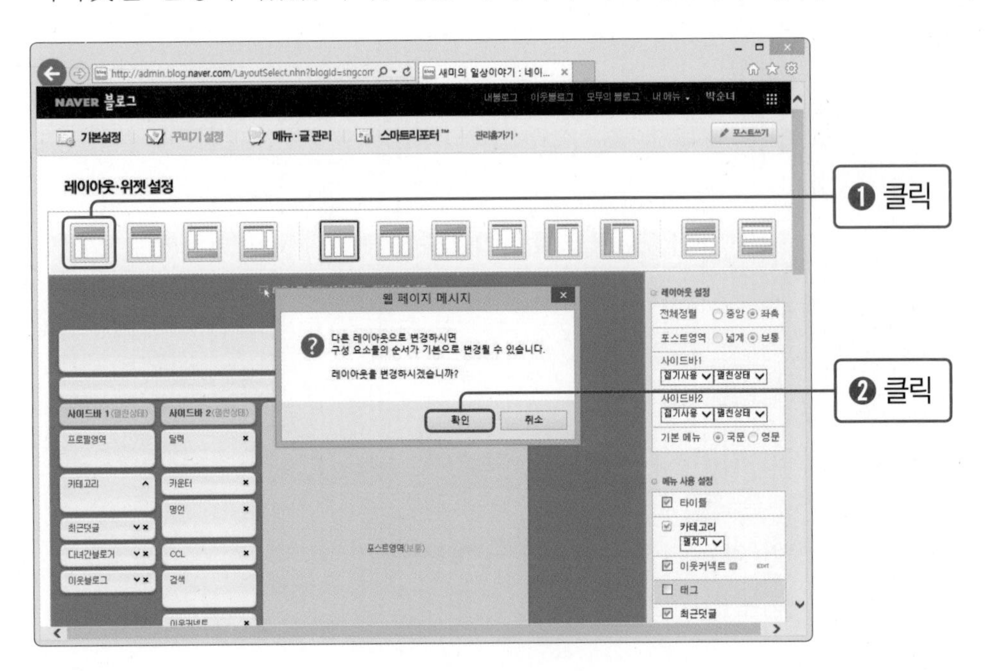

04 1단 구조의 레이아웃으로 변경되었습니다. 화면 왼쪽에 '사이드바1'과 '포스트 영역'만으로 구성되어 있는 구조입니다.

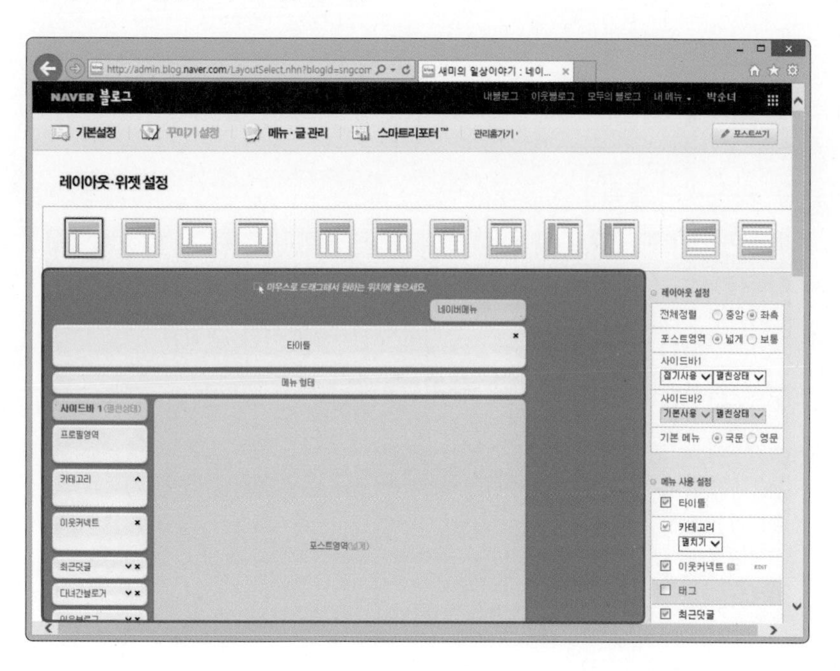

05 이동 막대를 아래로 드래그하여 화면 가장 아래에 있는 [적용] 버튼을 클릭합니다.

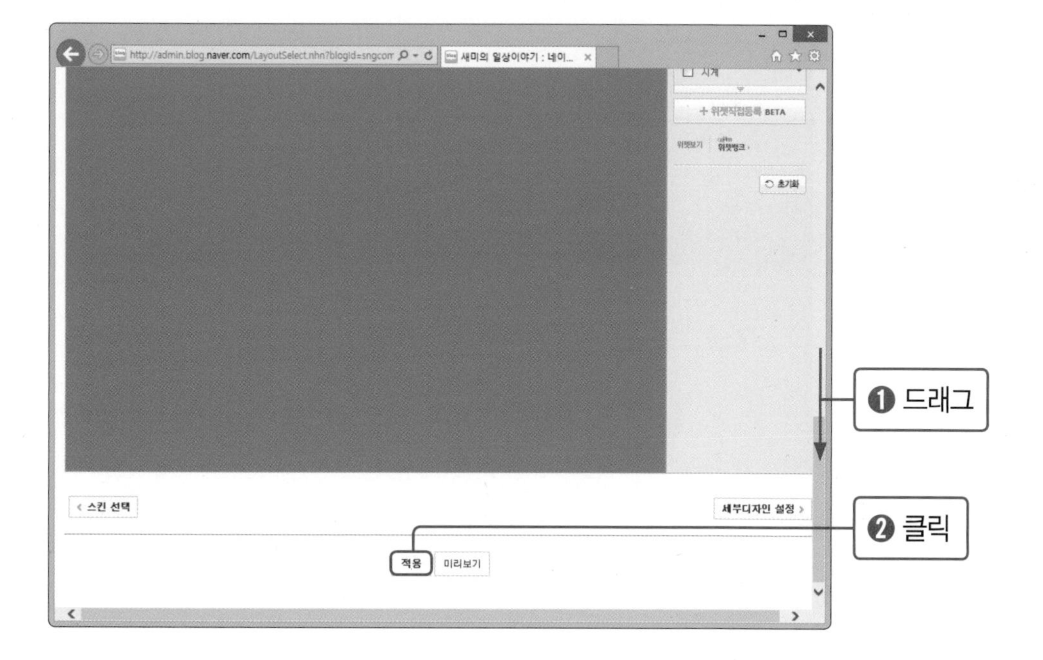

06 '레이아웃을 블로그에 적용하시겠습니까?'라는 메시지가 나타나면 [확인] 버튼을 클릭하세요.

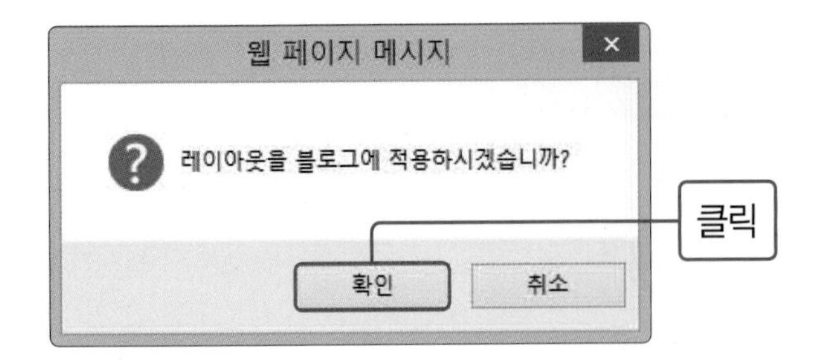

07 내 블로그에 2단 레이아웃이 적용된 것을 확인할 수 있습니다.

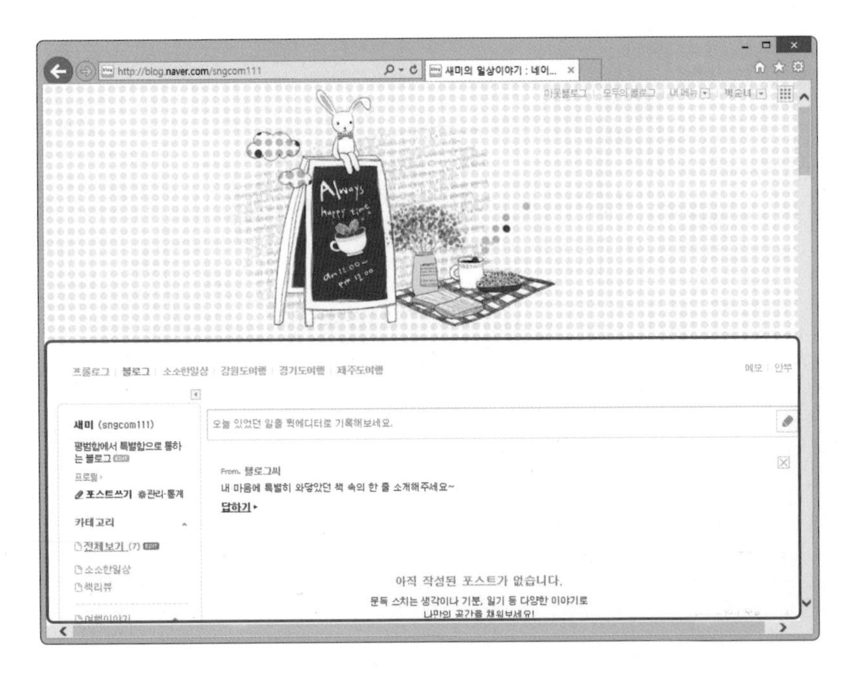

04 레이아웃의 구성 요소 변경하기

앞서 1단 레이아웃으로 변경하는 방법을 익혀 보았습니다. 이러한 레이아웃 구조 안에서는 사용하려고 하는 메뉴의 종류와 위젯 등의 위치를 결정하여 구성할 수 있는 요소들이 있습니다. 화면 왼쪽이나 오른쪽에 내 블로그의 정보가 보이도록 하거나 또는 상단, 하단에 구성 요소를 잘 배치하여 시각적인 효과를 나타낼 수 있도록 변경해 보겠습니다.

무작정 따라하기

01 내 블로그 화면에서 '프로필 영역'에 있는 '관리'를 클릭하고 '레이아웃 · 위젯 설정'을 클릭합니다. 레이아웃의 구성 요소 중에서 '최근 덧글'의 위치를 변경해보겠습니다. '사이드바 1'의 요소 중에서 '최근 덧글'을 클릭한 상태에서 '다녀간 블로그' 아래로 드래그합니다. 나머지 요소들도 내가 원하는 위치로 드래그하여 이동해보세요.

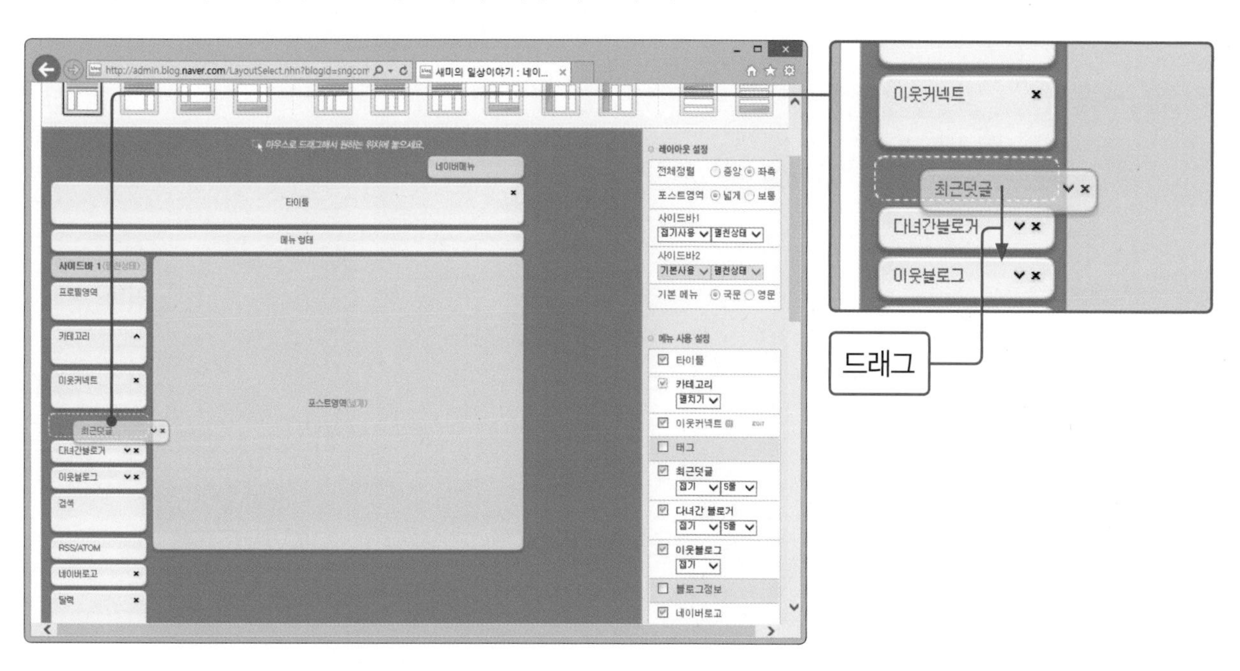

02 화면 오른쪽의 '메뉴 사용 설정' 항목의 '이웃커넥트'를 클릭하여 ✓ 표시를 없앱니다. '사이드바 1'에 있던 '이웃커넥트'가 삭제됩니다.

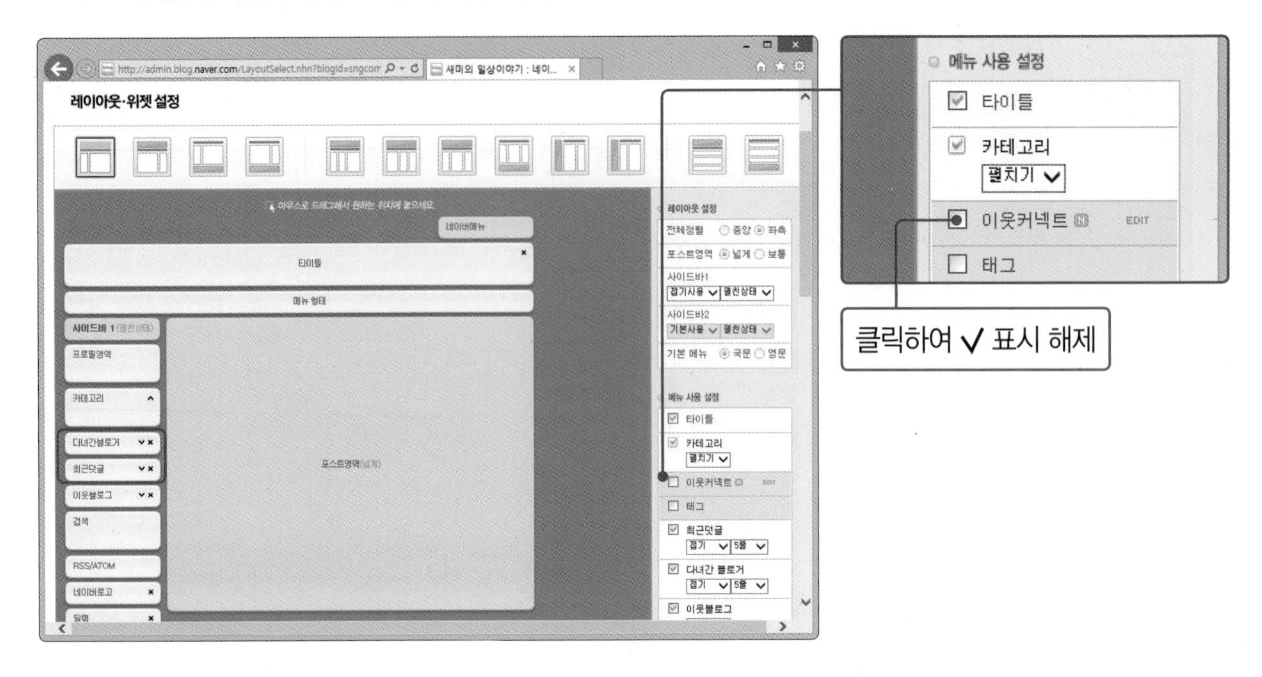

03 화면 오른쪽의 '메뉴 사용 설정'에서 '타이틀'과 '카테고리'는 내 블로그에 꼭 필요한 요소이므로 ✓ 표시되어 있어야 합니다. '이웃커넥트', '태그', '최근 덧글', '다녀간 블로그', '이웃블로그' 요소에도 ✓ 표시합니다.

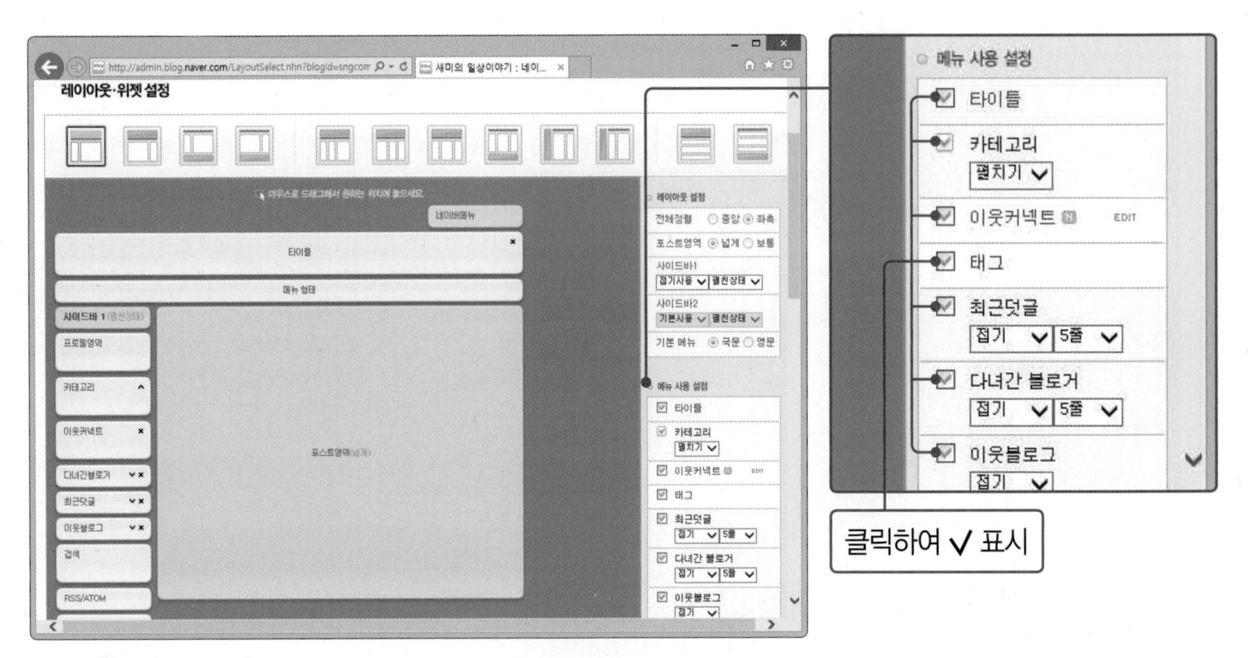

05 내 블로그에 위젯 설정하기

'위젯'은 블로그 내에서 별도로 운영하는 프로그램으로 내 블로그에 원하는 위젯을 추가하여 간편하게 정보를 바로 블로그에서 확인하고 이용할 수 있는 것으로 블로그에서 제공하는 위젯은 '달력', '지도', '서재', '카운터', '뮤직플레이어', '시계', '날씨', '환율' 등이 있습니다. 해당 위젯에 ✔ 표시를 하면 '사이드바' 영역에 위젯이 표시되고 드래그하여 위치를 변경할 수 있습니다. 위젯을 내 블로그에 적절하게 적용하고 배치하면 블로그를 더욱 풍성하게 운영할 수 있습니다. 다만, 위젯을 너무 많이 설치하면 복잡해보일 수 있으니 꼭 필요하다고 생각되는 것 위주로 적용하세요.

무작정 따라하기

01 04장에 이어서 실습합니다. 이동 막대를 아래로 드래그하여 화면을 이동합니다. 화면 오른쪽의 '위젯 사용 설정'에서 내 블로그에 설치하고 싶은 위젯을 클릭하여 ✔ 표시합니다. 여기서는 '달력', '카운터', '시계'에 ✔ 표시하였습니다.

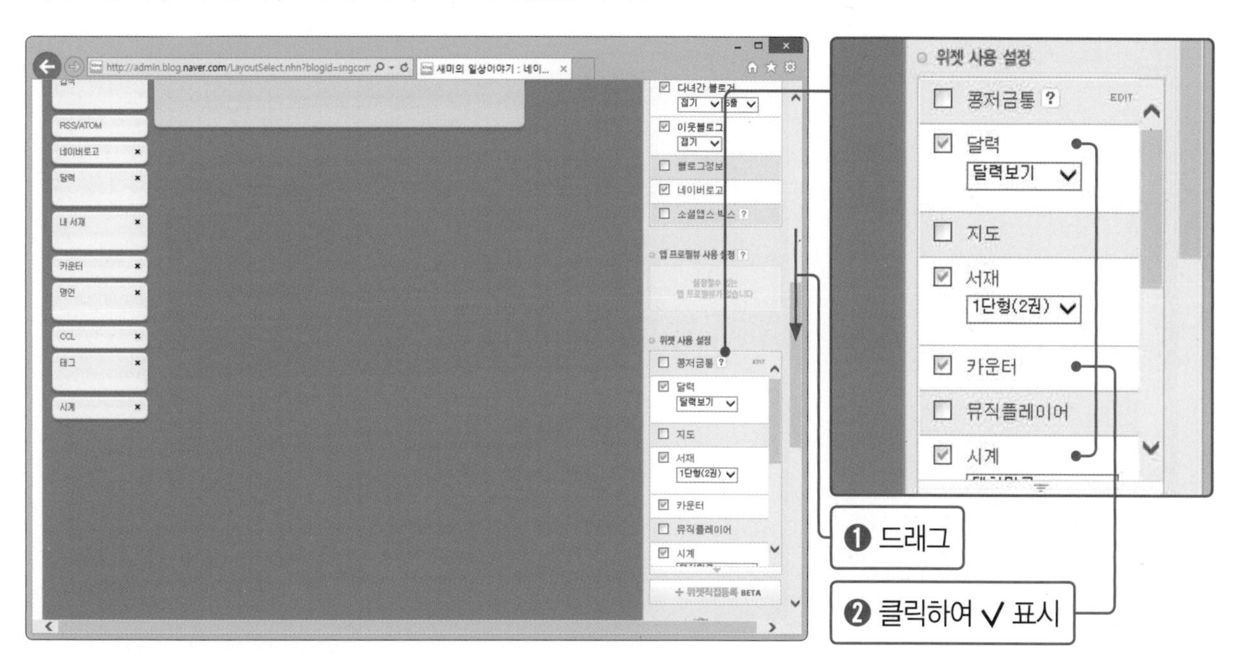

02 앞서 설정한 내용을 내 블로그에 적용하기 위해 화면 아래의 [적용] 버튼을 클릭합니다.

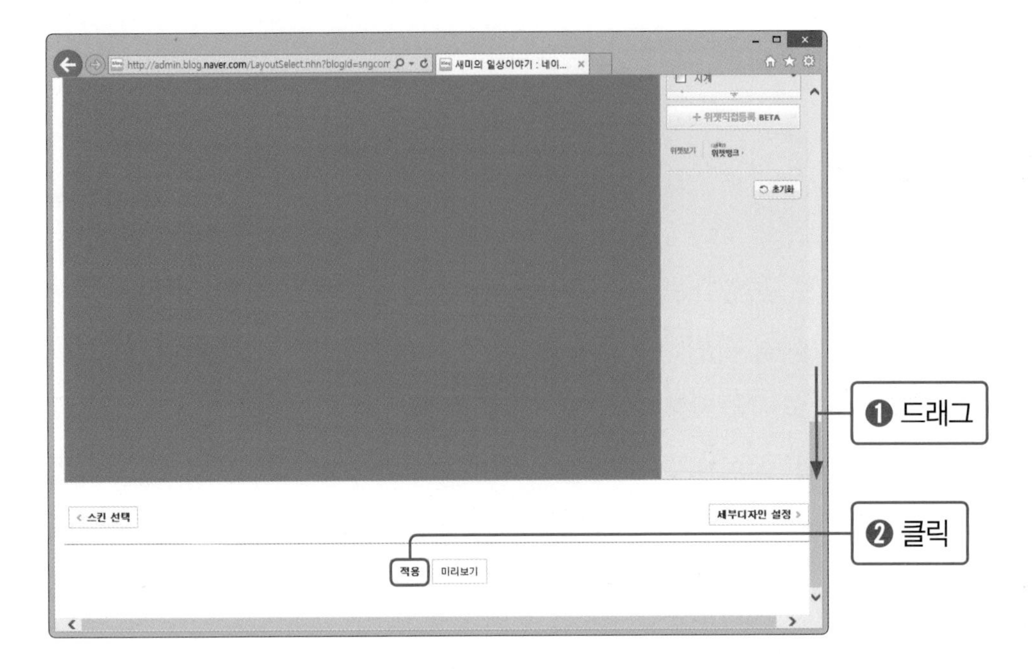

03 '레이아웃을 블로그에 적용하시겠습니까?'라는 메시지가 나타나면 [확인] 버튼을 클릭하세요.

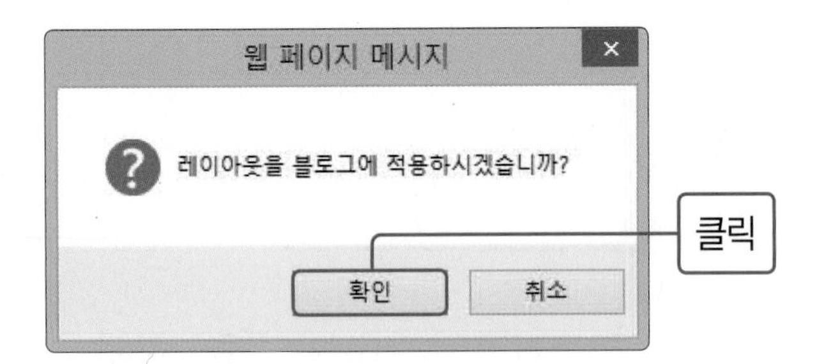

04 아래 그림과 같이 내 블로그 시작 화면을 엽니다.

05 이동 막대를 아래로 드래그하여 화면을 아래쪽으로 이동하면 왼쪽 영역에 앞서 선택한 '달력', '카운터', '시계' 위젯이 설치된 것을 확인할 수 있습니다.

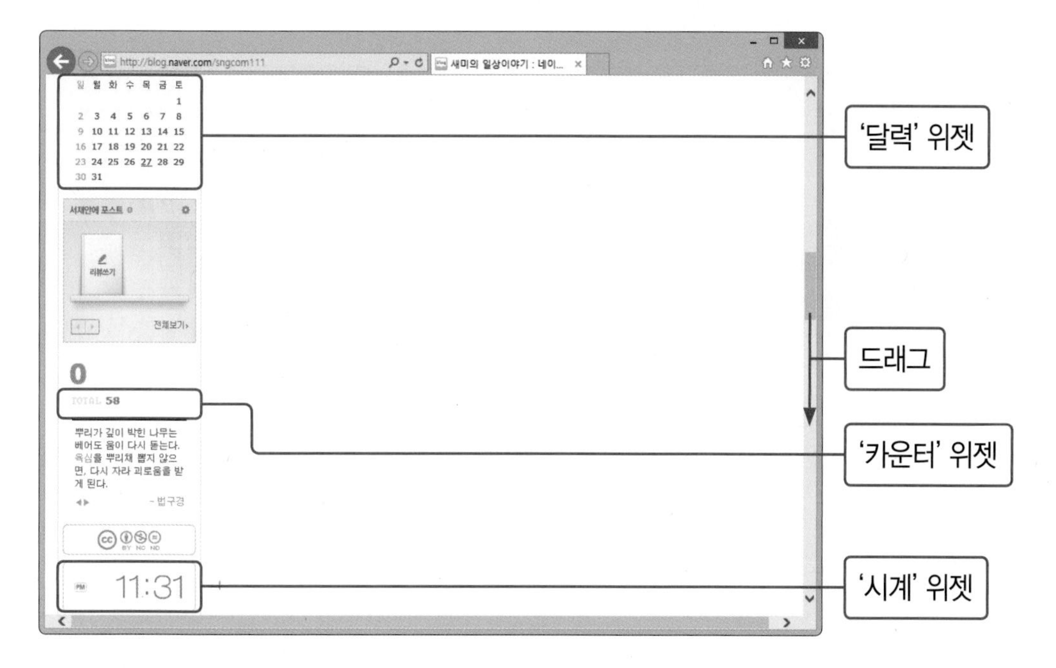

06 '리모콘' 기능으로 배경과 타이틀 디자인하기

앞서 내 블로그의 전체적인 디자인과 구조 등을 변경하여 나만의 블로그로 디자인해 보았습니다. 하지만 네이버에서 제공하는 스킨을 적용했기 때문에 다른 블로그들과 차별화된 디자인을 하고 싶다면 '리모콘' 기능을 사용하면 됩니다. '리모콘' 기능을 사용하면 내 블로그의 구성 요소에 다양한 디자인이나 색상 등을 적용하거나 내가 직접 찍은 사진이나 이미지로도 블로그를 디자인할 수 있습니다. 06장에서는 배경과 타이틀의 세부 디자인을 변경해보겠습니다.

무작정 따라하기

01 내 블로그의 시작 화면 오른쪽 상단에 있는 '내 메뉴'를 클릭한 후 '리모콘'을 클릭합니다.

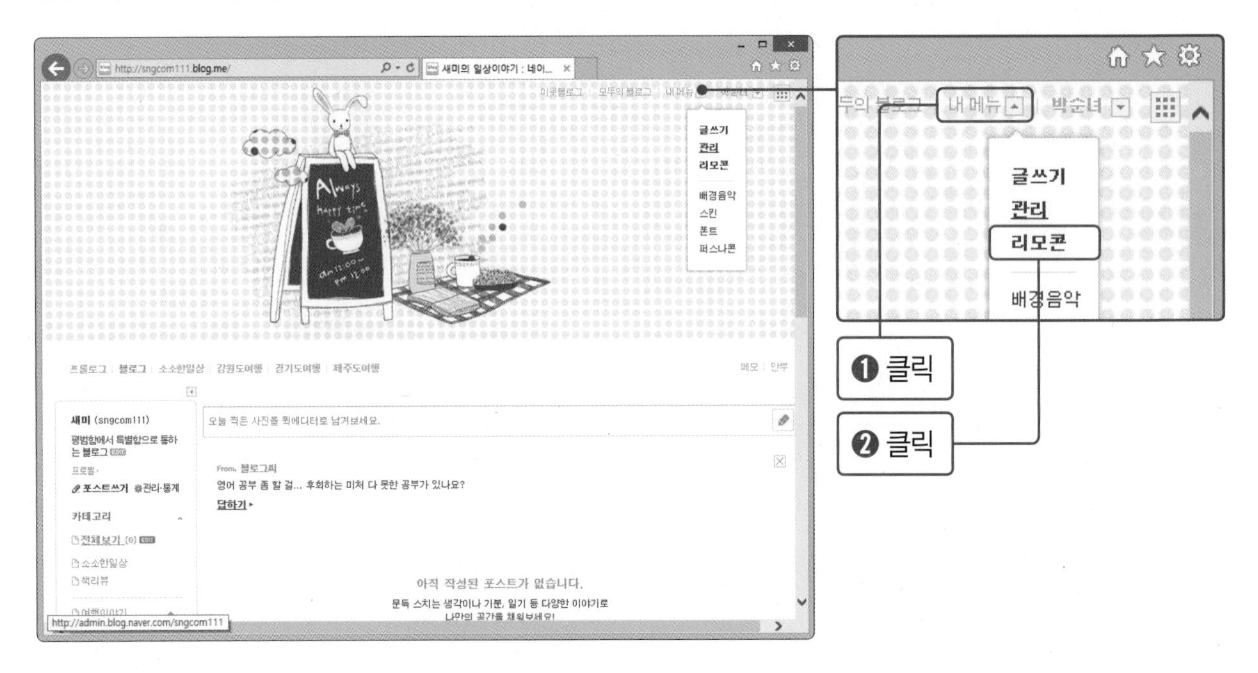

02 '리모콘'이 나타납니다. '리모콘' 영역에서 설정하고 싶은 항목들을 선택할 수 있고, 그 오른쪽에는 리모콘에서 선택한 기능들을 세부적으로 설정할 수 있는 영역이 나타납니다. 여기서는 블로그 배경을 바꿔보기 위해 '리모콘' 영역의 '스킨배경'을 클릭하고 '디자인' 탭을 클릭하였습니다.

잠깐만요!

'스킨배경' 항목의 전체 배경 탭을 살펴보세요!

㉠ **디자인** : 블로그 배경 디자인을 설정할 수 있는 기본 이미지가 제공됩니다.

㉡ **색상** : 블로그 배경의 색상을 선택할 수 있습니다.

㉢ **직접등록** : 포토샵이나 이미지 편집 프로그램을 이용해 블로그 사이즈 규격에 맞춰 직접 제작한 디자인을 블로그 배경으로 등록할 수 있습니다.

03 여러 가지 디자인을 클릭해보면서 원하는 디자인을 찾아봅니다. '스킨배경' 영역 아래의 '원래대로'를 클릭하면 다시 원래 디자인으로 돌아갑니다. 여기서는 '하늘' 디자인을 클릭하였습니다.

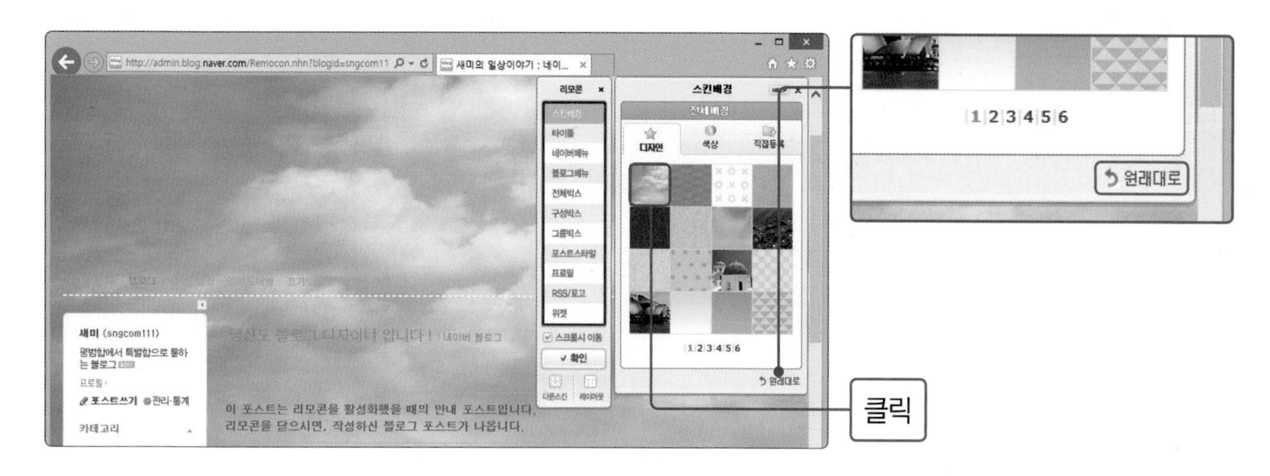

04 블로그 배경을 색상으로 채우고 싶다면 먼저 '스킨배경' 영역에서 '색상' 탭을 클릭합니다. 그리고 난 후 원하는 색을 클릭하세요. 스킨 배경이 원하는 색상으로 변경됩니다. 이전 디자인이 마음에 든다면 '원래대로'를 클릭합니다.

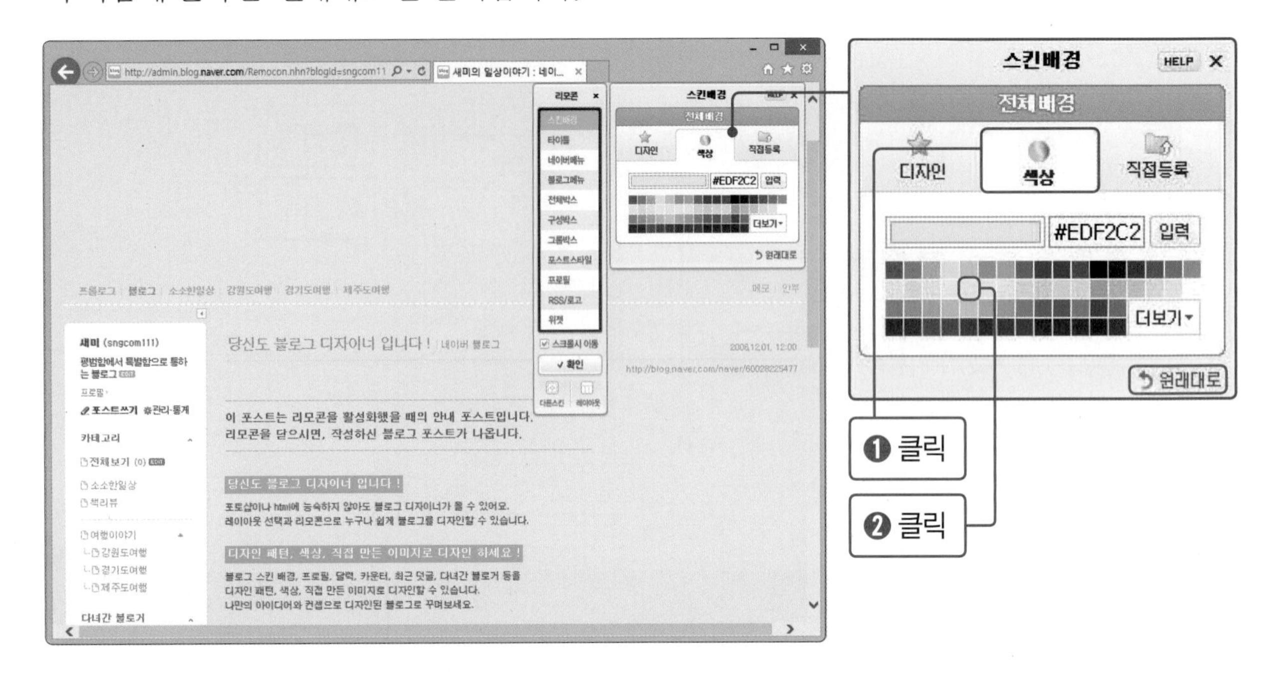

05 색상을 적용하기 이전 블로그 배경으로 돌아옵니다. 여기서는 다시 '디자인' 탭을 클릭하고 아래 넷째 줄의 두 번째 디자인을 클릭하여 선택했습니다.

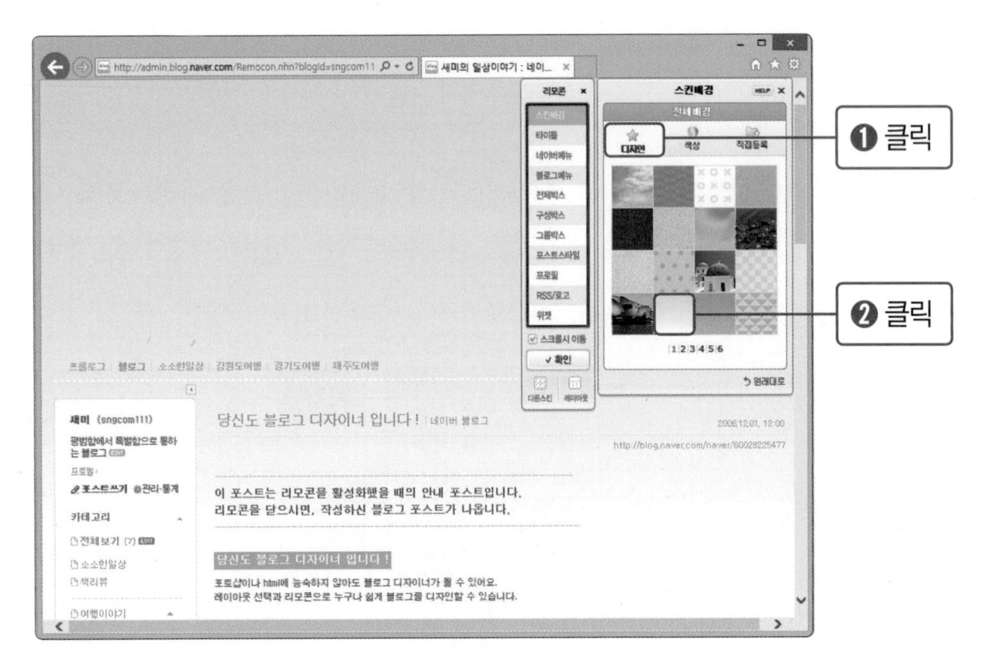

06 블로그 상단의 타이틀 영역을 디자인해보겠습니다. '리모콘' 영역에서 '타이틀'을 클릭하세요. 스킨 배경을 설정한 것과 같은 방법으로 '디자인' 탭을 클릭한 후 원하는 디자인을 클릭합니다. 여기서는 첫 번째 디자인을 선택했습니다.

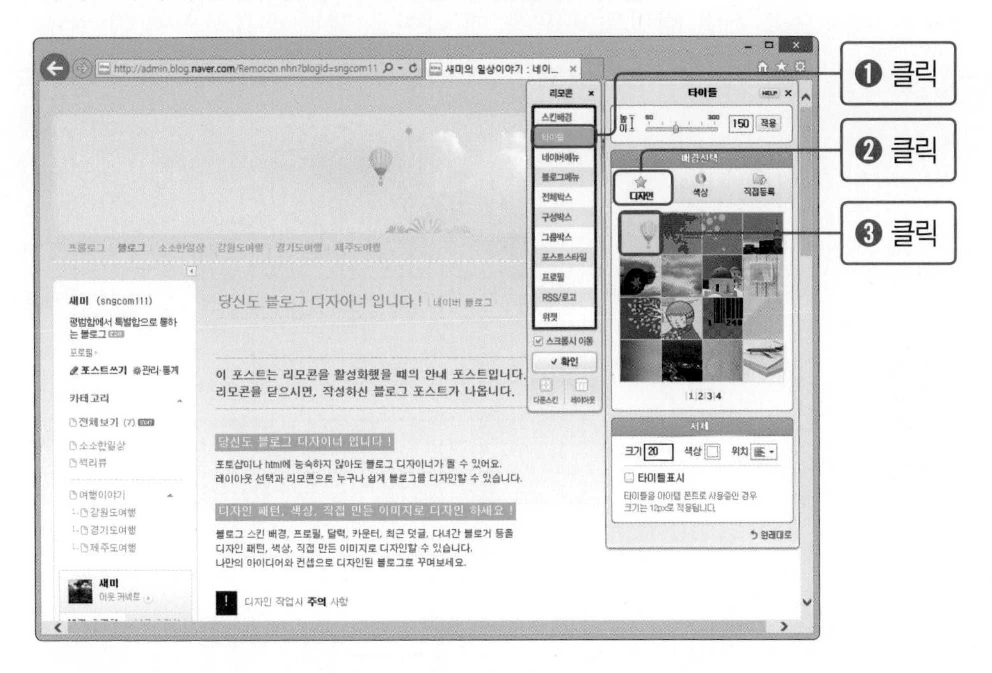

잠깐만요!

직접 찍은 사진이나 디자인한 이미지를 블로그 타이틀에 적용하고 싶어요!

'직접등록' 기능을 사용하여 내가 디자인한 이미지로 타이틀 디자인이 가능합니다. 다만, 디자인을 하려면 포토샵 같은 이미지 편집 프로그램을 사용하여 블로그 사이즈 규격에 맞게 디자인해야 합니다.
이미지 편집 프로그램을 사용하여 직접 타이틀을 디자인하는 과정은 다섯째마당에서 살펴보겠습니다.

한 걸음 더 내 블로그의 타이틀 제목이 보이지 않아요!

'아이템 팩토리 스킨'이나 네이버에서 제공하는 '네이버 블로그 스킨'을 이용해 내 블로그의 스킨을 변경했거나 '리모콘' 기능으로 스킨 배경을 바꿨을 때 타이틀 제목이 표시되지 않는 경우가 있습니다. '타이틀 표시'를 하지 않도록 설정되어 있기 때문입니다. 이를 해제하는 방법을 살펴보겠습니다.

01. 내 블로그의 시작 화면 오른쪽 상단에 있는 '내 메뉴'를 클릭한 후 '리모콘'을 클릭합니다.

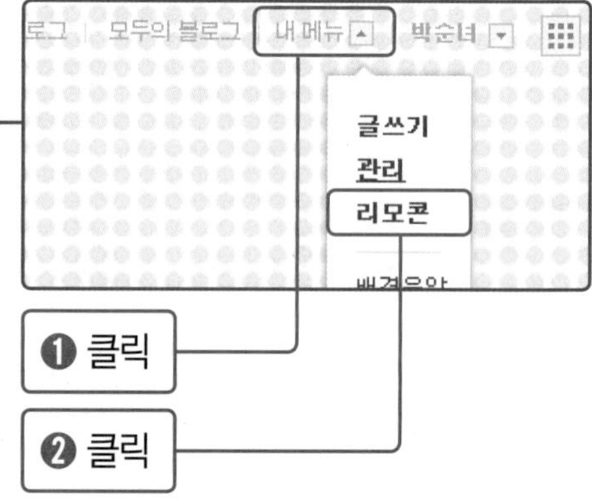

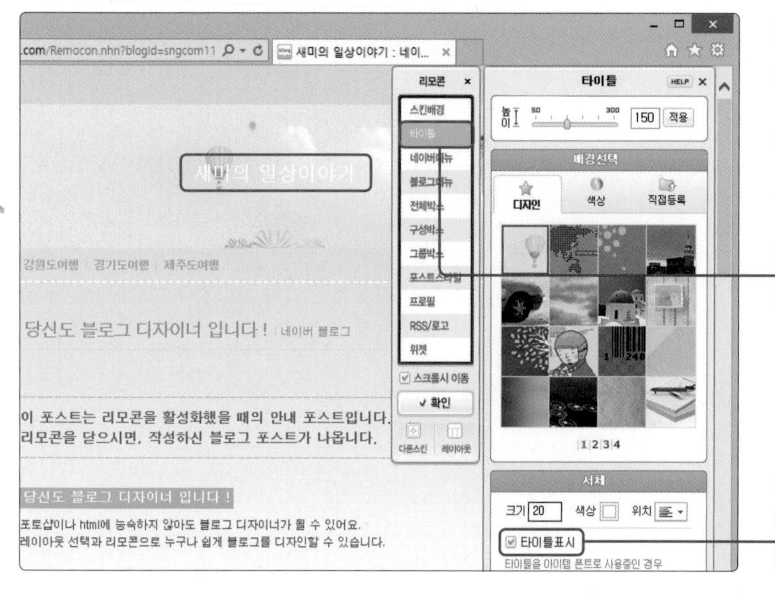

02. '리모콘' 영역에서 '타이틀'을 클릭한 후 '타이틀' 영역의 하단에 있는 '타이틀 표시'를 클릭하여 ✓ 표시합니다. 상단의 타이틀 영역에 제목이 보입니다.

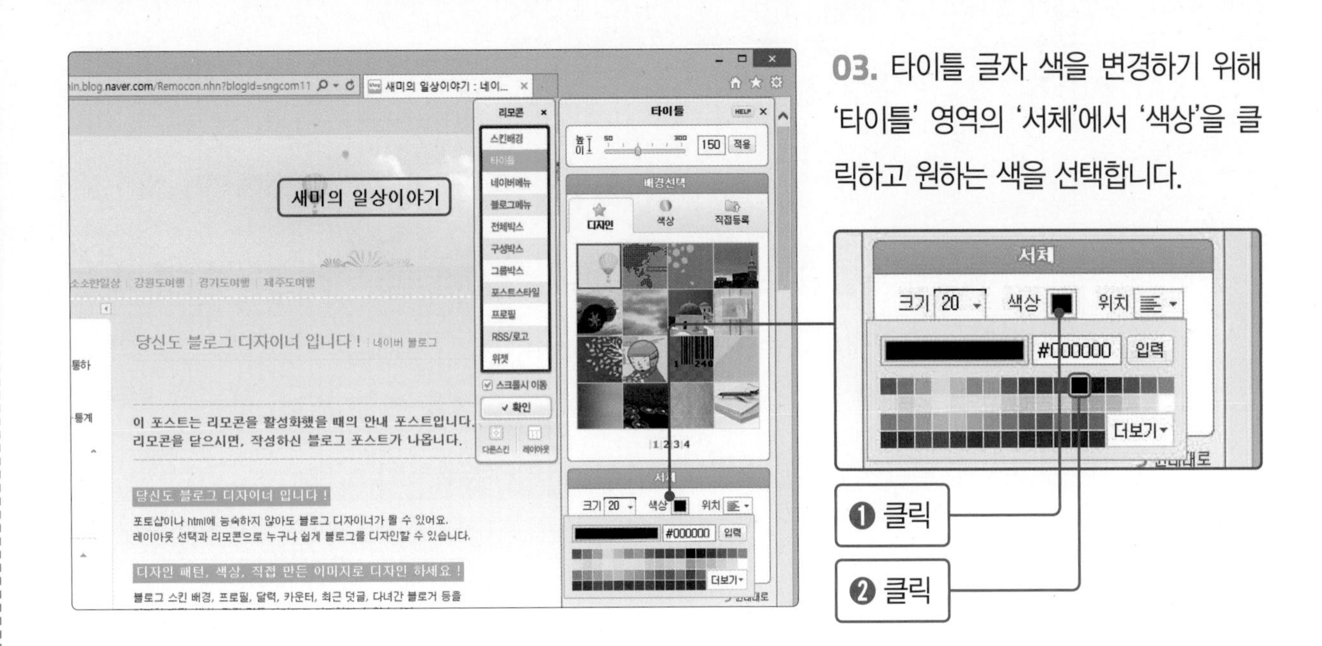

03. 타이틀 글자 색을 변경하기 위해 '타이틀' 영역의 '서체'에서 '색상'을 클릭하고 원하는 색을 선택합니다.

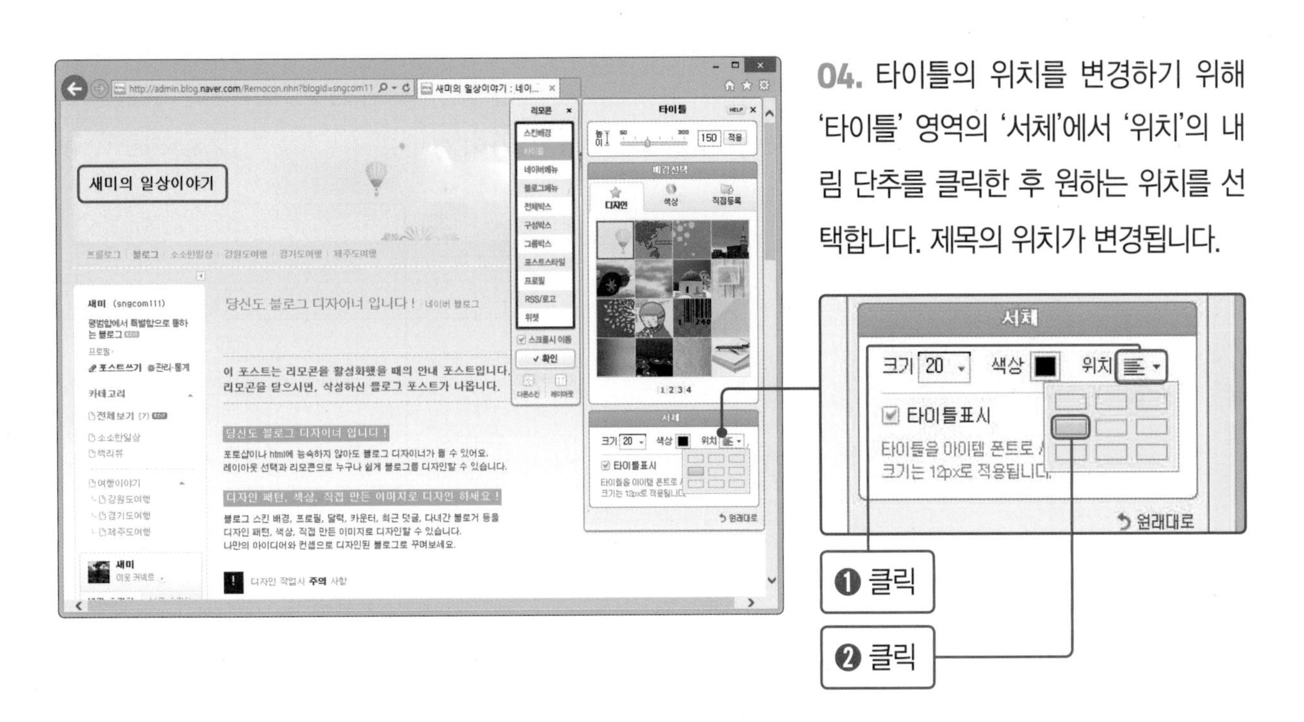

04. 타이틀의 위치를 변경하기 위해 '타이틀' 영역의 '서체'에서 '위치'의 내림 단추를 클릭한 후 원하는 위치를 선택합니다. 제목의 위치가 변경됩니다.

07 '리모콘' 기능으로 메뉴와 테두리 디자인하기

앞서 내 블로그의 배경인 스킨 위주로 디자인을 변경해보았습니다. 이번에는 블로그 상단 메뉴와 테두리 디자인을 수정해보겠습니다. 테두리 디자인은 전체박스, 구성박스, 그룹박스는 블로그 스킨과 요소들 사이에 있는 테두리를 말합니다. 설정을 변경하면서 블로그 화면에 미리 적용되는 디자인을 살펴보면 편리합니다.

무작정 따라하기

01 내 블로그의 시작 화면 오른쪽 상단에 있는 '내 메뉴'를 클릭한 후 '리모콘'을 클릭합니다. 06장에서 설정한 디자인을 변경하려면 **02**번으로 바로 넘어가세요.

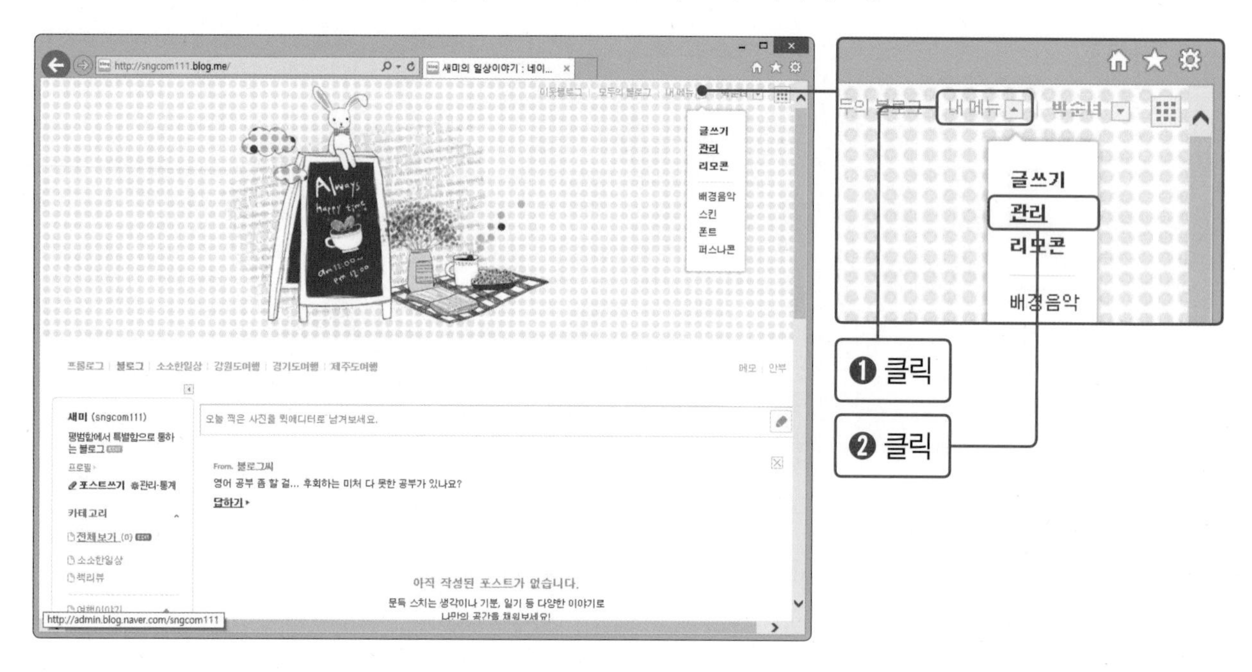

02 '리모콘' 영역에서 '네이버메뉴'를 클릭합니다. '네이버메뉴' 영역에서 디자인을 차례로 클릭해보며 원하는 디자인을 선택하세요. 여기서는 세 번째 보라색 디자인을 선택했습니다. 상단의 블로그 메뉴 색이 변경되는 것을 확인할 수 있습니다. 서체의 색을 변경하기 위해서 '서체'의 '내용색'을 클릭하여 원하는 색을 클릭합니다.

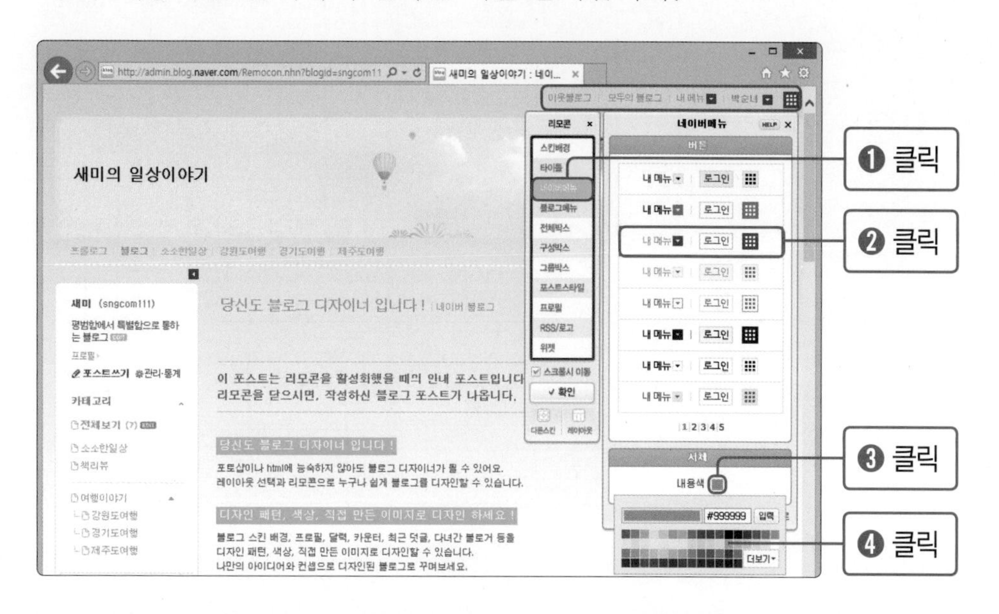

잠깐만요!

상단 오른쪽의 블로그 메뉴가 보이지 않아요!

'리모콘' 설정 화면에 가려져 보이지 않고 있습니다. '리모콘' 화면에서 '리모콘' 글자 위에 마우스를 놓고 아래로 조금만 드래그하면 가려져 있던 메뉴가 보입니다.

03 '리모콘' 영역에서 '블로그메뉴'를 클릭합니다. '블로그메뉴' 영역에서 여러 디자인을 클릭해보며 원하는 디자인을 선택합니다. 여기서는 2번의 다섯 번째 디자인을 선택했습니다. 블로그 화면에서 타이틀 아래의 상단 메뉴의 색이 변경된 것을 확인할 수 있습니다.

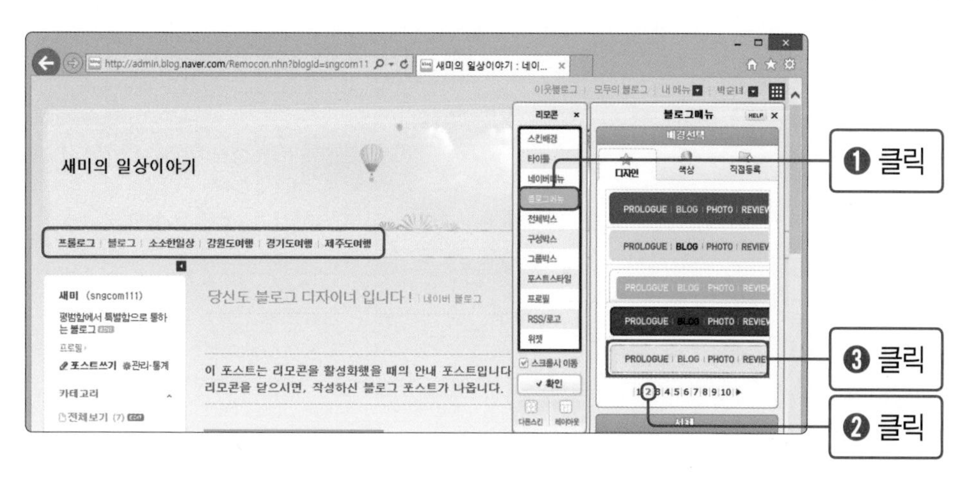

04 '서체'의 '기본색'을 클릭하여 원하는 색을 선택한 후 '강조색'을 클릭하여 원하는 색으로 변경해보세요. 블로그 메뉴 중에 '블로그' 글자색이 변경됨을 확인할 수 있습니다.

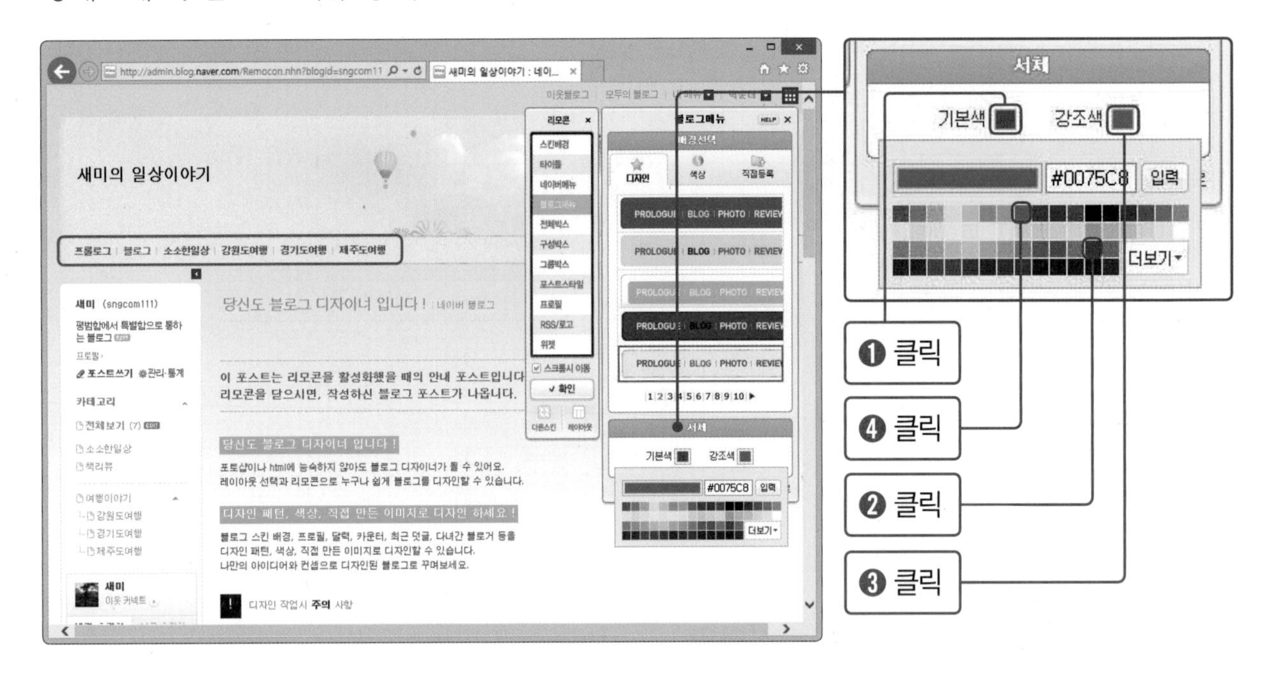

05 전체박스의 테두리 디자인을 변경해보겠습니다. '리모콘' 영역에서 '전체박스'를 선택합니다. '전체박스' 영역의 '배경선택'에서 '디자인' 탭을 선택한 후 원하는 디자인을 선택합니다. 여기서는 넷째 줄 끝의 마지막 디자인을 선택했습니다. 블로그 화면에서 선택한 디자인이 적용된 모습을 확인할 수 있습니다.

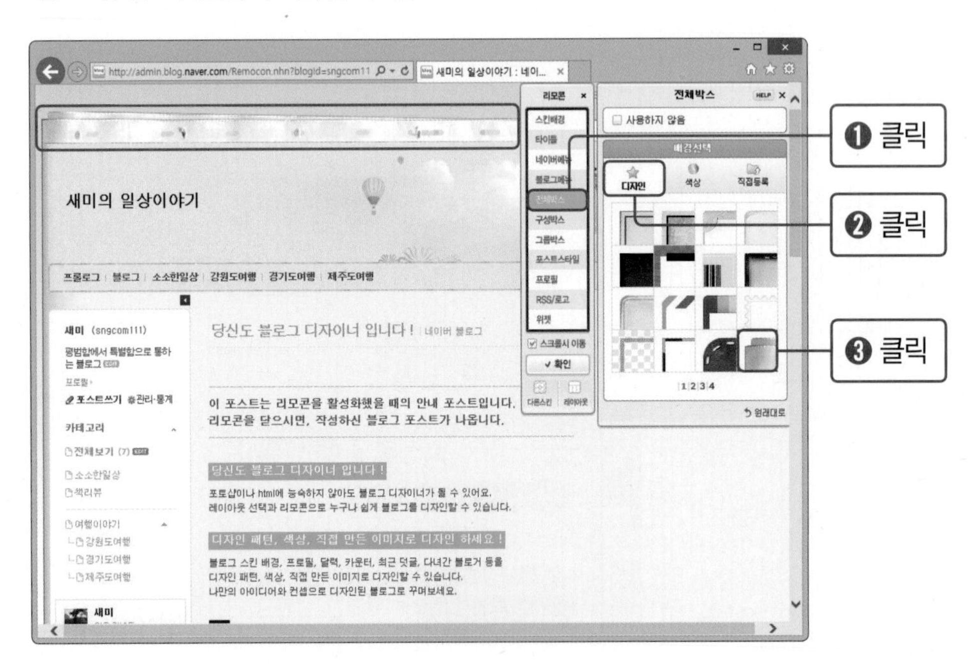

06 구성박스의 테두리 디자인을 변경해보겠습니다. '리모콘' 영역에서 '구성박스'를 클릭합니다. '구성박스' 영역의 '디자인' 탭에서 원하는 디자인을 클릭합니다. 여기서는 넷째 줄의 첫 번째 테두리 디자인을 선택했습니다. 카테고리 영역을 기준으로 구성박스에 디자인이 적용됩니다.

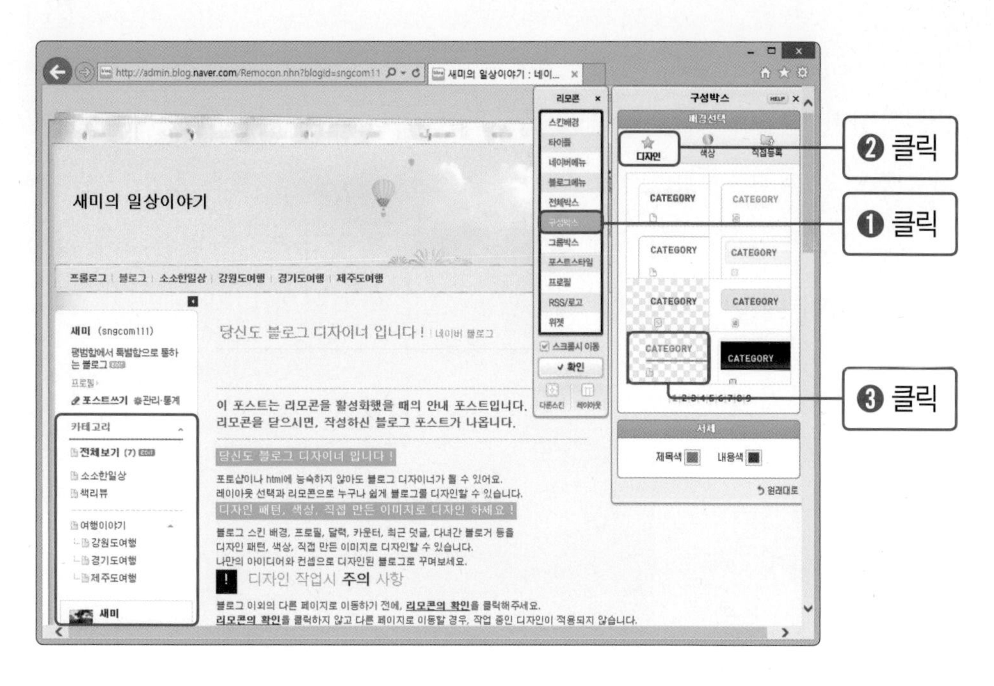

07 그룹박스의 테두리 디자인을 변경해보겠습니다. '리모콘' 영역에서 '그룹박스'를 클릭합니다. '그룹박스' 영역의 '디자인' 탭에서 원하는 디자인을 클릭합니다. 여기서는 둘째 줄의 두 번째 테두리 디자인을 선택했습니다. 프로필 영역을 기준으로 구성박스에 테두리 디자인이 적용됩니다.

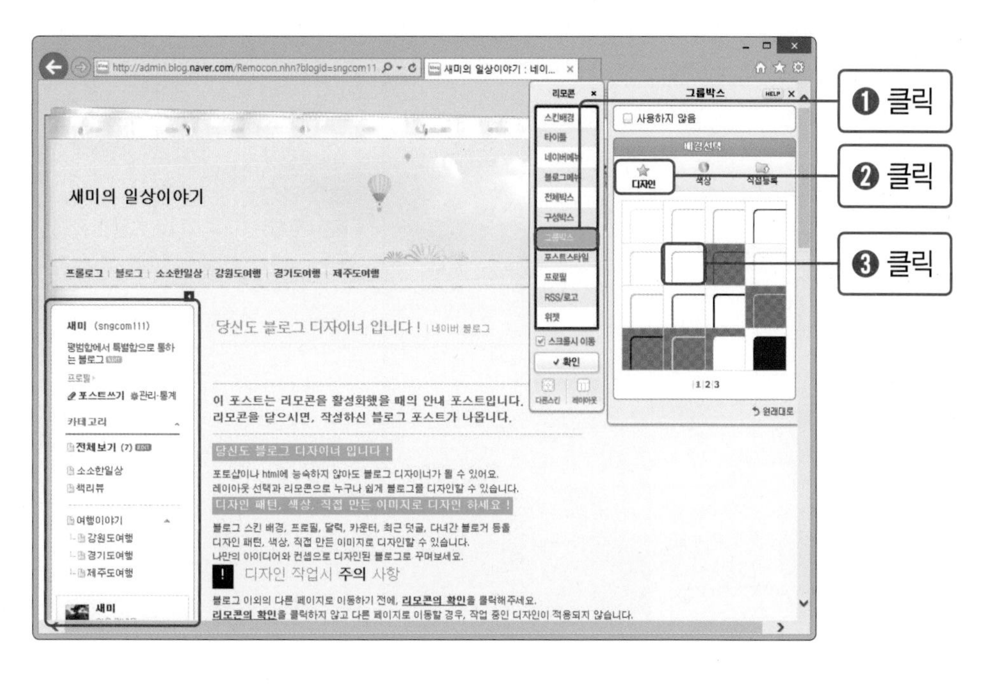

08 '리모콘' 기능으로 포스트 스타일, 프로필, 위젯 디자인하기

내 블로그에서 내가 작성한 글이 보이는 영역인 포스트를 여러 가지 디자인 스타일로 변경할 수 있습니다. 포스트 영역의 배경, 제목 및 덧글의 색을 결정하는 곳이 '포스트 스타일'이며 디자인 변경에 따라 내 블로그의 글이 가독성이 좋아지거나 그 반대가 될 수 있습니다. 글이 잘 읽힐 수 있도록 디자인을 변경해봅니다. 또한 '프로필'은 프로필 영역의 디자인 및 프로필 사진 표시 여부를 정할 수 있습니다.

무작정 따라하기

01 내 블로그의 시작 화면 오른쪽 상단에 있는 '내 메뉴'를 클릭한 후 '리모콘'을 클릭합니다. 07장에 이어서 디자인을 변경하려면 **02**번으로 바로 넘어가세요.

02 '리모콘' 영역에서 '포스트스타일'을 클릭합니다. '포스트스타일' 영역의 '디자인' 탭에서 원하는 디자인을 선택하세요. 여기서는 둘째 줄의 두 번째 디자인을 선택했습니다. 블로그의 포스트 영역이 변경된 것을 확인할 수 있습니다. '서체'에서 제목크기와 제목색, 내용색, 강조색도 변경할 수 있습니다.

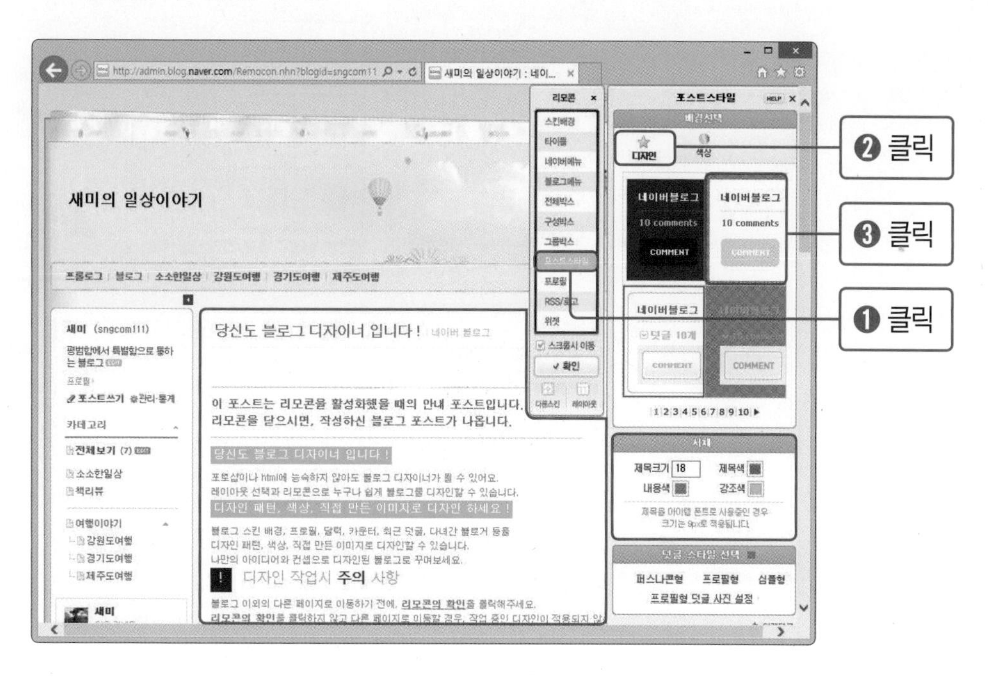

03 '리모콘' 영역에서 '프로필'을 클릭합니다. '프로필' 영역의 '디자인' 탭에서 원하는 디자인을 선택합니다. '서체'의 '내용색'을 클릭하여 원하는 색으로 설정해봅니다. 블로그 화면에서 변경된 프로필의 글자색과 테두리 디자인을 확인합니다.

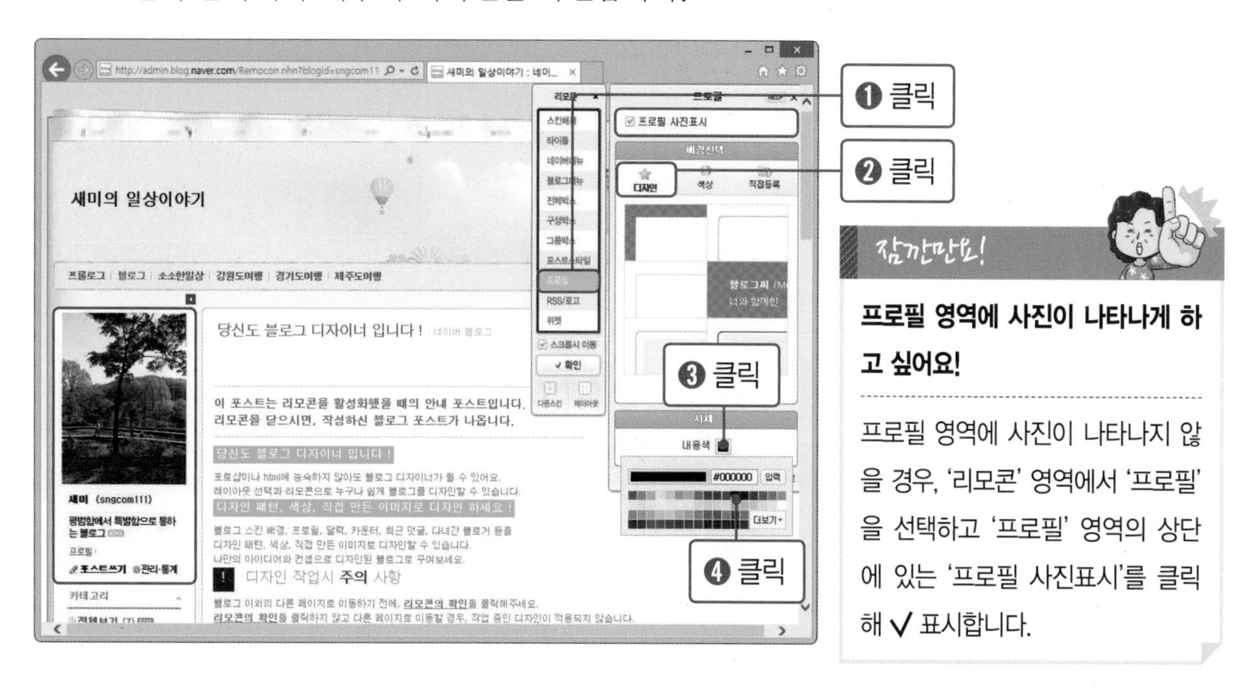

잠깐만요!

프로필 영역에 사진이 나타나게 하고 싶어요!

프로필 영역에 사진이 나타나지 않을 경우, '리모콘' 영역에서 '프로필'을 선택하고 '프로필' 영역의 상단에 있는 '프로필 사진표시'를 클릭해 ✔ 표시합니다.

04 RSS/로고 디자인을 변경해보겠습니다. 이동 막대를 아래로 드래그하여 RSS/로고가 보이도록 블로그 화면 하단으로 이동합니다. '리모콘' 영역에서 'RSS/로고'를 클릭합니다. 'RSS/로고' 영역에서 원하는 디자인을 선택합니다. 블로그 화면에서 변경된 디자인을 확인합니다.

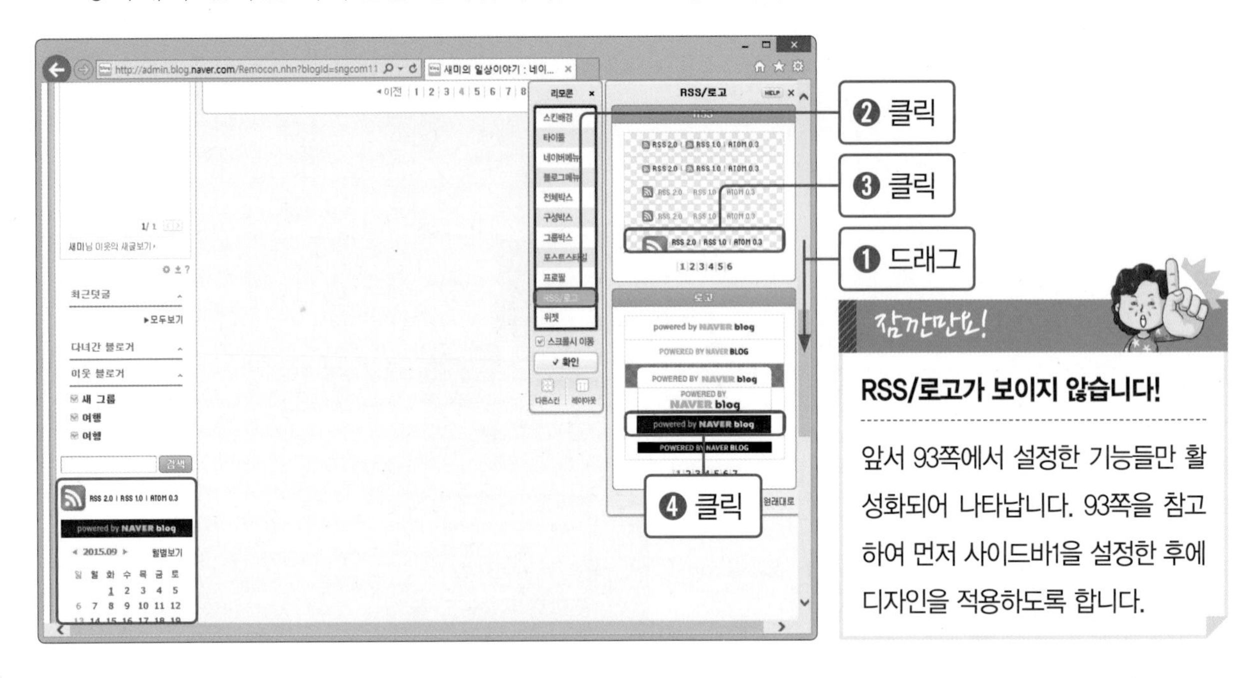

잠깐만요!

RSS/로고가 보이지 않습니다!

앞서 93쪽에서 설정한 기능들만 활성화되어 나타납니다. 93쪽을 참고하여 먼저 사이드바1을 설정한 후에 디자인을 적용하도록 합니다.

05 위젯 디자인을 변경해보겠습니다. '리모콘' 영역에서 '위젯'을 클릭합니다. '위젯' 영역에서 변경할 위젯 디자인을 선택합니다. 여기서는 '시계' 위젯을 클릭하였습니다.

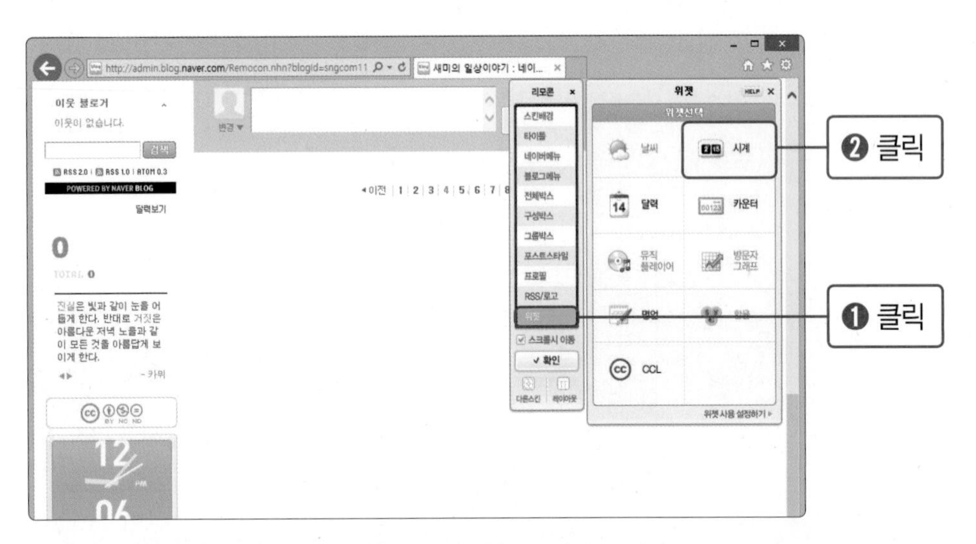

잠깐만요!

선택이 되지 않는 위젯이 있습니다!

앞서 95쪽에서 ✓ 표시한 위젯들만 활성화되어 나타납니다. 블로그에 설치하고 싶은 위젯이 있다면 95쪽을 참고하여 먼저 블로그에 위젯을 설정한 후에 디자인을 적용합니다.

06 '위젯' 영역에 시계 위젯의 여러 디자인이 나타납니다. 이 중에서 원하는 디자인을 클릭해 선택합니다. 블로그 화면에서 적용된 디자인을 확인할 수 있습니다.

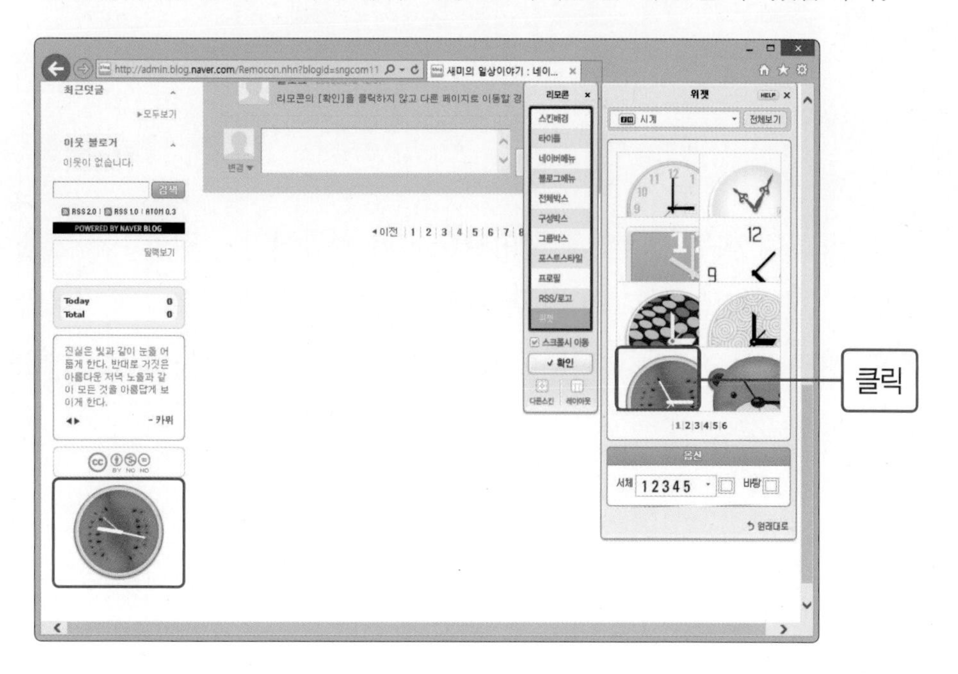

07 선택한 디자인을 원래대로 되돌리고 싶다면 '위젯' 영역 가장 아래에 있는 '원래대로'를 클릭해 이전 디자인으로 되돌릴 수 있습니다.

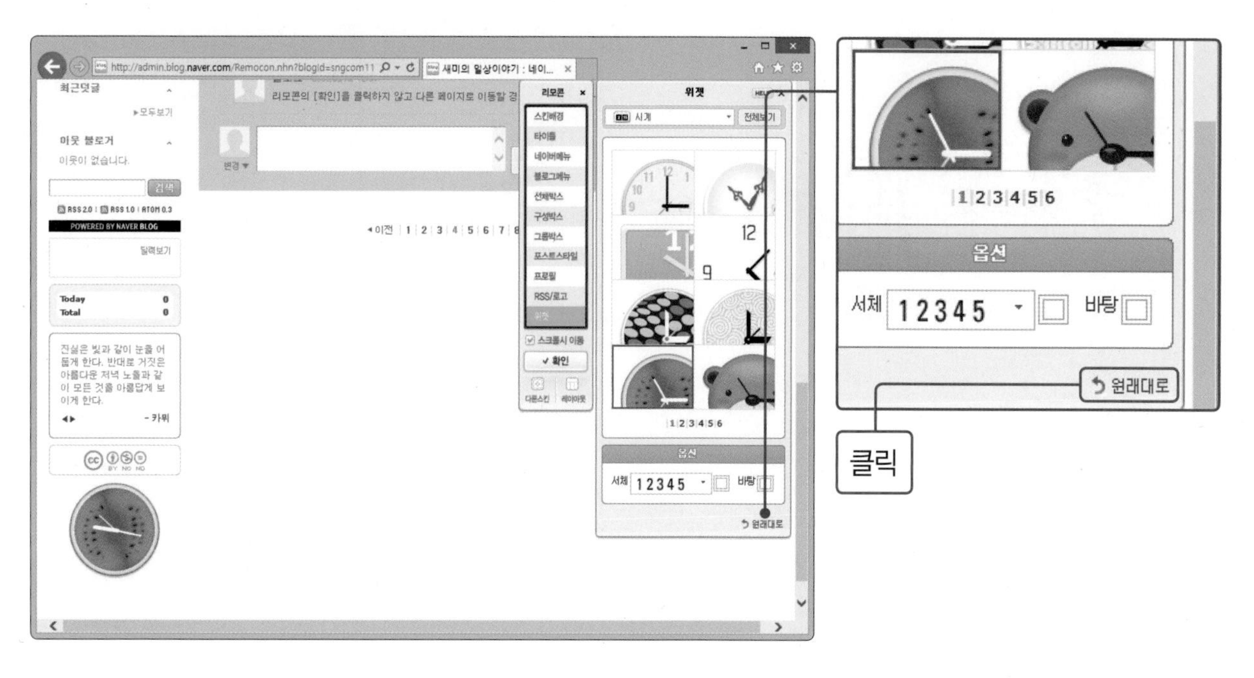

09 디자인한 스킨 저장하고 적용하기

'리모콘' 기능을 이용해 블로그의 세부 디자인을 꾸며봤습니다. 지금까지 설정한 디자인을 저장할 수 있으며, 직접 디자인한 스킨을 따로 저장해두면 언제든지 다시 내 블로그에 적용할 수 있습니다. 09장에서는 '리모콘' 기능으로 디자인 스킨을 저장하는 방법과 저장해 두었던 스킨을 다시 적용하는 방법을 살펴보겠습니다.

무작정 따라하기

01 내 블로그의 시작 화면 오른쪽 상단에 있는 '내 메뉴'를 클릭한 후 '리모콘'을 클릭합니다. 08장에 이어서 기능을 적용하려면 **02**번으로 바로 넘어가세요.

02 지금까지 작업한 스킨 디자인을 저장하기 위해 '리모콘' 영역 아래에 있는 [확인] 버튼을 클릭합니다.

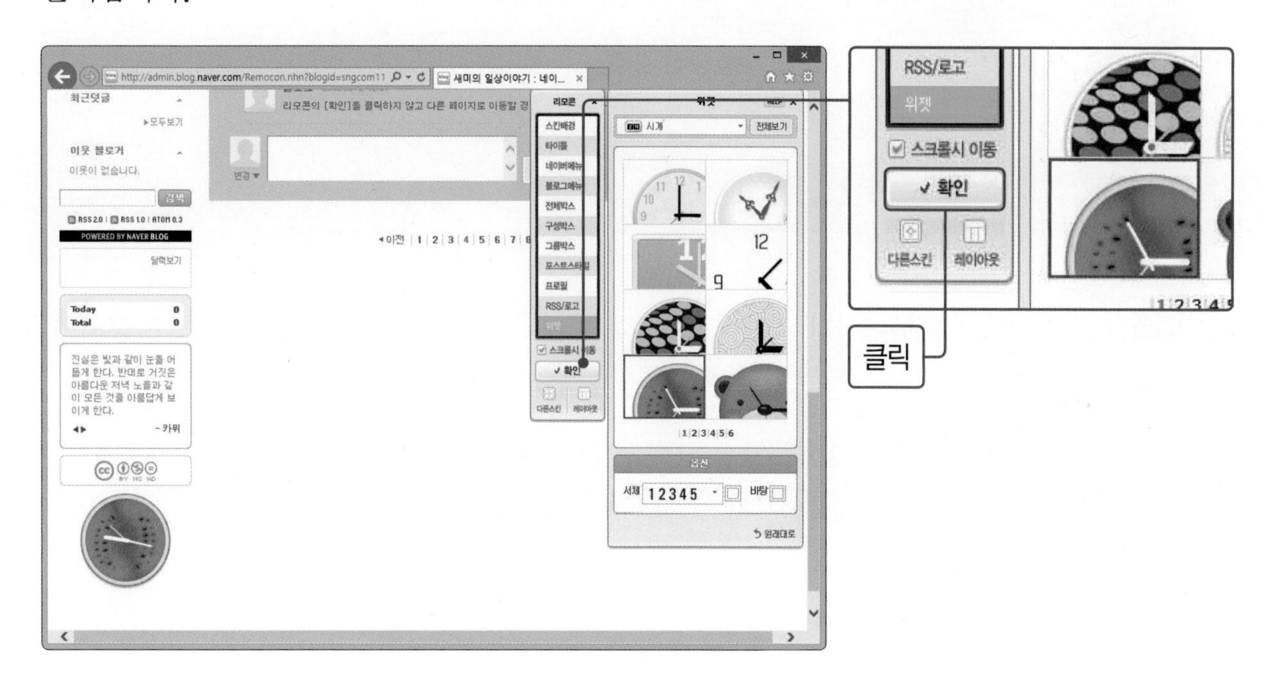

03 '현재 디자인을 적용하시겠습니까?'라는 메시지가 나타나면 '내가 만든 스킨에 저장합니다.'를 클릭해 ✓ 표시합니다. 입력란에 보관할 스킨의 이름을 입력합니다. 여기서는 『일상』이라고 입력하였습니다. [적용] 버튼을 클릭합니다.

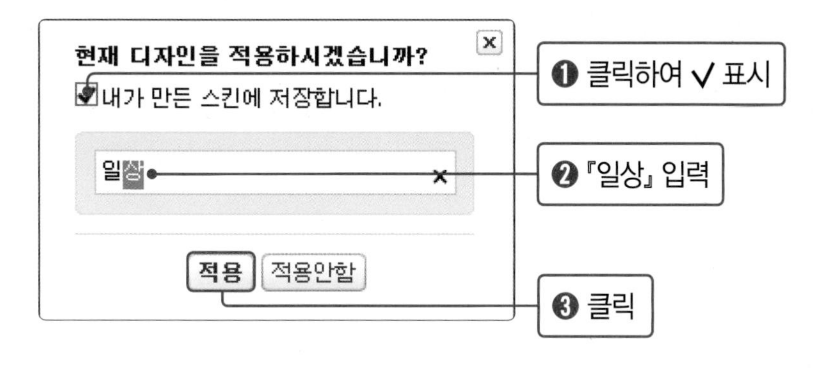

04 '스킨이 저장되었습니다.'라는 창이 나타나면 [확인] 버튼을 클릭합니다.

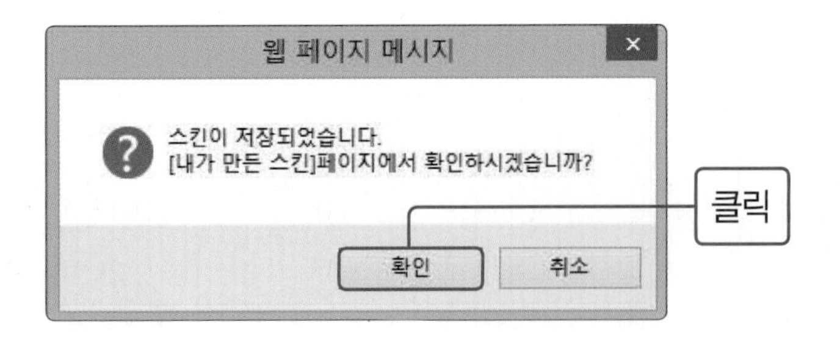

05 스킨 선택 화면이 나타납니다. '내가 만든 스킨' 탭에서 방금 저장한 스킨이 저장되어 있는 것을 확인할 수 있습니다. 화면 위쪽에 있는 '내 블로그'를 클릭하세요.

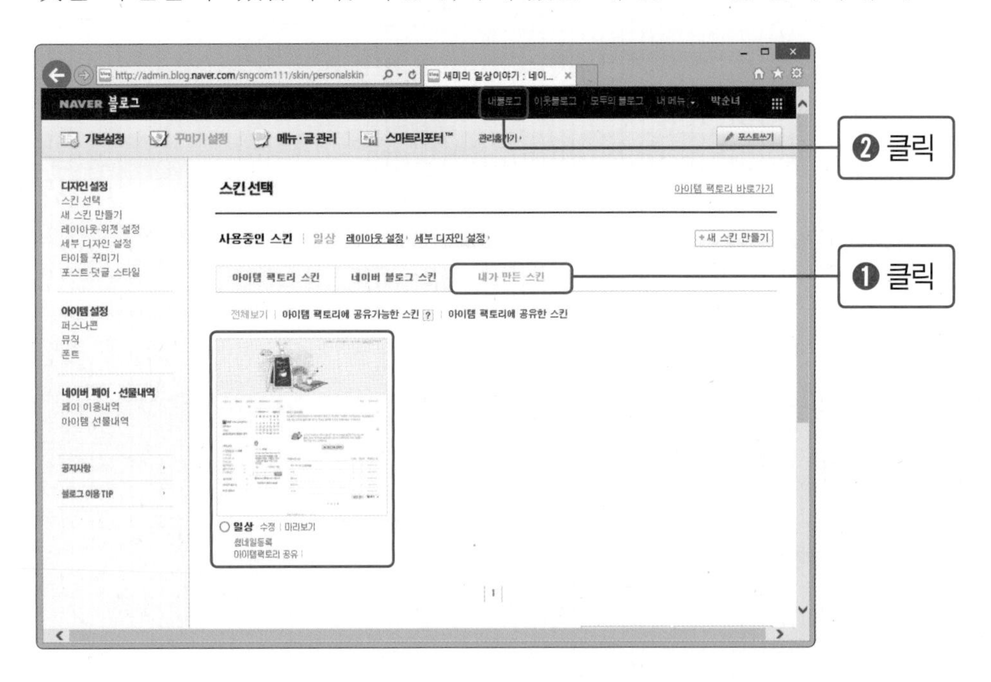

06 내가 만들었던 스킨 디자인이 적용된 블로그 화면을 확인할 수 있습니다. 언제든지 디자인은 '리모콘' 기능과 75쪽 01장에서 다룬 '네이버에서 제공하는 스킨' 기능으로 변경할 수 있습니다. 이렇게 다시 변경하게 되면 이전의 디자인을 다시 적용하고 싶을 때가 있습니다. 이전의 디자인으로 되돌릴 때에는 저장된 디자인만 다시 적용할 수 있습니다. '리모콘' 기능으로 저장해 두었던 디자인을 적용해 보면서 기능을 익혀보겠습니다. '프로필 영역'의 '관리'를 클릭하세요.

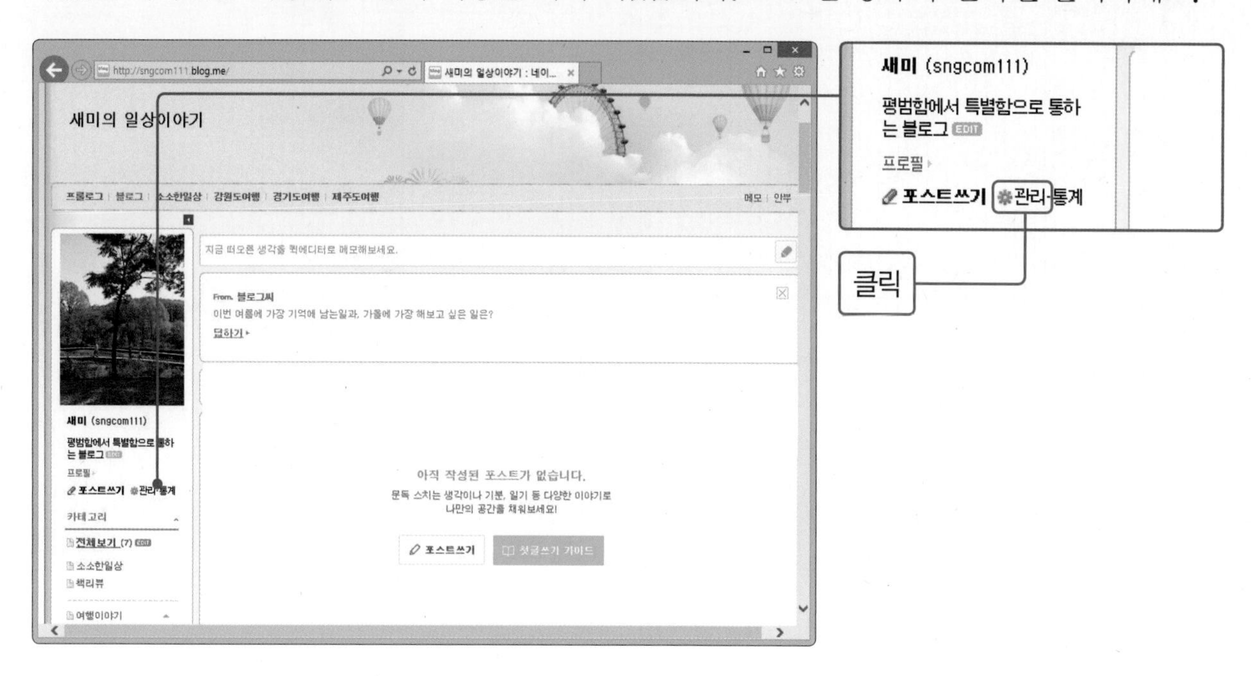

07 스킨이 보관된 곳으로 이동하기 위해 '꾸미기 설정'의 '디자인 설정'에서 '스킨 선택'을 클릭하세요.

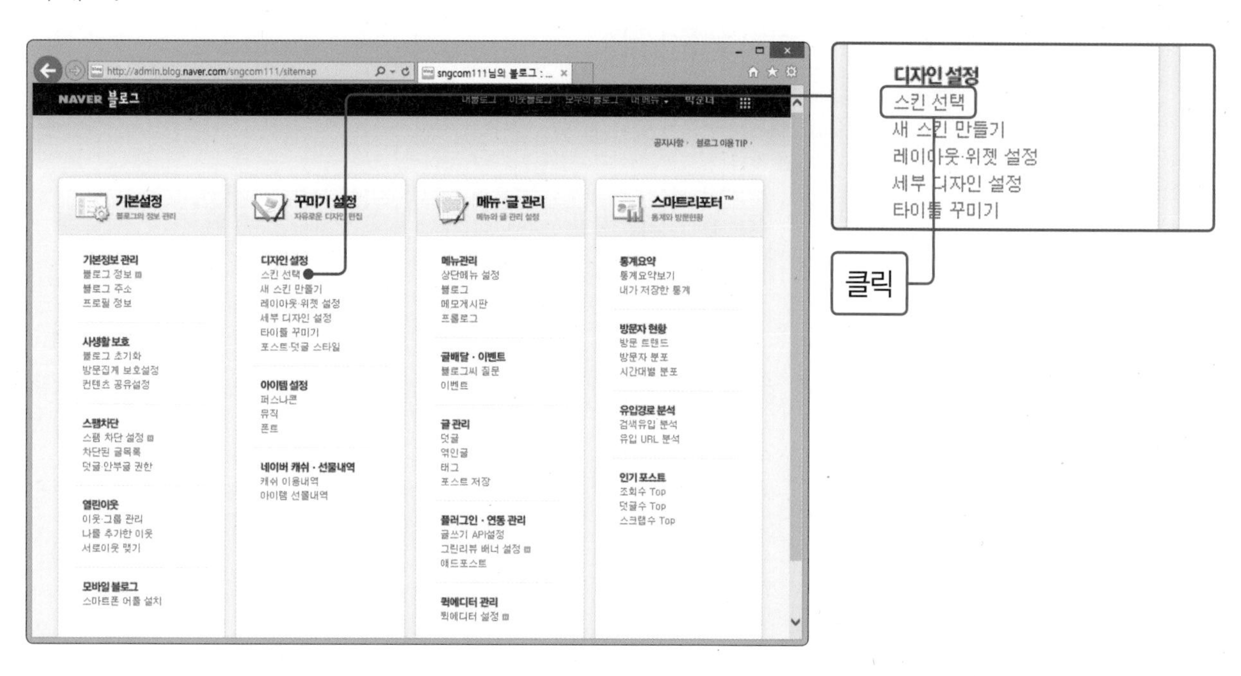

08 스킨 선택 화면에서 '내가 만든 스킨' 탭을 클릭하세요. '리모콘' 기능으로 디자인한 '일상' 스킨이 보관되어 있습니다. '일상'을 클릭한 후 화면 아래쪽의 [스킨 적용] 버튼을 클릭하세요.

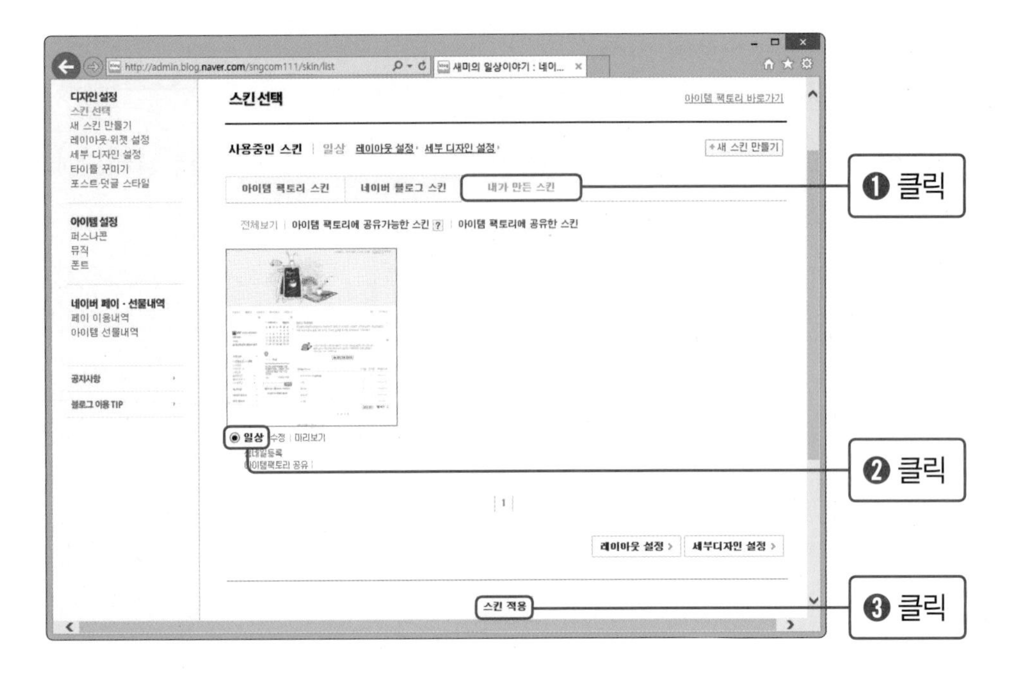

09 '스킨이 적용되었습니다. 내 블로그에서 확인하시겠습니까?'라는 메시지가 나타나면 [확인] 버튼을 클릭하세요.

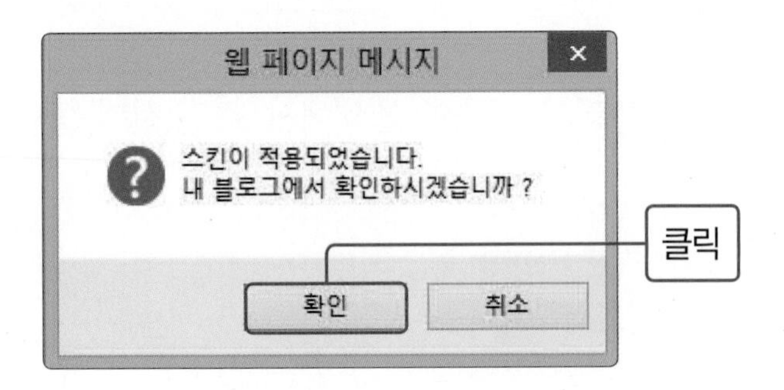

10 스킨이 적용된 내 블로그 화면이 나타납니다. 이미 진행했던 디자인을 다시 적용했기 때문에 화면에 달라진 점은 없습니다. 다만, 앞으로 디자인을 변경하게 될 경우 이 기능을 적용해서 저장한 디자인을 찾고 적용해보세요.

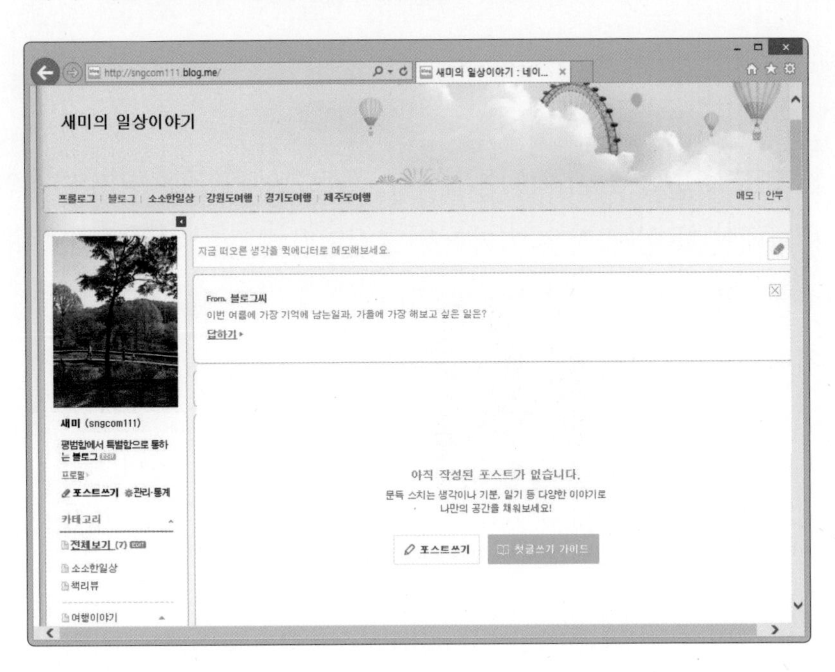

10 퍼스나콘 디자인하기

'퍼스나콘'은 별명(닉네임) 앞에 붙어 있는 작은 아이콘입니다. 블로그에 덧글을 남기거나 안부 게시판에 글을 남길 때 별명(닉네임)과 함께 작은 이미지로 표시됩니다. 퍼스나콘은 네이버 아이템팩토리에서 무료로 제공합니다. 퍼스나콘 이미지는 작고 움직이기도 합니다.

프로필 영역에 있는 별명(닉네임) 앞과 덧글을 작성하는 곳에 내가 설정한 퍼스나콘이 나타납니다. 10장에서는 퍼스나콘을 설정하는 방법을 살펴보겠습니다.

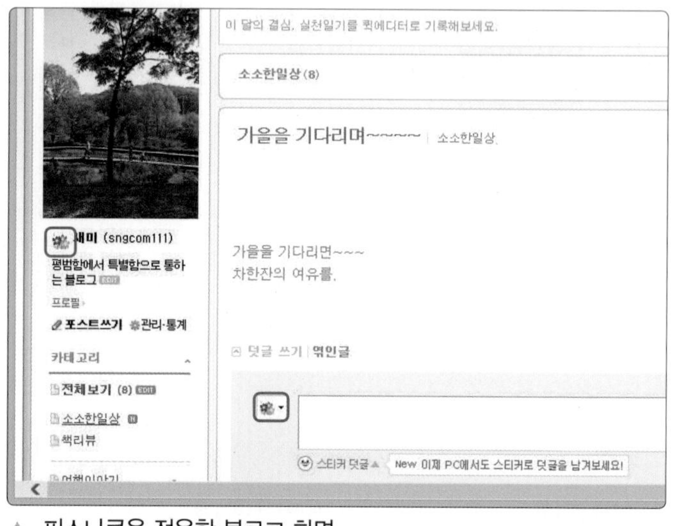

▲ 퍼스나콘을 적용한 블로그 화면

무작정 따라하기

01 '프로필 영역'에 있는 '관리'를 클릭하여 '관리' 페이지를 엽니다.

02 '관리' 페이지의 '꾸미기 설정'에서 '아이템 설정'의 '퍼스나콘'을 클릭합니다.

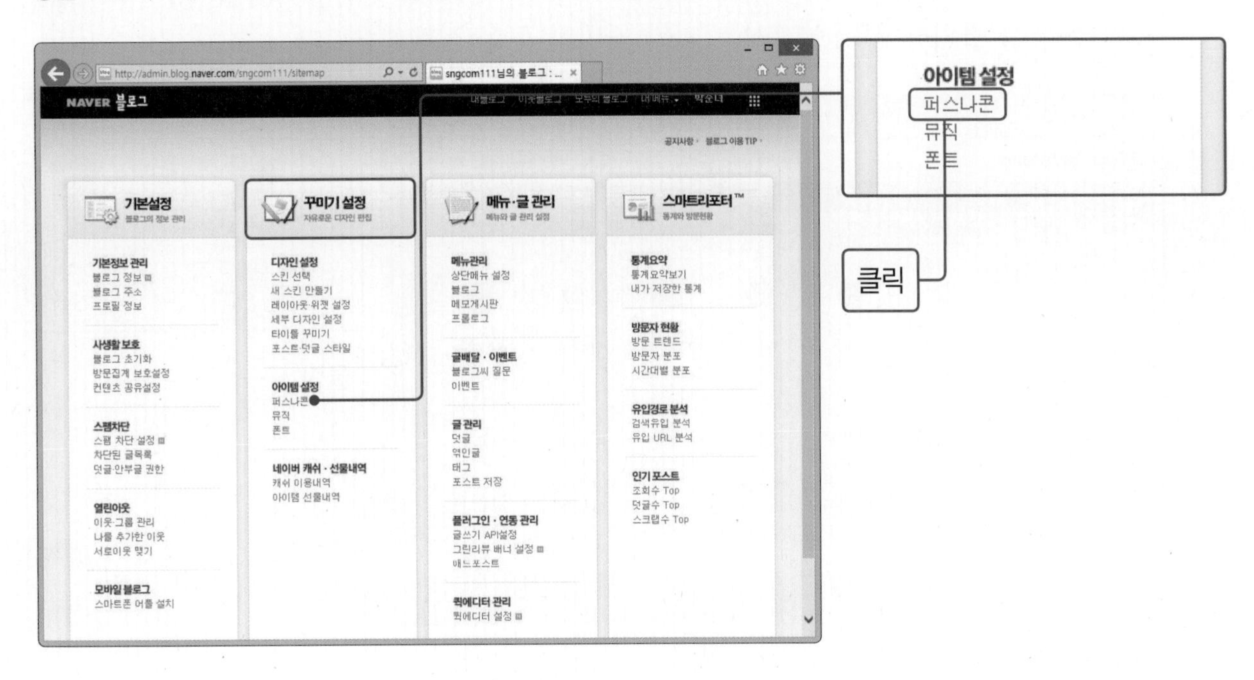

03 퍼스나콘 화면이 나타납니다 기본적으로 퍼스나콘이 설정되어 있지 않습니다. 네이버에서 무료로 제공하는 퍼스나콘의 종류를 살펴보기 위해 '무료 퍼스나콘 전체 보기'를 클릭하세요.

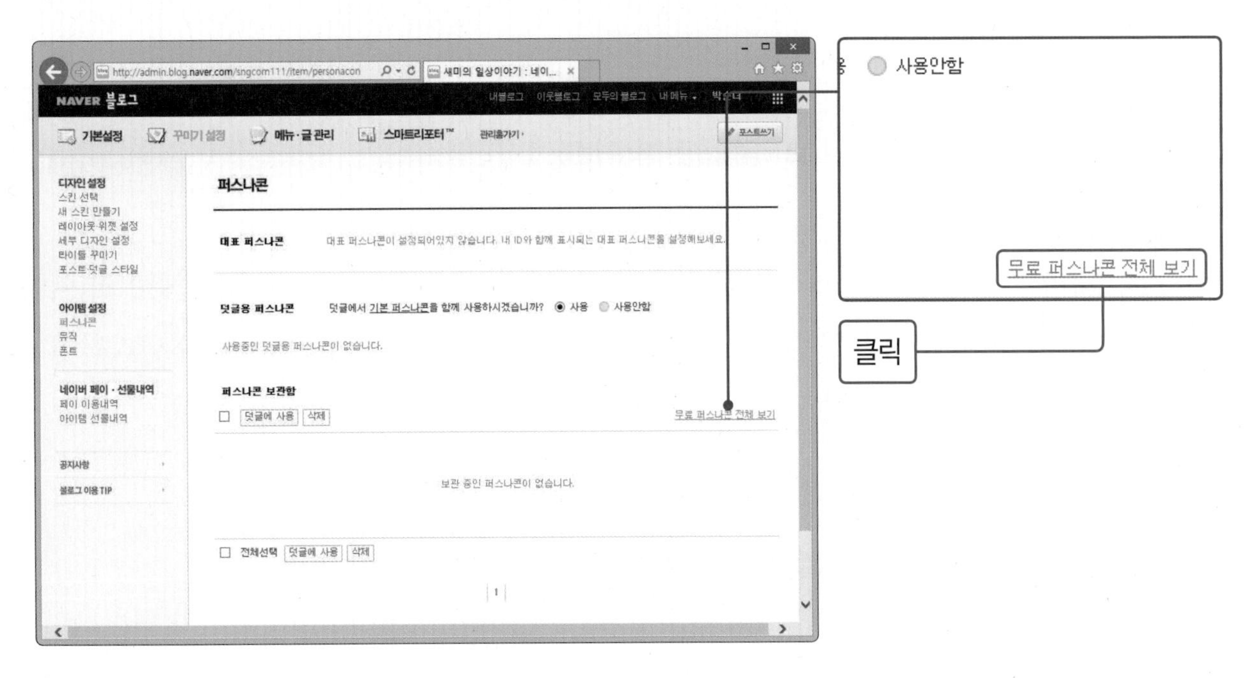

04 아이템 팩토리 화면에 인기 있는 퍼스나콘 종류가 나타납니다. 마음에 드는 퍼스나콘의 [담기] 버튼을 클릭하세요. 여기서는 '파란 나비와 꽃'을 선택했습니다.

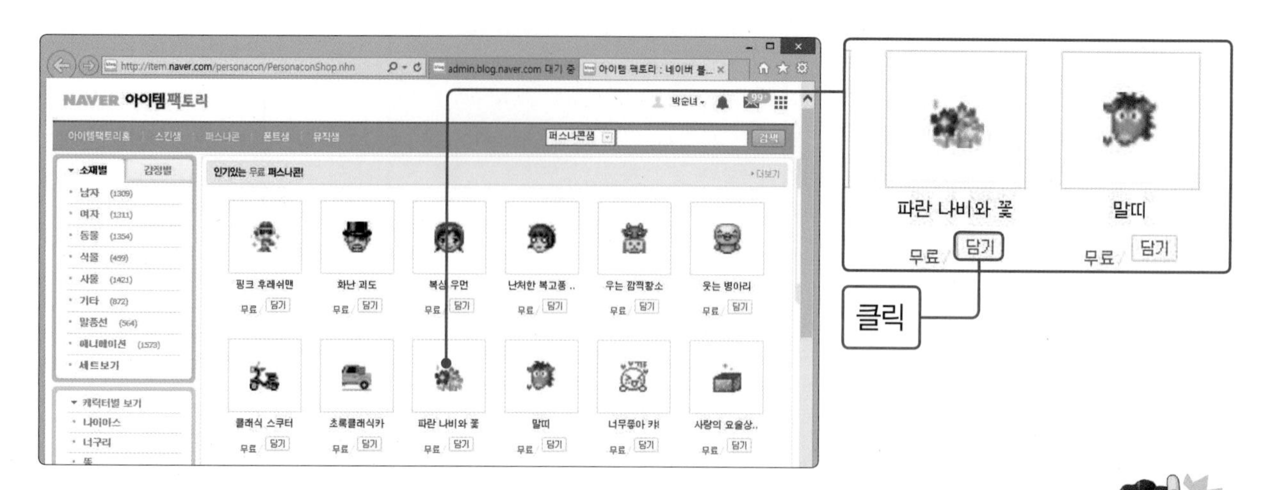

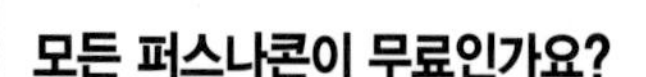

모든 퍼스나콘이 무료인가요?

기본적으로 네이버에서 제공하는 퍼스나콘은 무료이지만 간혹 유료인 경우도 있으니 퍼스나콘을 선택할 때 [담기] 버튼 옆에 있는 '무료/유료' 표시를 확인하세요.

퍼스나콘 모양이 다르게 보여요!

퍼스나콘 페이지에서 보이는 퍼스나콘 종류는 접속할 때마다 다르게 보이므로 위와 다른 모습의 퍼스나콘이 보일 수 있습니다. 종류가 다르게 보이더라도 마음에 드는 퍼스나콘을 찾아 선택하세요.

05 **04**번에서 담은 퍼스나콘이 나타납니다. 내가 선택한 퍼스나콘과 함께 3개의 퍼스나콘이 함께 제공되는 것을 확인할 수 있습니다. 이는 선택한 퍼스나콘의 종류에 따라 달라질 수 있으니 참고하세요. 내 블로그에 적용하기 위해 [블로그에 담기] 버튼을 클릭합니다.

06 '선택하신 아이템이 블로그에 담겼습니다.'라는 메시지 창이 나타나면 [대표퍼스나콘으로 설정] 버튼을 클릭합니다.

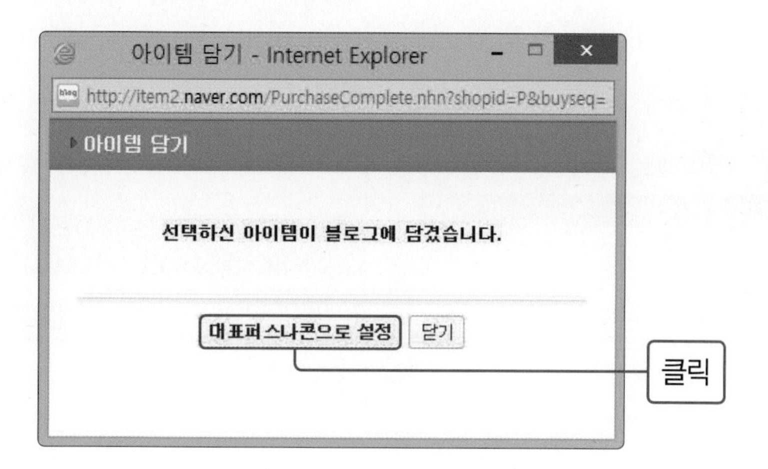

07 '성공적으로 반영되었습니다. 지금 확인하시겠습니까?'라는 메시지 창이 나타나면 [확인] 버튼을 클릭합니다.

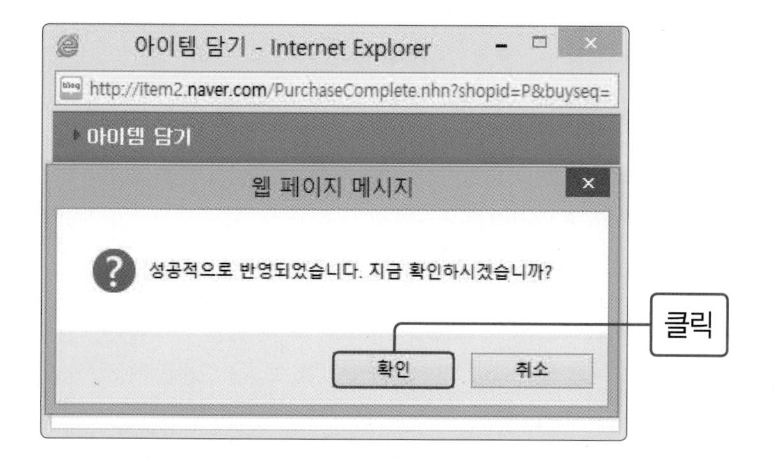

잠깐만요!

담아 놓은 퍼스나콘을 모두 내 블로그에 적용해야 하나요?

퍼스나콘이 세트 상품으로 제공되기 때문에 한 퍼스나콘 외에 다른 퍼스나콘이 함께 보이는 경우가 있습니다. 만일 내 블로그에 적용하고 싶지 않은 퍼스나콘이 있다면 클릭하여 ✔ 표시를 해제한 후 [블로그에 담기] 버튼을 클릭하세요.

08 '관리' 페이지인 '퍼스나콘' 화면이 나타나면 앞서 저장한 퍼스나콘이 적용된 것을 확인할 수 있습니다. '대표 퍼스나콘'에 있는 이미지가 내 별명 앞에 붙는 퍼스나콘 이미지이며, '덧글용 퍼스나콘'은 블로그에 덧글을 남길 때 내 별명과 함께 붙어 다니는 것입니다. 퍼스나콘이 적용된 블로그를 확인하기 위해 화면 위쪽에 있는 '내 블로그'를 클릭합니다.

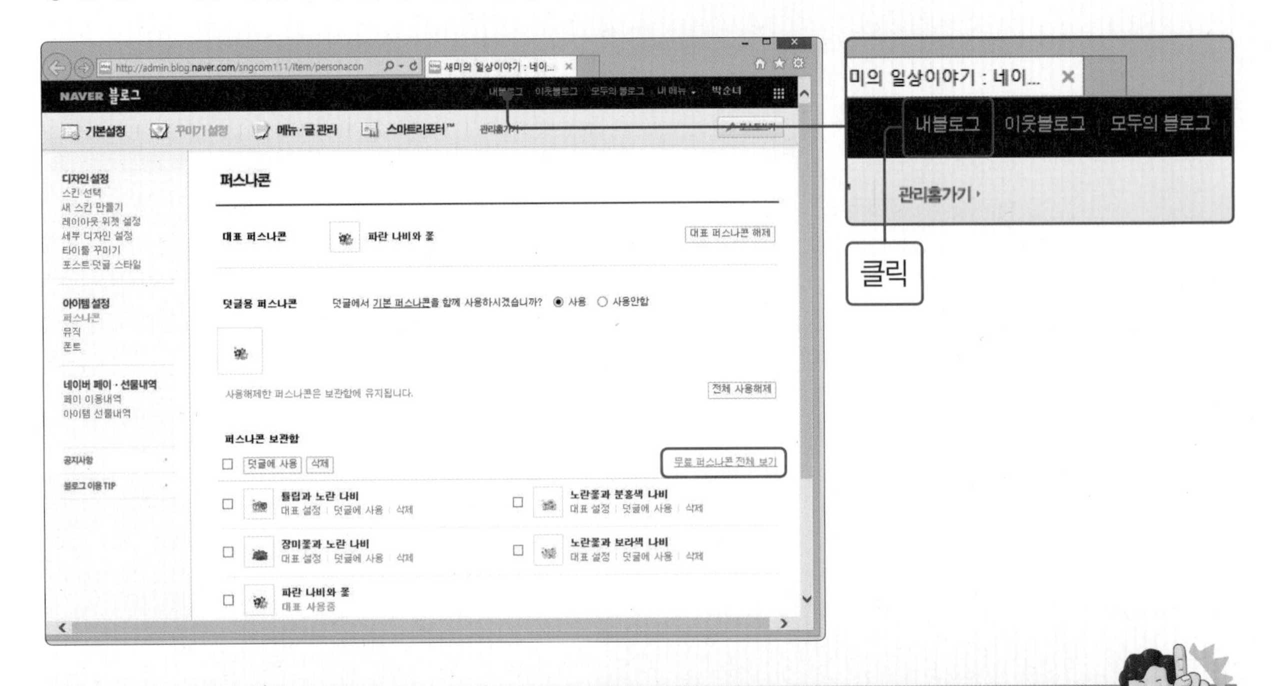

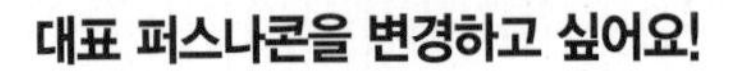

대표 퍼스나콘을 변경하고 싶어요!

아래의 '퍼스나콘 보관함'에 있는 퍼스나콘 종류 중에서 원하는 퍼스나콘의 '대표 설정'을 클릭하면 기존의 퍼스나콘에서 변경됩니다. 또한, '무료 퍼스나콘 전체보기'를 클릭하여 더 많은 퍼스나콘을 담으면 '퍼스나콘 보관함'에 저장됩니다.

09 내 블로그의 시작 화면이 나타납니다. 프로필 영역의 별명 앞에 퍼스나콘이 적용된 것을 확인할 수 있습니다.

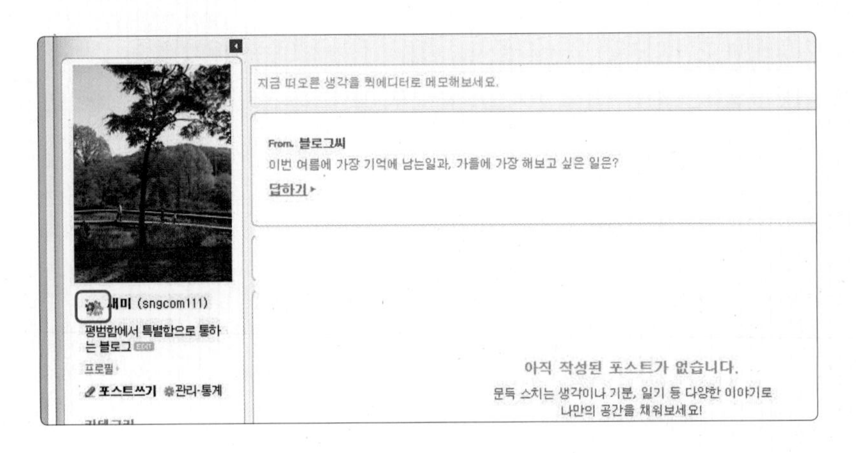

넷째 마당

블로그 활동의 핵심, 포스팅하기

앞서 살펴본 블로그 꾸미기 기능을 적용해 어느 정도 내 블로그의 디자인을 하였다면, 이제 본격적으로 블로그 활동의 핵심인 글쓰기, 즉 포스팅 기법을 익혀보겠습니다. 집만 짓고 사람이 살지 않으면 집은 허물어지고 헌집이 되듯이 블로그도 마찬가지입니다. 블로그를 만들고 디자인을 한 후 그 안을 글로 채우지 않거나 관리하지 않으면 블로그의 가치도 떨어지고 사람이 찾지 않는 곳이 됩니다. 블로그의 핵심은 글입니다. 넷째마당에서는 블로그를 알차게 채우고 가치를 높일 수 있는 글쓰기 기법을 익혀보겠습니다.

김 씨! 요새 블로그 하는 재미에 빠져있다면서?
응! 메뉴 하나하나 눌러가면서 블로그를 꾸미는 재미가 쏠쏠하네!
근데 글을 쓰는 게 영 쉽지가 않아.
요새는 내가 낚시 다녀온 얘기를 쓰면
거기가 어디인지부터 이것저것 묻는 사람들이 있는데...
일기장에 일상을 기록해두듯이 쓰면 쉽지 않아?
그래...?
좋은 건 좀 알려줘!
하하하! 이 친구야 그런 걸 고민이라고...!
그럴 때 좋은 방법이 있지!
글을 쓸 때 낚시터에서 찍은 사진이랑 정보도 넣어 주고
낚시터 위치를 한눈에 알아 볼 수 있는 지도도 넣어 주고 하라고
으아니! 그런 좋은 방법이...!!!
지금 당장 해봐야겠어!
낚시꾼 김영감의 블로그

01 매력적인 글을 쓰기 위한 준비사항

하루에도 수많은 글들이 네이버 블로그에 등록됩니다. 그 많은 글들 중에서 과연 얼마나 검색되고 읽혀질까요? 블로그 사용자들의 대부분은 '정보'를 얻기 위해 검색을 하고 내가 원하는 정보가 있는 블로그를 클릭하여 방문합니다. 그리고 블로그에 방문하더라도 막상 내가 원하던 정보가 아니면 바로 다른 블로그로 원하는 정보를 찾아 떠납니다. 그러므로 블로그 글을 작성할 때 좋은 정보와 함께 이해하기 쉽고 읽기 편한 글을 작성하는 것이 좋습니다.

블로그 활동의 핵심은 '글쓰기'

블로그를 만들고 어떤 주제를 다룰지 정한 후 보기 좋게 꾸며 놓아다고 하더라도 블로그에 글이 없다면 '속 빈 강정'과 같습니다. 블로그의 핵심은 글쓰기입니다. 블로그에 글을 작성해 올리고 검색이 되도록 하는 것이 블로그를 하는 목적 중 하나입니다.

그렇다면 글은 어떻게 써야 할까요? 본격적으로 어떤 내용을 블로그에 담을지 생각하다보면 처음엔 막막합니다. 막상 쓸 내용을 정했다 하더라도 꾸준히 쓸 수 있는 주제인지도 생각해보아야합니다. 아래 내용은 네이버에서 제공하는 '좋은 문서'의 기준입니다.

- 신뢰할 수 있는 정보를 기반으로 작성한 문서
- 물품이나 장소 등에 대해 본인이 직접 경험하여 작성한 후기 문서
- 다른 문서를 복사하거나 짜깁기 하지 않고 독자적인 정보로서의 가치를 가진 문서
- 해당 주제에 대해 도움이 될 만한 충분한 길이의 정보와 분석 내용을 포함한 문서
- 읽는 사람이 북마크하고 싶고 친구에게 공유, 추천하고 싶은 문서
- 글을 읽는 사람을 생각하며 작성한 문서
- 글을 읽는 사용자가 쉽게 읽고 이해할 수 있게 작성한 문서

▲ 출처 : '네이버 다이어리' 블로그(http://naver_diary.blog.me/150153092733)

이러한 '좋은 문서'의 기준에 맞는 글을 쓰려면 다른 사람들의 블로그를 많이 방문해 보는 것이 좋습니다. 또한 책이나 칼럼, 잡지, 뉴스 등을 통해 알찬 정보와 지식을 쌓고 내가 경험한 내용, 나만의 노하우나 전문 지식 등을 블로그에 풀어나가는 것도 좋습니다. 소소한 일상이야기를 블로그에 담는 것부터 시작해도 좋지요. 내 블로그의 주인은 바로 '나'이기 때문입니다.

글쓰기 실력이 없어도 괜찮아요

블로그는 공개된 공간이다 보니 막상 글을 작성하려고 하면 부담감 때문에 내용이 쉽게 작성되지는 않습니다. 글의 제목부터 어떤 단어로 채워야 할지 고민스럽기만 합니다. 블로그를 하는 사람이라면 누구나 겪는 고민입니다.

블로그는 좋은 지식 정보를 공유하는 글을 작성하는 곳, 재미있는 이야깃거리나 사회적 이슈 등을 자유롭게 표현하는 글을 작성하는 곳, 자신만의 생각을 글로 담아내는 곳이기에 글쓰기 실력을 걱정하기 전에 자신이 블로그에 담아내고 싶은 주제가 무엇인지 생각해 볼 필요가 있습니다. 나는 사람들에게 나만의 지식이나 노하우를 가르쳐주거나 알려주고 싶은 마음이 강하다면 '정보'에 초점을 맞춰 글을 담아내 봅니다.

여행을 즐겨하는 경우라면 여행을 다닌 장소, 느낌, 여행지의 정보, 체험, 사진 등을 글의 제목과 내용에 글의 형식에 얽매이지 말고 꾸준히 작성해 보면 좋습니다.

매일 꾸준히 영어 한마디를 블로그에 올리는 블로거가 있습니다. 사진 한 컷과 함께 영어 표현이나 문법을 쉽고 간략하게 정리해서 올립니다. 영어 자료에 목말라 하는 사람들이 많다는 사실을 알게 되면서 도움을 주고자 꾸준히 올렸다고 합니다. 블로그가 의미 있는 공유의 공간으로 거듭나게 되면서 파워블로그로 선정되었고 영어 관련 책을 내게 되었습니다.

정보 제공 역할의 글쓰기가 어렵다면 일기를 쓰듯이 하루에 있었던 사건 중에 핵심 하나를 정해 생각을 풀어나가도 좋습니다. 즉, 무조건 글을 잘 써야 한다는 부담감을 털어버리고, 자신만의 글을 쓰려고 해보세요.

02 스마트 에디터 구성 살펴보기

네이버 블로그의 글을 '포스트'라고 하고, 글쓰기를 '포스트 쓰기' 혹은 글쓰는 행위를 '포스팅'이라고 표현합니다. 블로그에 포스트를 쓰고 편집할 수 있도록 여러 가지 기능들을 지원하는 네이버의 블로그 글쓰기 도구, 즉 '스마트 에디터'의 구성을 이해하고 기능을 활용해 글을 작성하면 편리합니다.

이 스마트 에디터를 이용하여 글을 입력하고 사진, 동영상, 지도, 파일 등을 함께 올릴 수 있으며, 이외에도 다양하고 유용한 기능들이 많아 블로거가 편리하게 글을 쓰고 편집할 수 있도록 도와줍니다.

스마트 에디터 페이지로 이동하기

블로그에 글을 쓰기 위해서 아래와 같이 내 블로그에 접속한 후 '프로필 영역'에서 '포스트쓰기'를 클릭합니다.

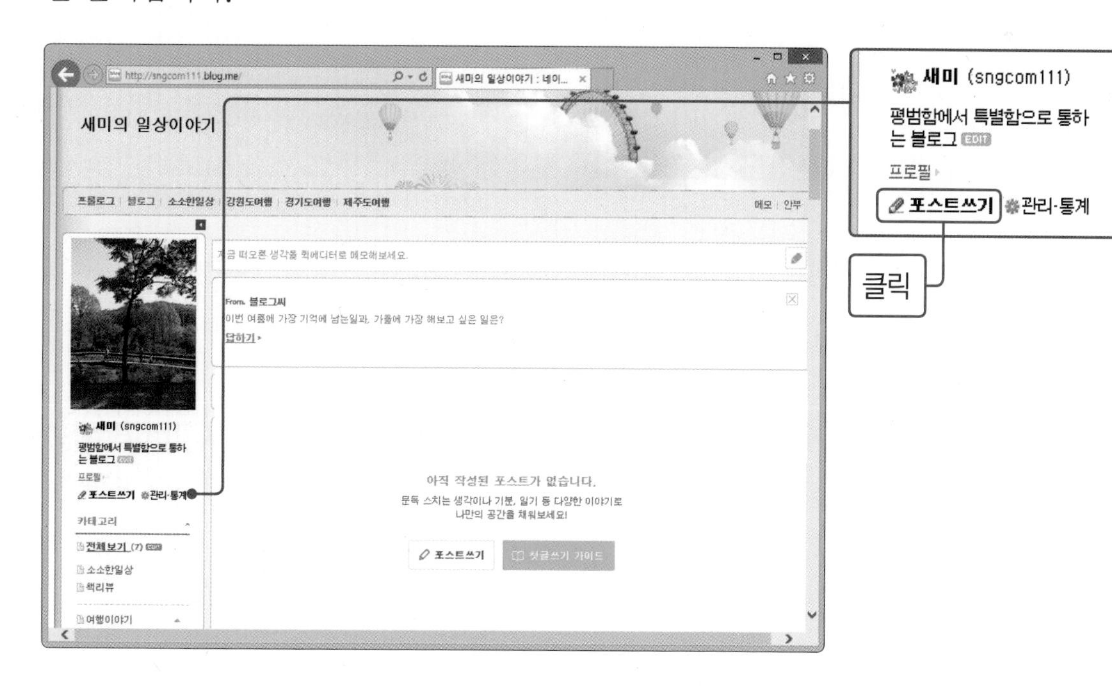

스마트 에디터 구성 미리보기

블로그에 포스팅할 내용을 작성할 수 있는 '스마트 에디터' 페이지가 나타납니다. 스마트 에디터는 크게 화면 위쪽의 카테고리와 제목, 도구상자, 글쓰기 영역 그리고 화면 아래쪽의 설정 정보 등으로 구성되어 있습니다.

❶ **카테고리 :** 내가 쓴 글을 저장할 카테고리(메뉴)를 선택할 수 있습니다. 내림 단추를 클릭하면 셋째마당에서 만든 카테고리(메뉴) 목록이 나타납니다.

❷ **제목 :** 글의 주제를 담은 제목을 입력하는 란입니다. 블로그 방문자들의 대부분은 글의 제목을 보고 이 글을 읽을 것인지 말 것인지 결정하므로 이왕이면 핵심 단어를 선택하여 흥미와 관심을 유발할 수 있는 제목을 입력하는 것이 좋습니다.

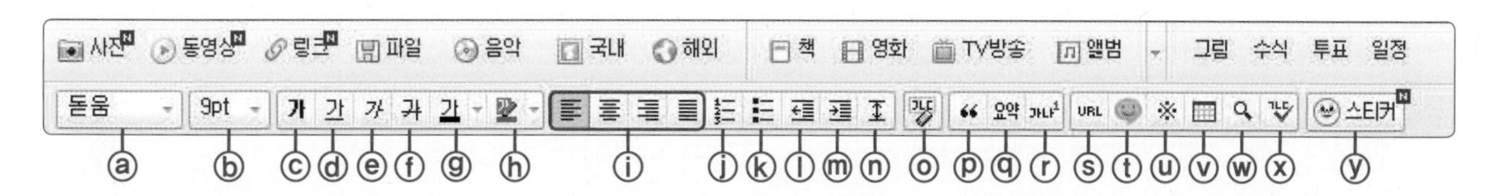

❸ **도구상자 :** 글의 글꼴, 글자 크기 등 편집 기능과, 사진, 동영상, 지도 등을 첨부할 수 있도록 다양한 도구를 제공합니다.

ⓐ 글꼴　ⓑ 글자 크기　ⓒ 굵게　ⓓ 밑줄　ⓔ 기울임
ⓕ 취소선　ⓖ 글자색　ⓗ 배경색　ⓘ 정렬　ⓙ 번호매기기
ⓚ 글머리기호　ⓛ 내어쓰기　ⓜ 들여쓰기　ⓝ 줄간격　ⓞ 글자 효과 없애기
ⓟ 인용구　ⓠ 요약 글　ⓡ 각주　ⓢ URL(링크)　ⓣ 이모티콘 삽입
ⓤ 특수기호　ⓥ 표 삽입　ⓦ 찾기/바꾸기　ⓧ 맞춤법 검사　ⓨ 스티커 삽입

❹ **글쓰기 영역 :** 글 내용을 입력하는 공간입니다. 글의 핵심, 주제를 다시 한 번 상단에 입력해주고 자연스럽게 내용을 입력하세요. 더불어 사진, 동영상 등을 첨부하면 글과 함께 게시됩니다.

❺ **주제분류 :** 내 글과 관련 있는 주제를 선택하면 됩니다. 이 주제는 블로그 홈 화면의 '주제별 글보기'에 소개됩니다.

❻ **태그달기 :** 태그를 '꼬리표'라고도 합니다. 글을 작성할 때마다 글과 관련된 핵심 단어를 쉼표로 구분하여 넣어줍니다. 예를 들어 『여행, 남도, 기차, 남도맛집』이라고 입력하면 단어와 관련된 주제의 글들을 모아

서 볼 수 있습니다.

❼ **설정정보 :** 하단에 제공되는 설정 정보 메뉴에서는 누구에게 포스트를 보여줄 것인지 공개 범위(전체공개, 이웃공개, 서로 이웃 공개, 비공개)를 설정할 수 있으며 덧글, 엮인글, 공감의 허용 여부를 선택할 수 있습니다. 네이버와 외부 사이트에서 포스트의 정보를 수집하여 검색 결과에 노출할 것인지 설정할 수 있으며, 블로그/카페, 외부 보내기 설정을 통해 포스트를 내보낼 수 있습니다. 여기서 '블로그/카페 보내기'에는 '링크허용'과 '본문허용' 두 가지 방법이 있습니다.

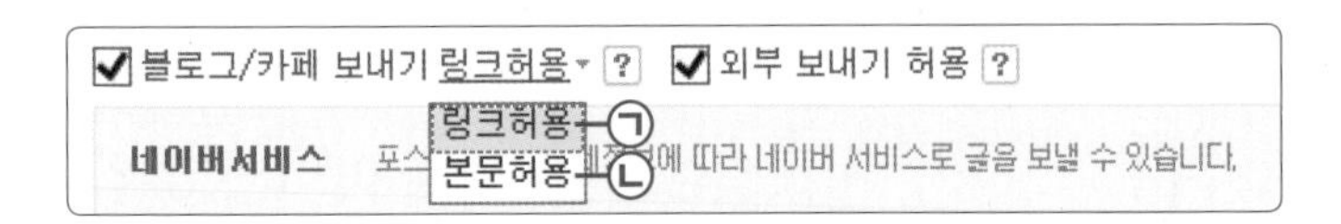

㉠ **링크허용** : 누군가 내 글을 스크랩(공유)을 할 경우 글의 주소만 스크랩되는 것을 의미합니다.

㉡ **본문허용** : 글의 내용 즉, 본문까지 스크랩되는 것을 의미합니다.

이왕이면 '전체공개', '덧글허용', '엮인글 허용', '공감허용', '네이버 검색 허용', '외부 수집 허용', '블로그/카페 보내기', '외부 보내기 허용' 등의 설정은 모두 ✓ 표시하여 허용하는 것을 추천합니다. 또한 이렇게 설정한 값을 기본 값으로 유지할 경우 다음 포스트를 작성할 때 이전과 동일한 환경에서 포스팅을 작성할 수 있어 편리합니다.

❽ **등록시간 :** 하단의 [확인] 버튼을 클릭하면 작성한 글이 바로 등록됩니다. 이렇게 바로 등록하는 것 외에 내가 원하는 게시 시간을 설정해 놓으면 그 시간에 글이 등록되는 예약기능이 있습니다.

03 메일 쓰기 보다 쉬운 블로그 글쓰기

스마트 에디터를 활용하여 메일을 쓰는 것보다도 쉽게 블로그 글을 작성해보겠습니다. 글은 언제든지 수정할 수 있으므로 먼저 편지나 일기를 쓰듯이 소소한 일상의 이야기를 글로 써보세요. 그리고 난 후 본문 영역의 내용을 가독성이 좋게 편집하여 읽는 사람이 부담감을 갖지 않도록 수정해봅시다.

무작정 따라하기

01 블로그 시작 화면의 '프로필 영역'에서 '포스트쓰기'를 클릭합니다.

02 스마트 에디터 화면이 나타나면 카테고리 영역의 내림 단추를 클릭하여 미리 만들어 놓은 카테고리 중에서 하나를 선택합니다. 여기서는 카테고리 중 '강원도여행'을 선택하였습니다.

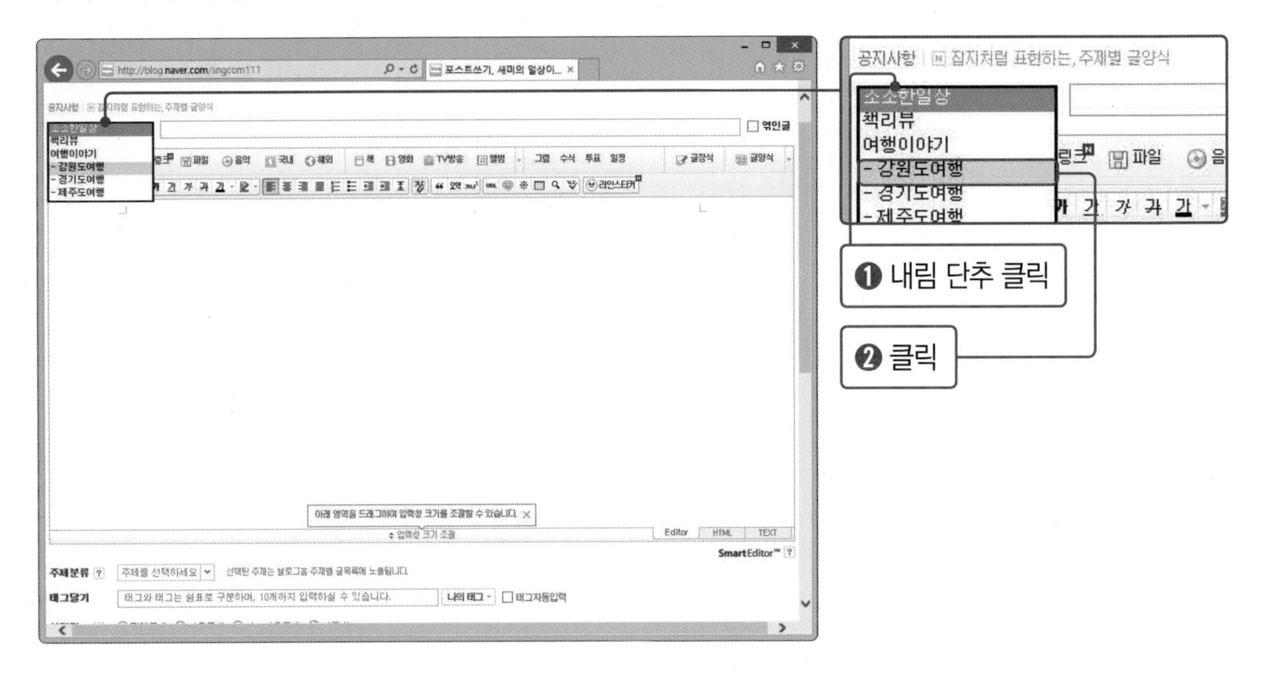

03 제목의 입력란을 클릭한 후 글을 쓰는 주제에 맞게 제목을 입력합니다. 여기서는『여름 휴가 여행지 추천, 삼척』이라고 입력하였습니다. 글쓰기 영역을 클릭하고 쓰고자 하는 내용을 입력합니다.

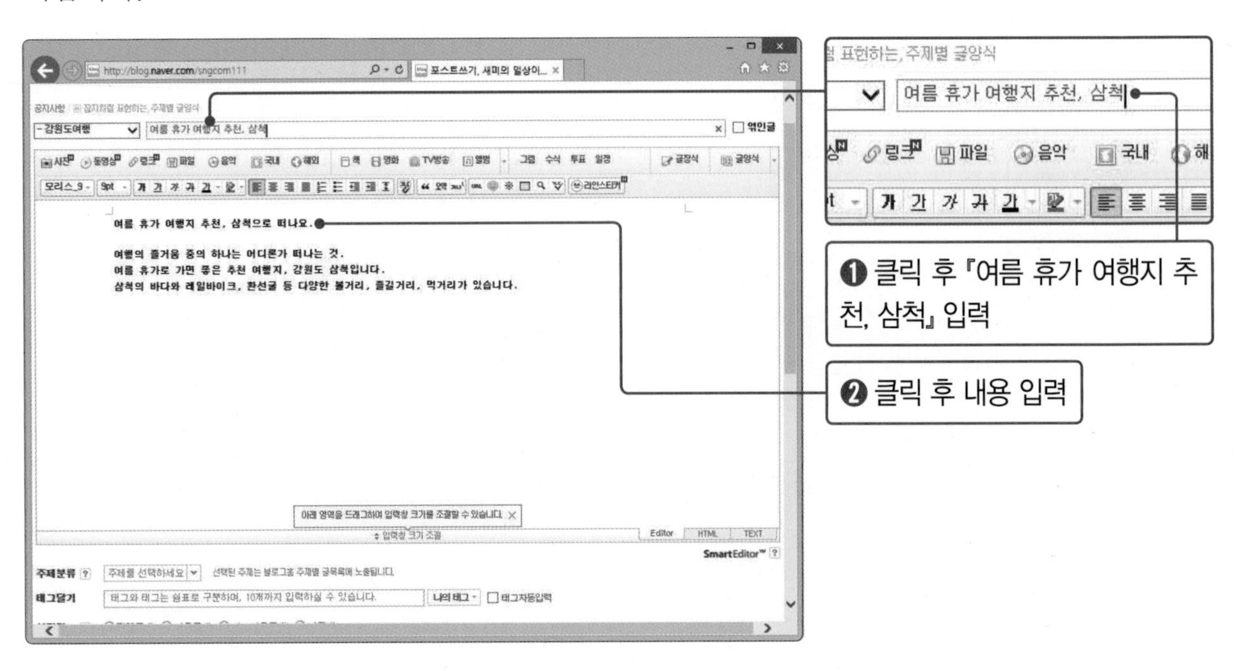

04 본문 글에서 핵심이 되는 단어나 문장을 강조해보겠습니다. 여기서는 가장 상단의 소제목을 강조하기 위해 드래그하여 선택하였습니다.

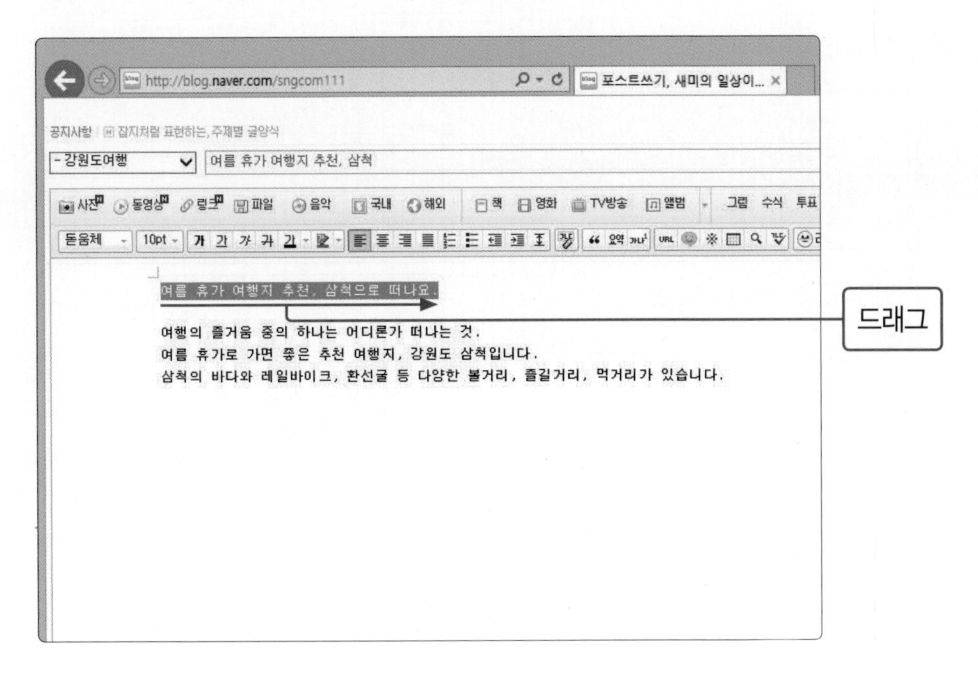

05 선택한 문장의 글자를 크게 하기 위해 도구상자의 글자 크기 내림 단추를 클릭한 후 '12pt'를 선택합니다. 또한 '굵게(가)'를 클릭한 후 '색상(가)'을 클릭해 원하는 색으로 변경하고 '가운데 정렬'을 클릭합니다.

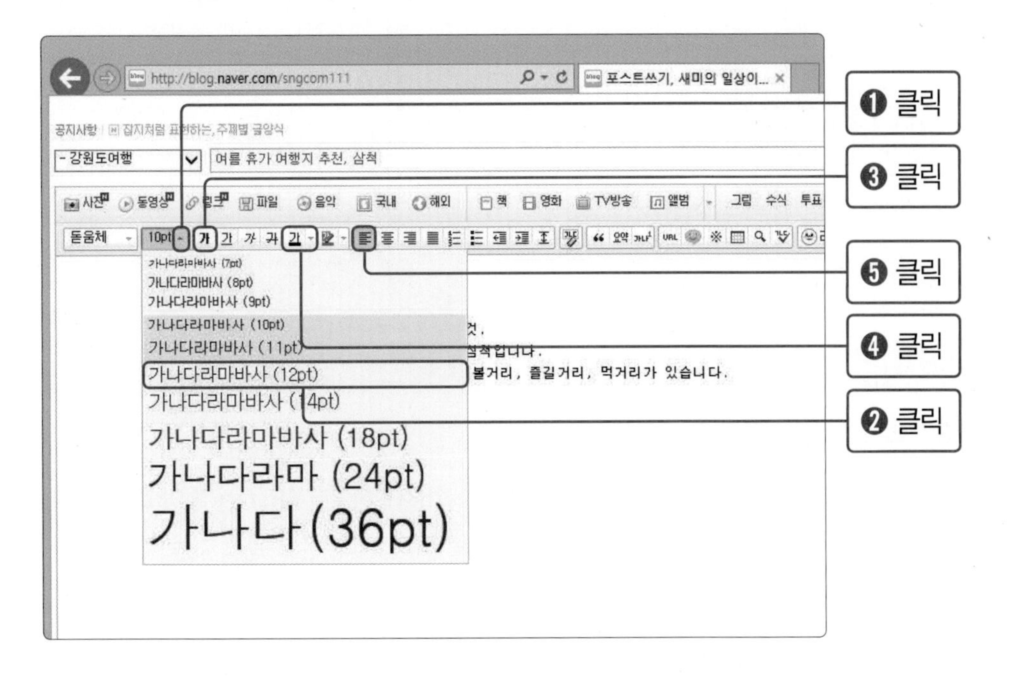

06 위에서 설정한 내용을 확인합니다. 나머지 글도 가운데로 정렬하기 위해 드래그한 후 도구상자에서 '가운데 정렬(☰)'을 클릭합니다.

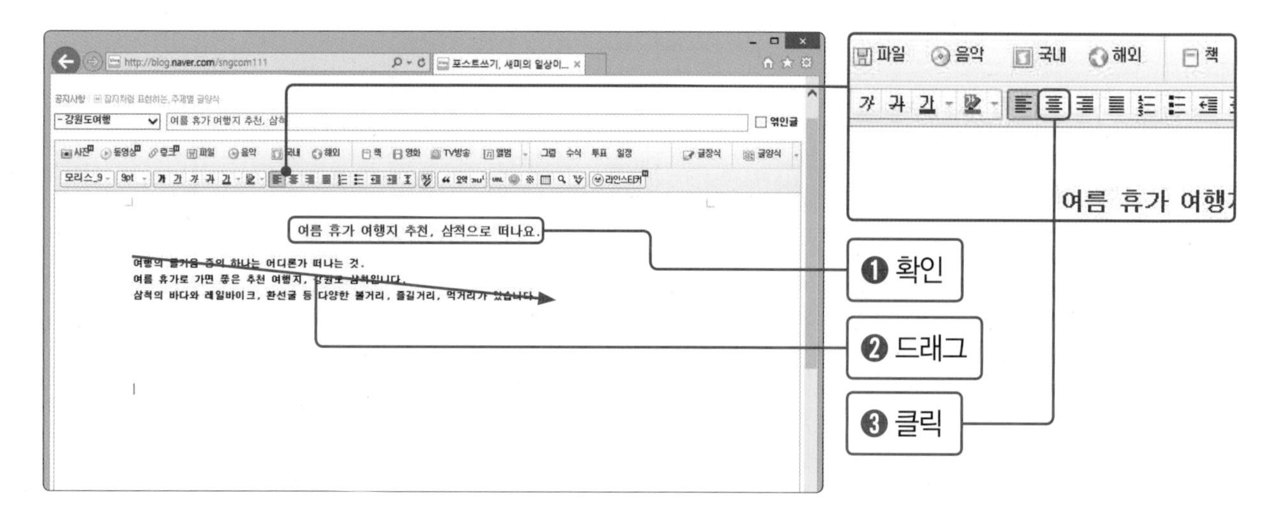

07 아래 그림과 같이 글쓰기 영역에서 편집한 글을 확인할 수 있습니다. 이 상태에서 계속 글을 작성할 수 있습니다.

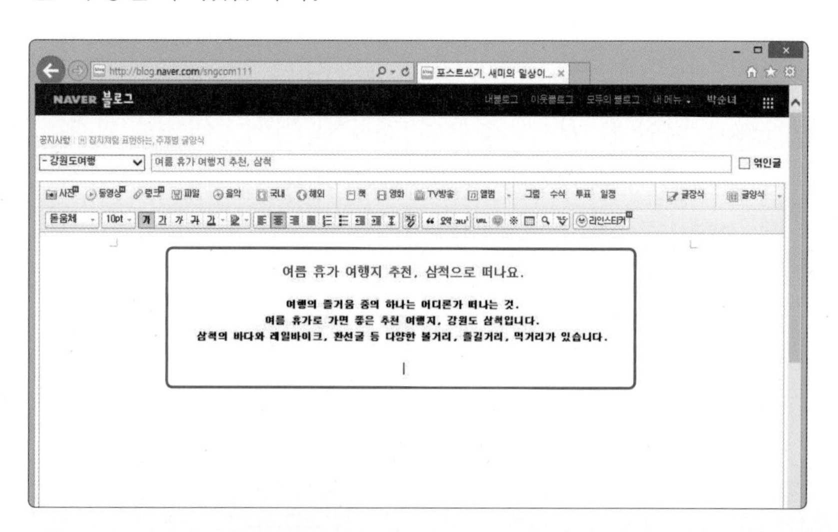

잠깐만요!

작성한 본문을 가독성이 좋게 편집하는 방법이 궁금해요!

① 내용의 소제목이나 핵심 문구 등은 글자를 크고 굵게 색을 지정하고, 가운데 정렬로 편집하는 것이 좋습니다.

② 폰트는 기본적으로 설치되어 있는 '돋움, 굴림, 바탕' 중에 선택하면 무난합니다. 폰트 설정 기능에서 설정한 폰트 중에서 고른다면 고딕 계열을 추천합니다.

③ 글을 쓸 때 글만 쓰는 것 보다는 글과 사진을 반복적으로 배치하면서 작성하면 좋습니다. 블로그에 방문한 사람들이 긴 글만 있는 경우에는 잘 읽지 않고 바로 나가버리는 특징이 있기 때문입니다. 즉, 글 사이에 적절히 사진을 삽입하고 설명을 달아 글을 읽는 방문자에게 궁금증을 유발하거나 이해를 도와 부담감을 줄여주는 것이 좋습니다.

08 글쓰기를 마쳤다면 블로그에 등록하기 위해 이동 막대를 아래로 드래그하여 화면 가장 아래로 이동합니다. [확인] 버튼을 클릭하세요.

09 다음과 같이 글이 등록되면서 블로그에 작성한 글이 나타납니다.

한 걸음 더 블로그에 등록한 글 삭제하기

블로그에 올린 글은 등록한 후에도 수정하거나 삭제할 수 있고 공개 범위도 다시 설정할 수 있습니다. 글을 수정하거나 공개 범위를 다시 설정하는 방법은 다음 장에서 살펴보도록 하고 여기서는 등록된 글을 삭제하는 방법을 알아보겠습니다. 단, 삭제한 글은 다시 복구가 불가능하므로 신중하게 생각한 후 삭제해야 합니다.

01. 먼저 삭제할 블로그 글을 엽니다. 등록된 글의 가장 위쪽과 가장 아래쪽에 '수정/삭제'가 보입니다. 여기서 '삭제'를 클릭합니다.

02. '삭제된 포스트는 복구가 불가능합니다. 포스트를 삭제하시겠습니까?'라는 메시지 창이 나타나면 [확인] 버튼을 클릭합니다. 해당 글이 삭제됩니다.

04 블로그의 사진 첨부 기능 알아보기

블로그를 운영하면서 여행이나 맛집을 다녀온 후기를 블로그에 올리기도 합니다. 여행을 다녀온 후 여행의 추억을 사진과 함께 올리거나, 맛집을 다녀와 음식 사진과 함께 후기를 블로그에 올려 공유하기도 하죠. 블로그에 기록을 남기는 목적이나 여행, 맛집 정보를 알려주기 위해 글을 작성하는 경우가 종종 있습니다. 그러면 방문자가 여행 후기나 맛집 후기를 보고 정보를 얻어 직접 그곳을 방문하기도 합니다. 그러므로 이런 후기를 작성할 때에는 사진, 위치, 가격 등 방문자에게 도움을 줄 수 있는 정확한 정보를 포스팅하는 것이 좋습니다.

하지만, 블로그를 시작하는 단계에서는 맛집이나 여행 후기를 처음부터 작성하기란 쉽지 않았습니다. 블로그의 기능을 익히는 단계에서는 글과 함께 사진 1개만 넣어 줘도 글의 전체적인 분위기가 살아납니다. 이렇게 블로그에 사진을 첨부할 때 유의할 점이 있습니다. 반드시 타인의 저작권을 침해하지 않는 사진을 올려야 합니다. 이왕이면 직접 찍은 사진을 올리는 것이 제일 좋습니다.

직접 찍은 사진으로 포스팅하기

이렇게 직접 찍은 사진을 첨부하여 포스팅을 하게 되면 글만 있는 것보다는 글에 대한 이해도가 높아지며 방문자에게 이야깃 거리, 볼거리를 제공하게 되어 재방문율을 높이는 데 효과적입니다. 그러므로 주변에서 일어나는 작은 일들에 대해 관심을 가지고 항상 사진을 찍는 습관을 가져보세요. 그것이 블로그에 올릴 풍부한 소재가 되어 평범한 일상의 포스팅을 할 때에도 충분히 가치 있는 글이 됩니다.

여행이나 요리, 작품 등 사진 위주의 포스팅을 하여 블로그를 운영하는 사람들 중에는 보다 좋은 품질의 사진을 찍고 올리기 위해 DSLR 카메라 사용법을 배워 사진을 찍어 포스팅하기도 합니다. 그렇지만 꼭 DSLR 카메라로 사진을 찍어 포스팅할 필요는 없습니다. 요즘에는 스마트폰의 카메라도 성능이 좋아져서 해상도 높은 사진을 찍을 수 있고, 스마트폰의 사진 앱을 활용하여 사진을 꾸며 올릴 수도 있습니다. 아니면 그냥 편하게 글과 사진을 반복해서 글을 작성해도 됩니다. 너무 신경쓰다보면 오히려 블로그를 꾸준히 운영하기 어려워 질 수 있습니다.

현재 사진과 글이 잘 배치되어 운영되고 있는 블로그와 평범하지만 가치있게 운영하고 있는 블로그를 방문해 볼까요? 이러한 블로그를 보면서 내 블로그에 사진을 올릴 때 참고하여 운영해 보도록 합니다.

일상을 사진과 함께 소개

다음은 '행복이 가득한 황가네 농장' 블로그입니다. 귀농하여 직접 농장을 운영하면서 블로그를 통해 귀농이야기, 귀농 정보 등을 올리는 블로그입니다.

왼쪽의 블로그 시작 화면을 살펴보면 글마다 사진이 첨부되어 있는 것을 알 수 있습니다. 귀농하여 직접 농사짓는 모습부터 일상에서 일어나는 일들을 직접 찍은 사진들과 함께 구성하여 포

▲ 행복이 가득한 황가네 농장(http://blog.naver.com/88skrmsp)

스팅하고 있습니다. 오른쪽은 블로그에 올라 온 글입니다. 글과 함께 사진이 첨부되어 있음을 알 수 있습니다. 사진의 너비는 포스트 영역 너비만큼 크게 자리 잡고 있으며, 글과 사진도 '글 → 사진 → 글 → 사진'으로 반복되어 방문자가 편안하게 글을 읽을 수 있도록 작성되었습니다.

한 컷의 사진에 담는 이야기

다음은 '맛있게 살기' 블로그입니다. 75세 도보여행가의 유쾌한 삶의 방식을 풀어낸 블로그입니다. 60세에 산악회에 입회, 매주 산행하다시피 한 끝에 전국의 산을 두루 섭렵하였고 그로 인해 평범한 인생을 위대한 인생으로 풀어낸 블로그의 이야기가 담겨 있는 곳입니다. 이 블로그의 장점은 멋진 디자인이나 다양한 사진으로 눈길을 끌기 보다 일상의 이야기를 꾸준히 풀어내면서 글로 담았기에 친근감있게 느껴진다는 것입니다.

왼쪽의 블로그 시작 화면을 살펴보면 앞서 살펴 본 블로그에 비해 사진이 많지 않다는 것을 알 수 있습니다. 오른쪽의 포스팅을 확인해 보면 글과 함께 직접 찍은 한 장의 사진을 확인할 수 있습니다. 이렇게 사진 한 장이라도 직접 찍은 사진과 본인의 생각을 글로 풀어가면 방문에게도 진정성 있게 느껴질 수 있습니다.

▲ 맛있게 살기(http://blog.naver.com/ropa420)

상황에 따라 사진의 너비를 달리 하여 포스팅

다음은 '정낭자의 빵생빵사' 블로그입니다. 빵을 좋아하는 '빵인류'를 만들어가고 있는 블로그로, 내 주변에서 유명한 빵집이 궁금하다면 이곳에서 발행하는 빵 지도를 참고하여 직접 찾아가볼 수 있도록 블로거가 직접 빵지도를 개발했습니다.

왼쪽의 블로그 시작 화면을 보면, 빵 사진으로 가득합니다. 보통 맛집 블로그나 여행 블로그 등 사진이 중요한 블로그는 시작 화면에서 사진이 잘 보이도록 배치하거나 포스팅에 사진을 많이 첨부하여 사진이 정보 전달의 역할을 하도록 합니다. 오른쪽의 포스팅을 확인해 보면 여러 장의 사진과 글이 함께 포스팅되어 있는 것을 확인할 수 있습니다. 보통 사진의 크기는 일정하게 같은 사이즈로 올리는 경우가 많지만 아래 그림처럼 상황에 따라 달리하여 올리기도 합니다. 기본적으로 사진의 너비는 포스트 영역 너비만큼 조정하여 올리는 것이 보기에 좋습니다.

▲ 정낭자의 빵생빵사(http://blog.naver.com/onsili)

05 작성한 글을 수정하여 사진 첨부하기

블로그에 글만 있는 것보다 글과 관련된 사진을 추가하면 쉽게 내용을 이해할 수 있고 내용의 신뢰성도 높아집니다. 사진을 올리는 방법은 '그냥 올리기', '편집하기', '스토리포토' 세 가지 방법이 있는데 여기서는 '그냥 올리기' 방법을 이용해 사진을 업로드하고 글과 사진을 조화롭게 배치하는 방법에 대해 살펴보겠습니다.

무작정 따라하기

01 01장에서 등록한 글에 사진을 넣어보겠습니다. 기존 글을 수정하고 싶지 않다면 01장을 참고하여 새롭게 블로그 글을 작성하고 아래 내용을 따라해 보세요. 먼저 기존에 작성한 글을 수정하기 위해 글의 오른쪽 위 혹은 아래에 있는 '수정'을 클릭하세요.

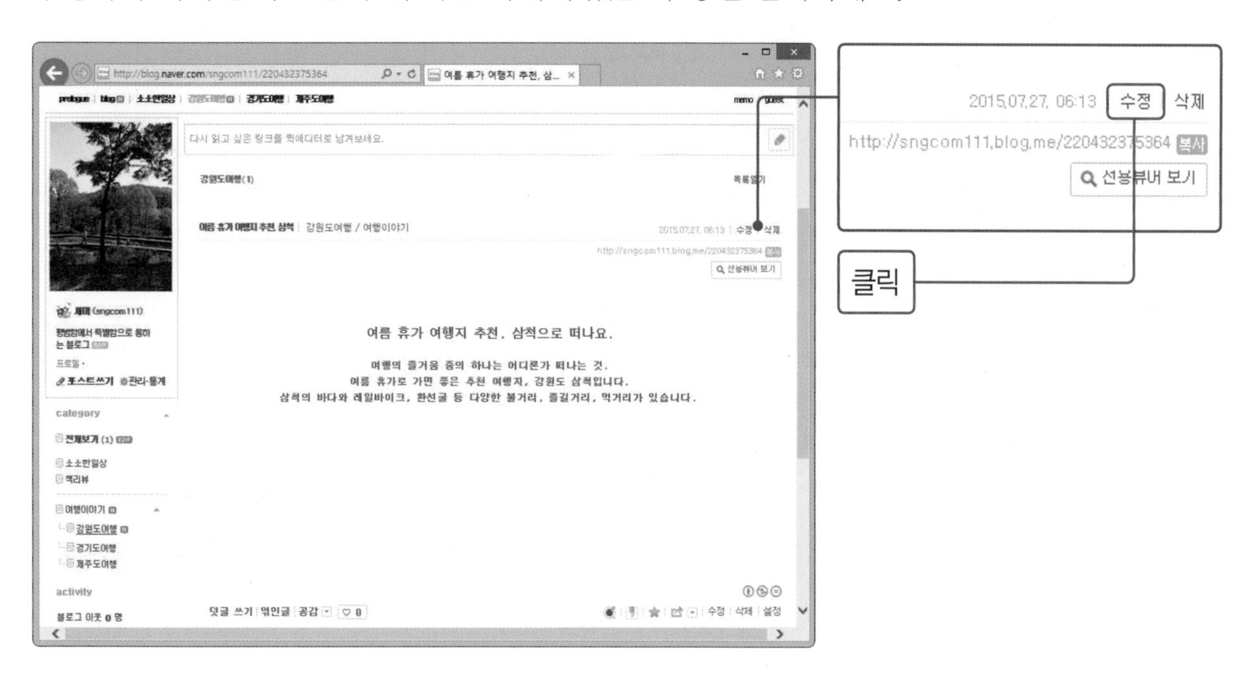

02 이전에 작성한 글이 '스마트 에디터'에서 열립니다. 글 아래에 사진을 첨부하기 위해 글의 가장 아래쪽을 클릭해 커서를 위치한 후 키보드에서 Enter를 두 번 눌러 문단 간격을 띄어줍니다. 사진을 첨부하기 위해 도구상자에서 '사진(사진)'을 클릭합니다.

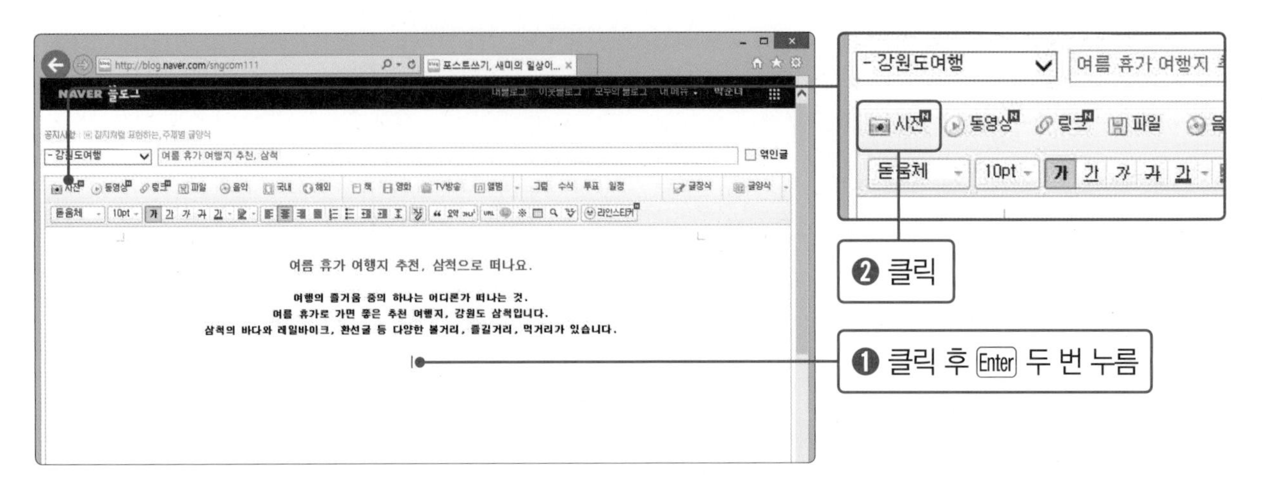

03 '네이버 포토업로더' 창이 나타납니다. 기본으로 '그냥올리기' 탭이 선택되어 있습니다. 블로그 글에 추가할 사진을 선택하기 위해 [내PC] 버튼을 클릭합니다.

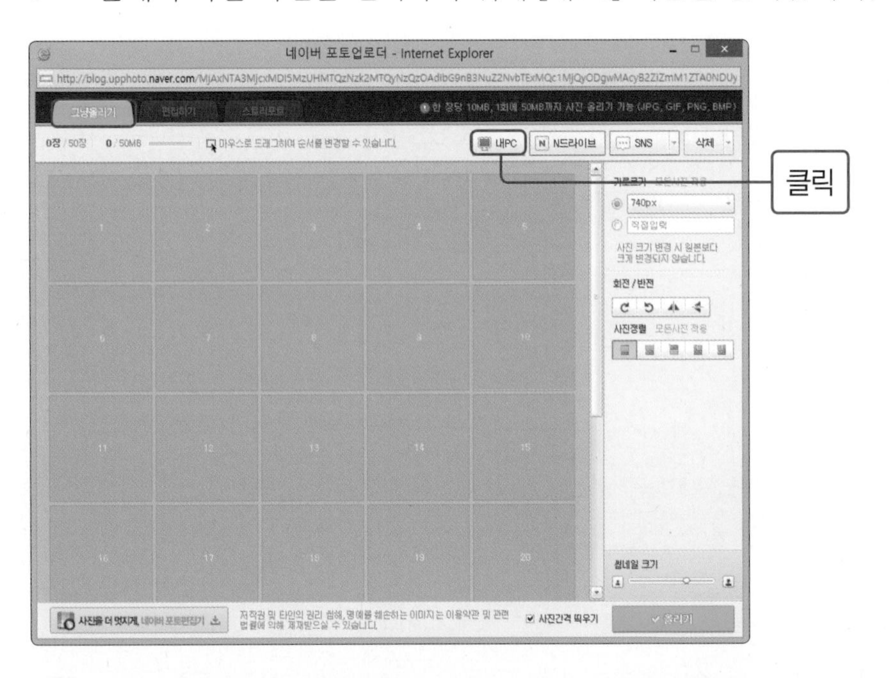

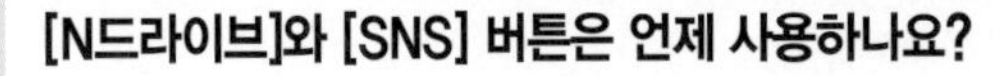

잠깐만요!

[N드라이브]와 [SNS] 버튼은 언제 사용하나요?

'N드라이브'는 네이버에서 제공하는 서비스로, 사진 및 자료를 보관해 놓을 수 있는 가상 공간입니다. 보통 스마트폰에서 찍은 사진을 N드라이브에 저장해 두면 스마트폰에서 블로그 글을 쓸 때 사진 파일을 쉽게 불러올 수 있습니다. 또한, 'SNS'는 페이스북이나 인스타그램 등 SNS에 올린 사진들을 불러와 블로그 글에 추가할 수 있는 기능입니다.

04 블로그 글에 추가할 사진이 저장된 파일을 연 후 블로그에 삽입할 사진을 클릭하여 선택합니다. 여러 장의 사진을 한번에 선택하려면 Ctrl을 누른 상태에서 원하는 사진을 클릭합니다. 사진 선택을 마쳤으면 [열기] 버튼을 클릭하세요.

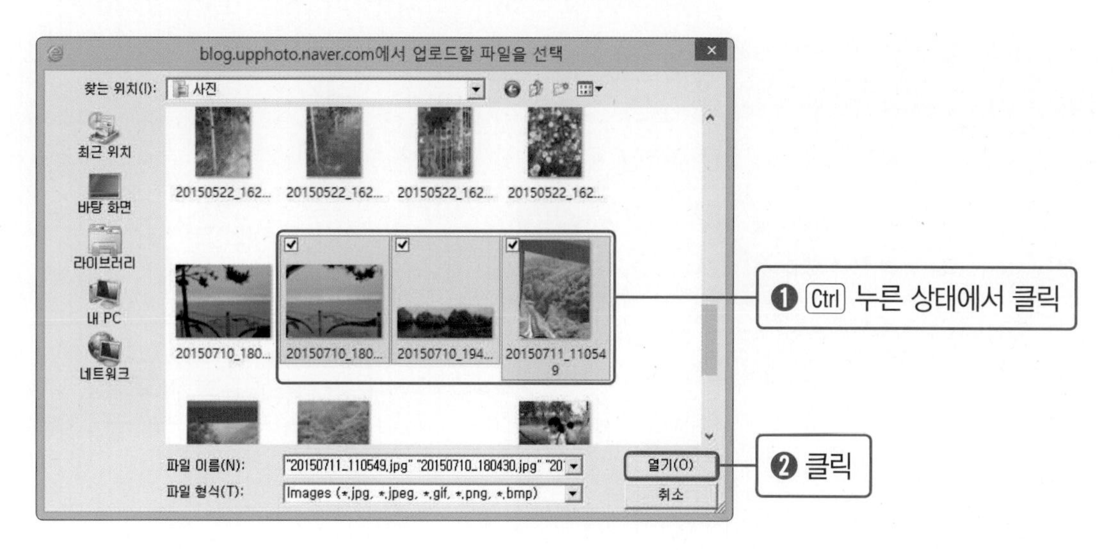

05 사진이 업로드되었습니다. 등록된 순서대로 사진이 배치되기 때문에 사진의 배치 순서를 바꾸고 싶으면 사진을 클릭한 상태에서 변경할 위치로 드래그 합니다. 필요 없는 사진은 클릭하여 선택한 후 화면 오른쪽 위에 있는 [삭제] 버튼을 클릭하여 없앨 수 있습니다. 사진이 뒤집힌 경우에는 오른쪽에 있는 '회전/반전(↻ / ↺)'의 아이콘을 클릭하여 수정할 수 있습니다. 사진 수정이 완료되었다면 화면 아래쪽에 있는 [올리기] 버튼을 클릭하세요.

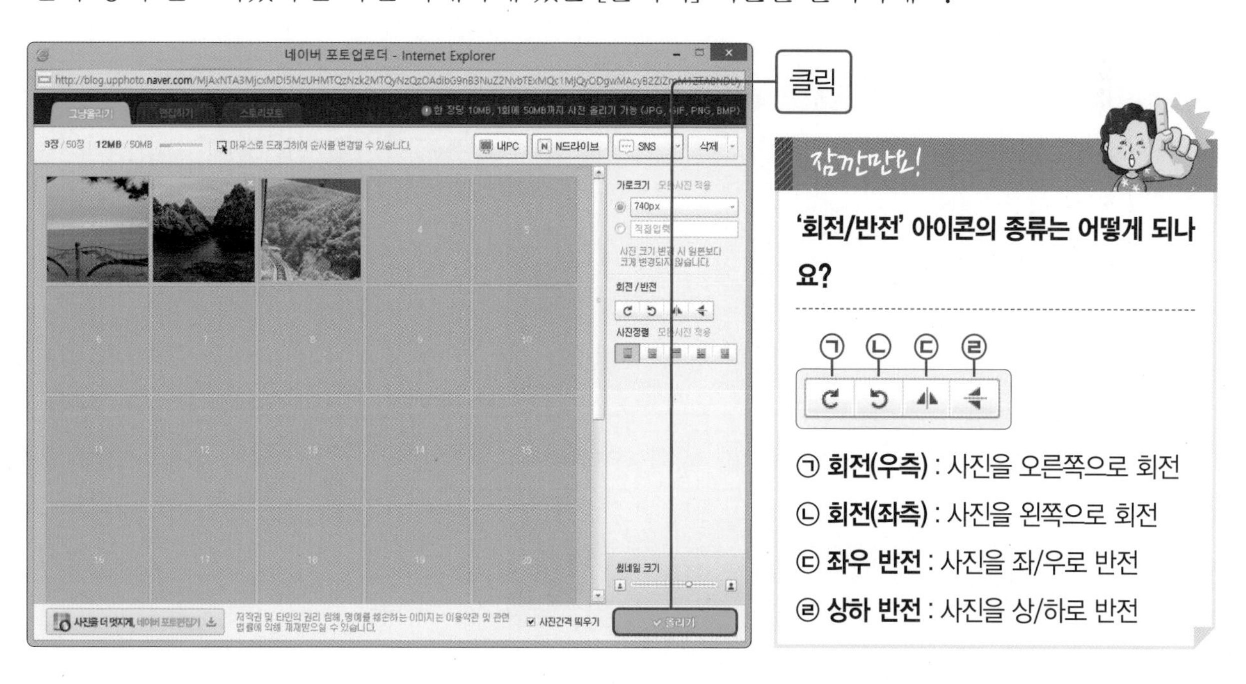

잠깐만요!

'회전/반전' 아이콘의 종류는 어떻게 되나요?

㉠ **회전(우측)** : 사진을 오른쪽으로 회전

㉡ **회전(좌측)** : 사진을 왼쪽으로 회전

㉢ **좌우 반전** : 사진을 좌/우로 반전

㉣ **상하 반전** : 사진을 상/하로 반전

06 스마트 에디터의 글쓰기 영역에 사진이 첨부됩니다. 사진과 사진 사이에 설명을 추가하기 위해서 첫 번째 사진과 두 번째 사진의 빈 공간을 클릭한 후 여백을 주기 위해 Enter를 두 번 클릭합니다.

07 사진에 대한 설명을 입력합니다. 편집하기 위해 입력한 내용을 드래그하여 선택한 후 도구상자에서 '글꼴'은 '돋움', '글자 크기'는 '12pt', '정렬'은 '왼쪽 정렬'을 선택합니다. '들여쓰기( )'을 한 번 클릭하면 내용이 안쪽으로 살짝 들어갑니다.

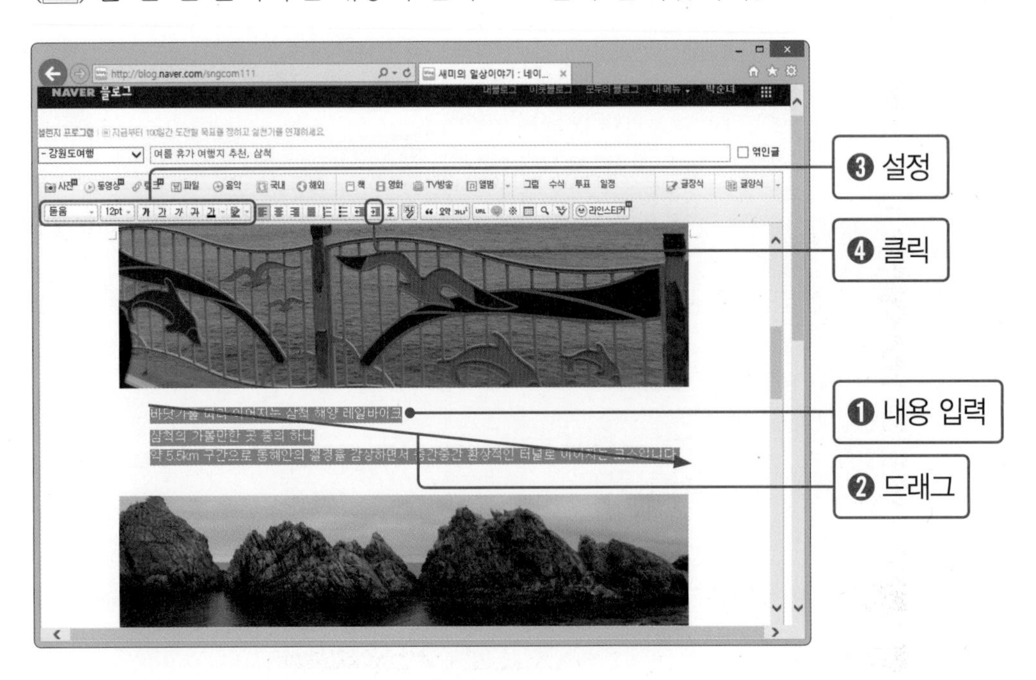

08 강조하고 싶은 문장을 드래그하여 선택한 후 '글자색'을 클릭해 원하는 색으로 변경해봅니다. 내용의 끝에 커서를 위치한 후 Enter를 두 번 눌러 아래 사진과의 간격을 조정합니다.

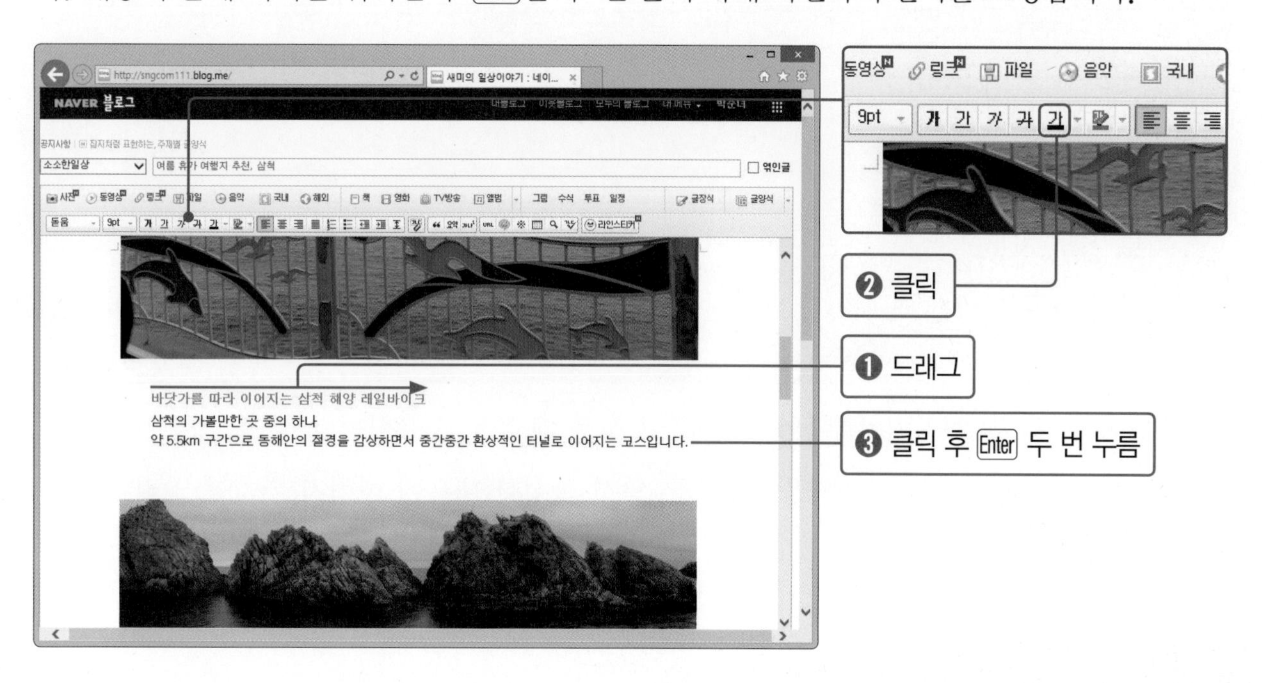

09 다시 두 번째 사진과 세 번째 사진 사이를 클릭하여 **06~08**번 과정처럼 내용을 입력하고 편집해 봅니다. 추가로 사진을 더 넣을 경우 사진마다 설명을 입력해보세요.

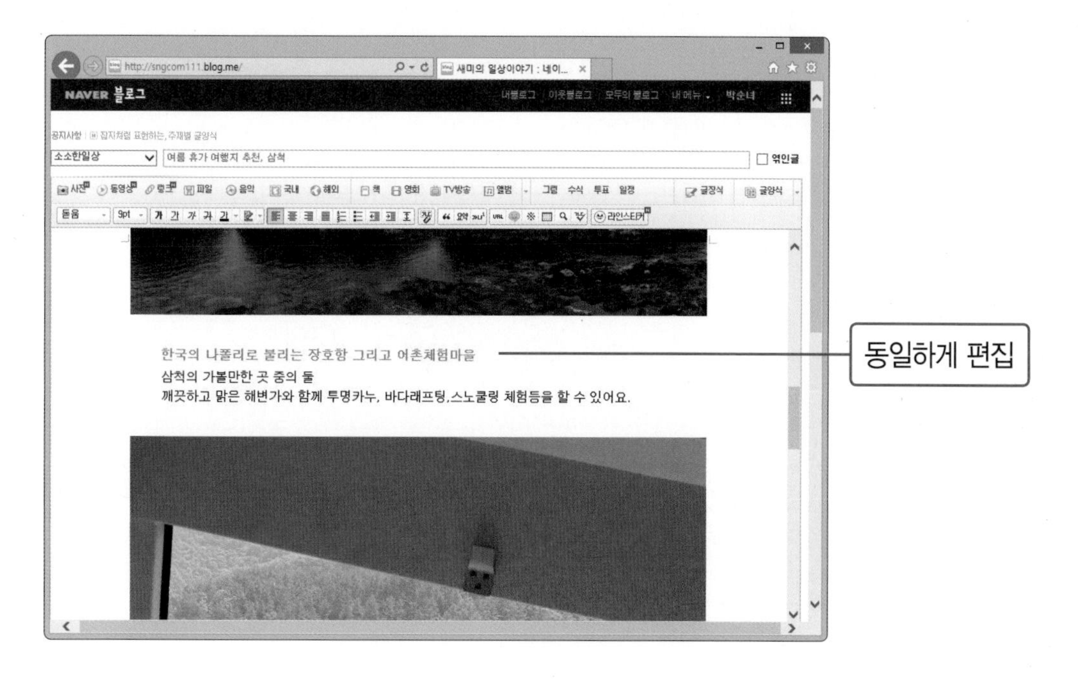

06 글을 쓸 때 지도 첨부하기

지도 첨부 기능은 블로그 글을 읽는 사람들에게 위치 정보를 알려주는 역할을 하며, 주로 모임이나 행사를 진행할 때 모임장소를 지도로 알려준다거나 맛집을 다녀온 후 음식점의 위치를 소개할 때, 여행을 다녀와 후기를 올리면서 여행지의 위치를 알려줄 때, 농산물 홍보 시 농산물 정보와 함께 농장의 위치를 함께 표시하고 싶을 때 주로 사용합니다. 지도 첨부는 '국내'와 '해외'로 구분되어 있습니다. 이번 장에서는 앞서 작성한 내용에 여행지 위치를 알려주는 지도를 첨부해 보겠습니다.

무작정 따라하기

01 05장에서 작성한 글쓰기에 이어 따라해 보겠습니다. 지도는 작성한 글의 마지막 부분에 첨부하는 것이 좋습니다. 글의 마지막 부분을 클릭해 커서를 위치한 후 Enter를 여러 번 눌러 여백을 줍니다. 지도를 삽입하기 전 위치명을 간단히 입력하고 Enter를 누릅니다. 여기서는 위치명에 『삼척 장호항 찾아가기』라고 입력하였습니다. 국내 지도를 첨부하기 위해 도구상자의 '국내(국내)'를 클릭합니다.

02 아래 그림과 같이 지도 첨부 화면이 나타납니다. 왼쪽의 검색 창에 검색하려는 위치명을 입력하세요. 여기서는『장호항』이라고 입력하였습니다. [검색] 버튼을 클릭하세요.

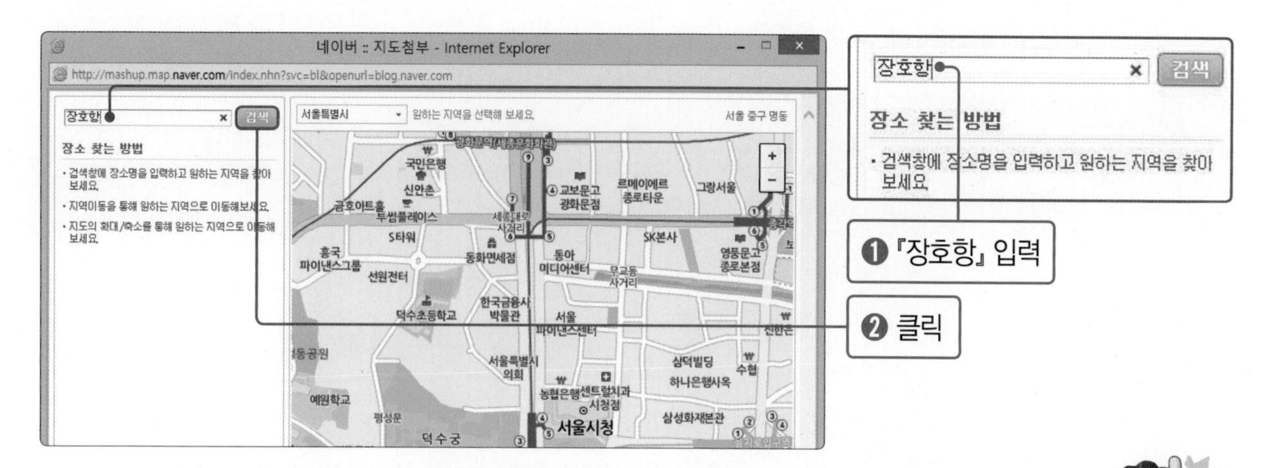

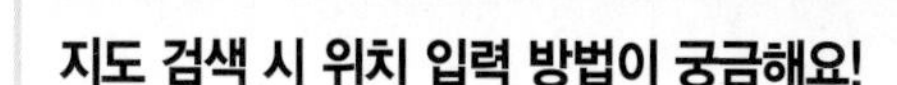

지도 검색 시 위치 입력 방법이 궁금해요!

지도에서 위치를 검색할 때 위치명을 입력해도 되지만 주소를 입력해도 됩니다. 주소 입력 시 전체 주소를 입력하지 않고 간단하게 동과 번지, 아파트명 등을 입력해도 됩니다.

03 검색된 결과가 나타나면 목록에서 해당 장소를 찾아 클릭합니다. 여기서는 첫 번째 '장호항'을 클릭하였습니다. 장소를 선택하면 지도에 해당 위치가 나타납니다. 화면 아래쪽에 있는 [다음] 버튼을 클릭하세요.

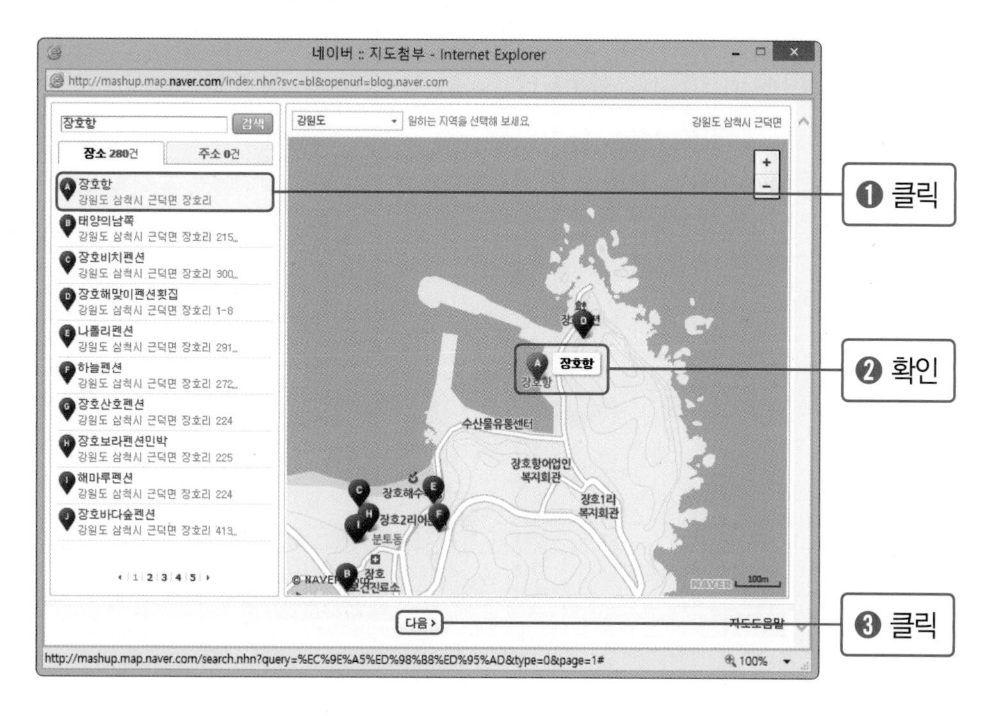

04 위치를 더 빠르고 자세히 확인할 수 있도록 지도에 핀을 꽂거나 말풍선 및 텍스트를 입력할 수 있는 화면이 나타납니다. 선택한 위치가 가운데에 올 수 있도록 화면을 조정한 후 화면 아래쪽에 있는 [다음] 버튼을 클릭하세요.

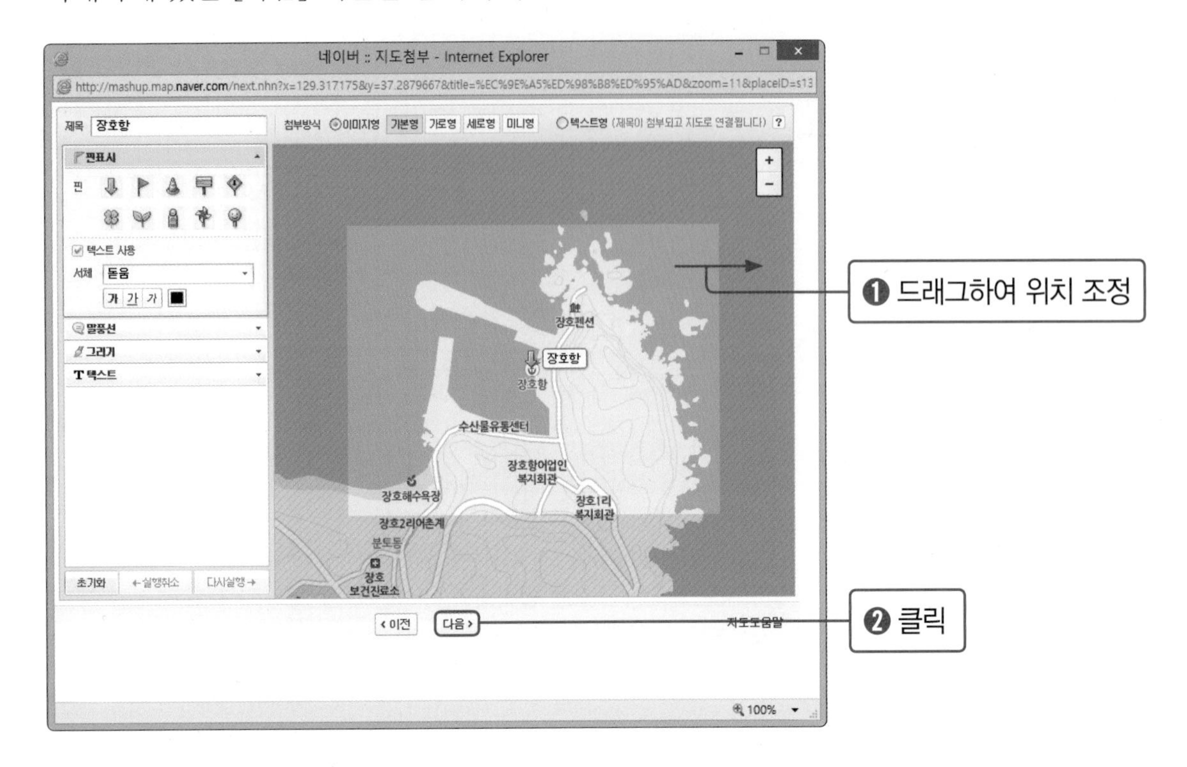

05 최종 선택한 화면이 나타나면 [저장] 버튼을 클릭합니다.

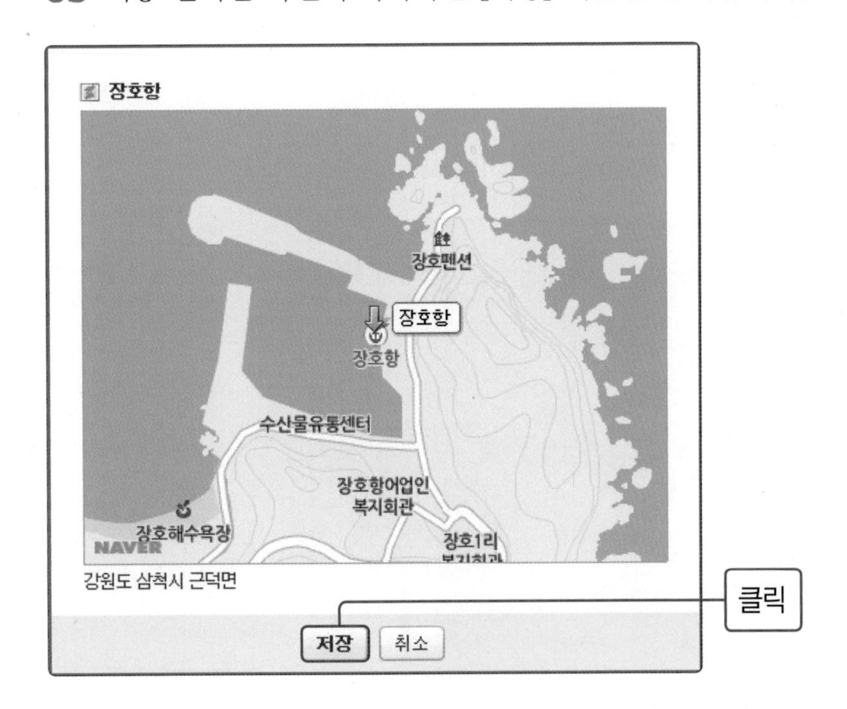

06 스마트 에디터의 글쓰기 영역에 지도가 삽입된 것을 확인할 수 있습니다.

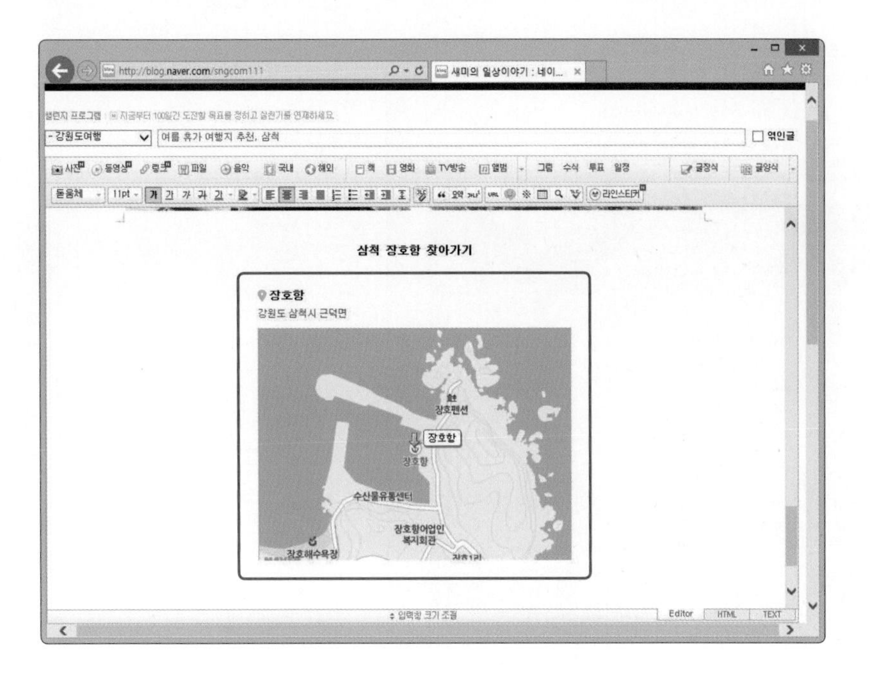

07 이동 막대를 드래그하여 아래로 '첨부파일' 영역에서 글쓰기 영역에 첨부된 사진 목록을 확인할 수 있습니다. 이 중에서 대표 사진을 클릭해 선택합니다. '주제분류'에 알맞은 주제를 선택한 후 '태그달기'에 글 주제와 관련된 단어를 입력합니다. '설정정보'도 그림과 같이 모두 설정을 마친 후 최종적으로 글을 등록하기 위해 [확인] 버튼을 클릭합니다.

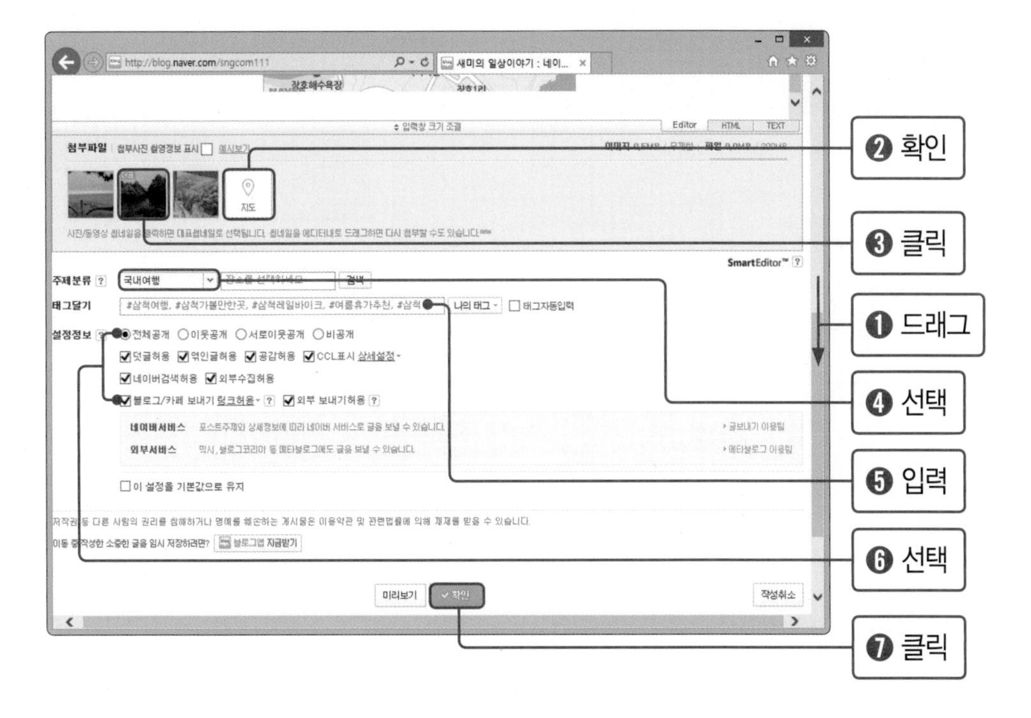

08 내 블로그에 글과 사진, 지도가 어우러진 글이 등록됩니다.

09 이동 막대를 아래로 드래그하여 지도 부분을 살펴보겠습니다. 첨부된 지도 위에 마우스 커서를 올려두고 마우스 휠을 아래 혹은 위로 움직이면 지도가 커지거나 작게 나타납니다. 지도 오른쪽 위의 '크게보기'나 '길찾기'를 클릭하면 '네이버 지도' 서비스로 연결되면서 더 자세한 지도를 확인할 수 있습니다.

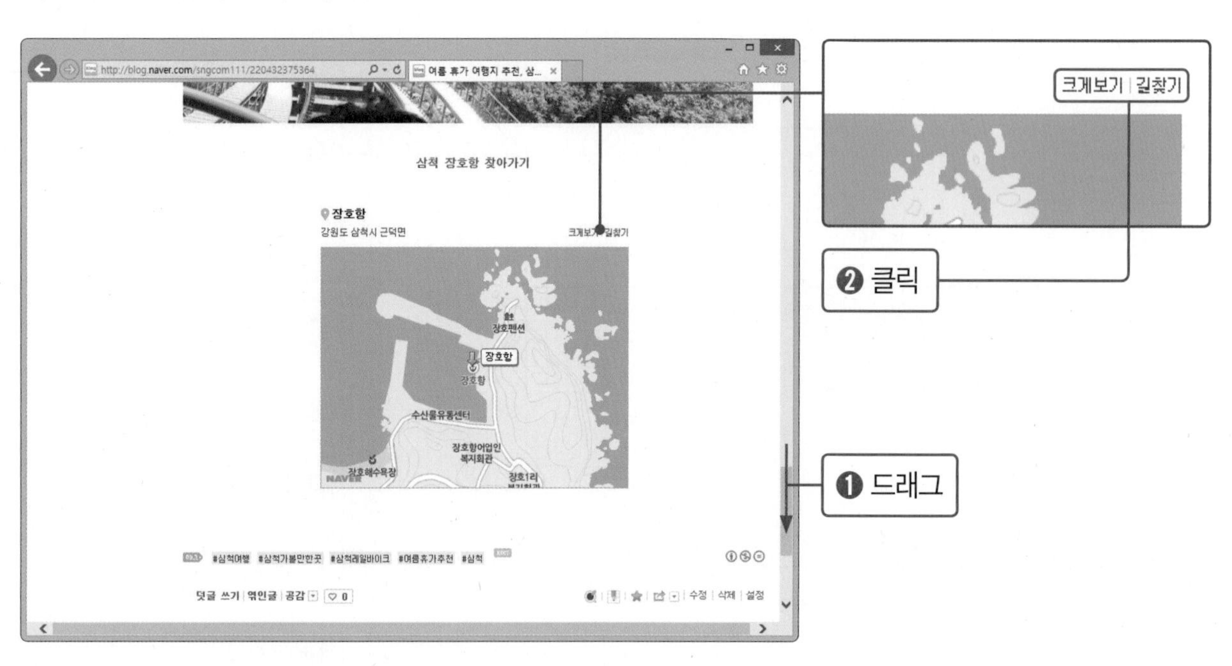

한 걸음 더 글에 등록된 사진의 크기 수정하기

글을 블로그에 등록한 후에 사진이 너무 크거나 작아서 다시 글을 수정하고 싶은 경우에는 '수정' 기능을 이용해 스마트 에디터에 첨부된 사진을 쉽고 빠르게 편집할 수 있습니다.

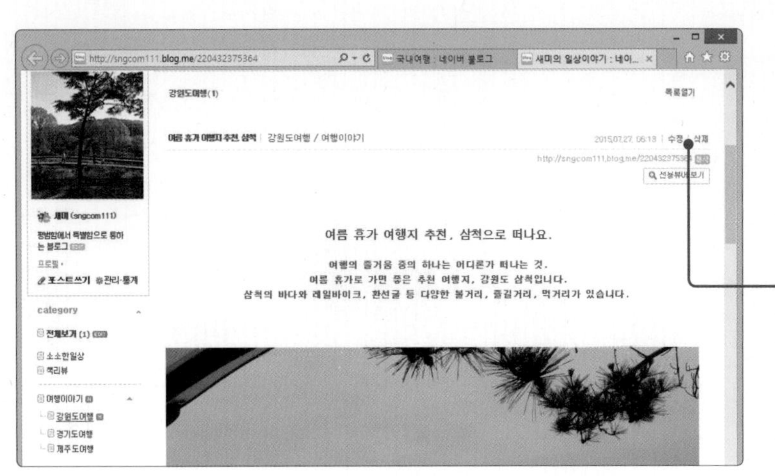

01. 등록된 글에서 사진을 수정하기 위해 화면 오른쪽에 있는 '수정'을 클릭합니다.

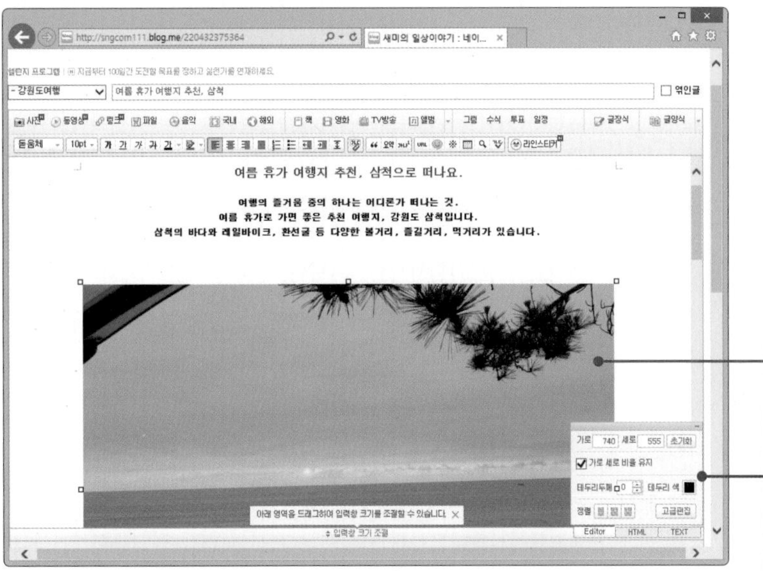

02. 편집하려는 사진을 한 번 클릭하면 화면 오른쪽 아래에 '간단편집기'가 나타납니다.
'가로 세로 비율 유지'에 ✔ 표시가 된 상태에서 '가로'의 입력란에 기존 숫자보다 작은 숫자를 입력합니다.

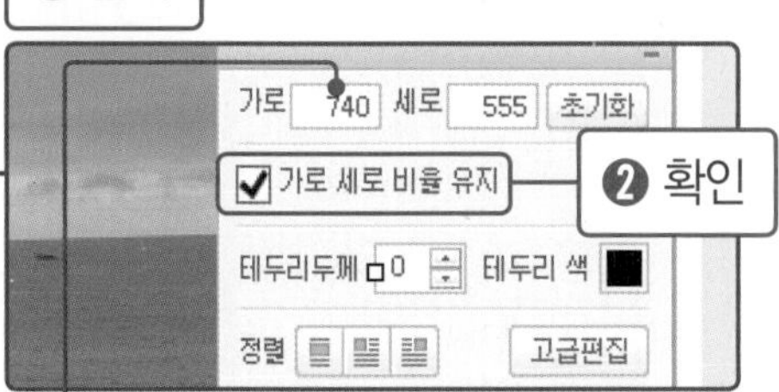

잠깐만요!

세로 값이 자동으로 변경됩니다!

'가로 세로 비율 유지'에 ✔ 표시가 되어 있기 때문에 '가로' 혹은 '세로' 값만 바뀌어도 비율이 동일하게 변동됩니다.

03. 사진을 강조하기 위해 사진에 테두리를 적용할 수 있습니다. '간단편집기'에서 '테두리두께'를 '1pt'로 선택하고 '테두리 색'을 원하는 색으로 변경합니다. '정렬'은 '가운데 정렬(▤)'을 선택합니다.

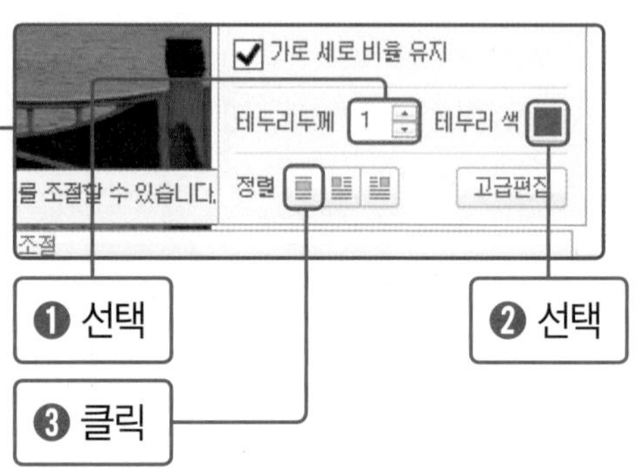

04. 편집을 마쳤다면 이동 막대를 아래로 드래그하여 [확인] 버튼을 클릭해 수정을 완료합니다.

07 사진에 서명 혹은 문구 새겨 넣기

아침 산책을 하다가 우연히 발견한 풀꽃 하나, 여행을 다니며 담아두고 싶은 풍경 등 우리는 사진으로 간직하고 싶은 순간에 카메라 셔터를 누릅니다. 그리고 일상의 소소한 기록들을 블로그에 올리며 사진도 함께 첨부하죠. 사진을 올릴 때 '편집하기' 기능을 이용하면 사진을 자르거나 액자 효과, 사진 효과, 말풍선, 서명 등 다양한 기능을 적용할 수 있습니다. 특히 '서명' 기능을 이용하면 내가 올린 이미지를 누군가가 마음대로 사용하지 못하도록 사진에 저작권을 표시할 수 있으며, 내 블로그의 주소 또는 블로그명, 닉네임, 상호명 등을 추가하기도 합니다.

무작정 따라하기

01 블로그 시작 화면의 '프로필 영역'에서 '포스트쓰기'를 클릭합니다.

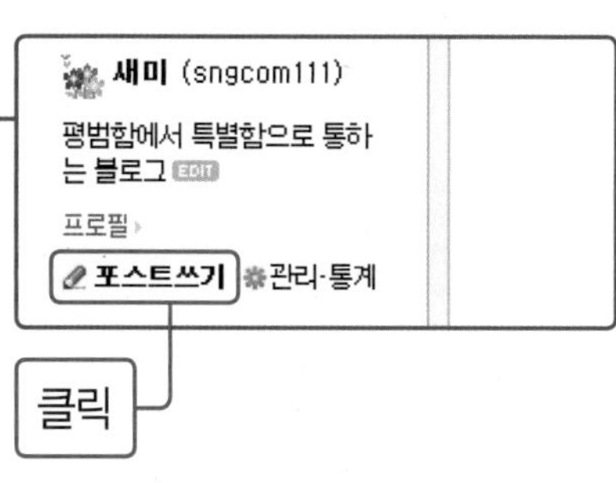

02 이번에는 여러 장의 사진을 선택해 꾸미고 서명을 넣어 보겠습니다. 스마트 에디터의 '카테고리'에서 알맞은 카테고리를 선택합니다. 제목 입력란에 제목을 입력하세요. 여기서는 『푸른 동해안 바다 풍경』을 입력했습니다. '글쓰기 영역'에 제목과 같은 내용을 입력합니다. 글과 사진에 간격을 주기 위해 Enter를 두 번 누릅니다. 도구상자에서 '사진(사진)'을 클릭하세요.

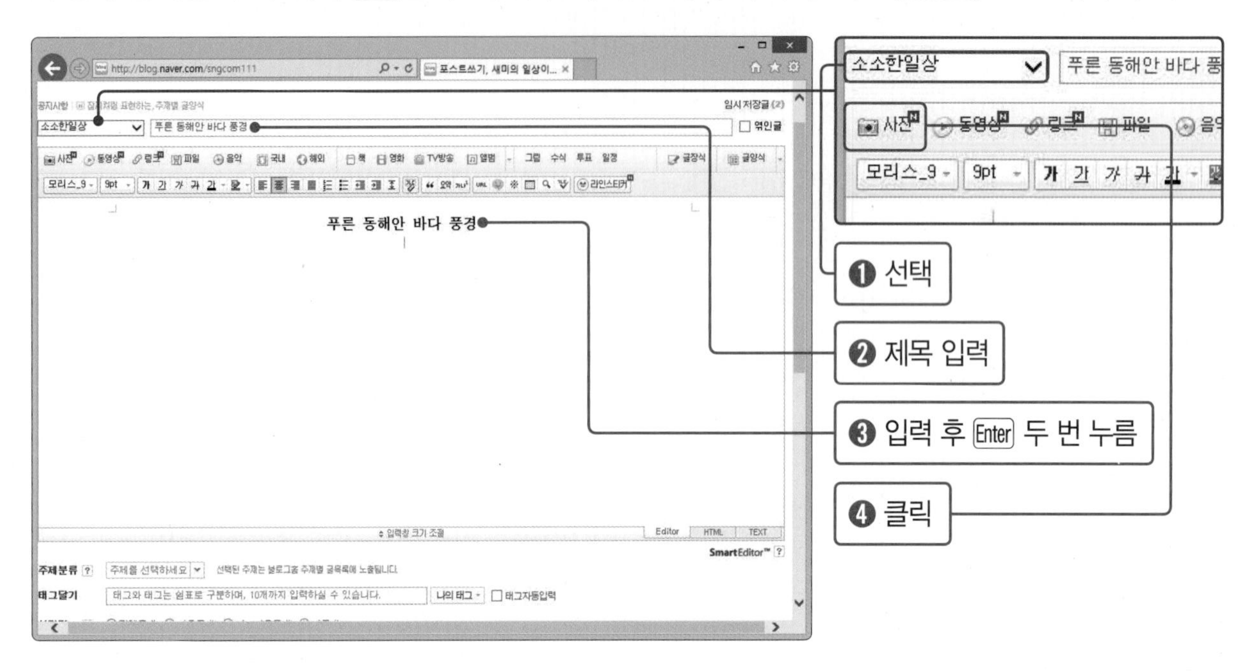

03 '편집하기' 탭을 클릭한 후 [내PC] 버튼을 클릭합니다. 파일 선택 창에서 추가할 사진을 여러 장 선택한 후 [열기] 버튼을 클릭합니다.

04 화면 왼쪽에 선택한 사진의 목록이 나타납니다. 화면 아래의 '화면맞춤'을 클릭해 ✓ 표시하여 사진이 화면에 잘 맞춰 보이도록 설정합니다.

잠깐만요!

사진 순서를 변경하고 싶어요!

사진 순서를 변경하려면 화면 왼쪽에 있는 사진 목록에서 위치를 변경할 사진을 클릭한 상태에서 이동할 위치로 드래그합니다.

05 필요한 부분만 사진을 잘라보겠습니다. 화면 오른쪽의 '자르기(⌗)'를 클릭한 후 사진 위에서 마우스를 드래그합니다. 선택 영역이 나타나면 마우스로 드래그하여 위치를 적절히 이동합니다. 자르기를 완료하기 위해 선택 영역의 안쪽을 더블클릭하세요.

잠깐만요!

선택 영역을 확장하거나 축소하고 싶어요!

테두리 조절점(■)을 드래그하면 선택 영역을 확장하거나 축소할 수 있습니다.

06 이번에는 사진에 액자 효과를 적용해보겠습니다. 화면 오른쪽에서 '액자'를 클릭한 후 '액자' 항목의 모양들을 차례로 클릭해봅니다. 이 중 마음에 드는 액자를 클릭해 선택하면 사진 영역에 적용된 모습을 미리 확인할 수 있습니다. 블로그에 업로드할 모든 사진에 같은 액자를 적용하려면 [모든사진 적용] 버튼을 클릭하면 됩니다.

07 이번에는 사진에 서명을 추가해보겠습니다. 화면 오른쪽에서 '서명'을 클릭한 후 '서명' 항목의 내림 단추를 클릭해 '텍스트 서명'을 클릭합니다.

08 '텍스트' 탭에서 내 블로그 주소가 자동으로 삽입된 것을 확인할 수 있습니다. 서명 내용을 수정하기 위해 블로그 주소를 클릭해 Delete를 눌러 모두 지우고 서명으로 사용할 내용을 입력합니다. 여기서는 『새미의 일상 이야기』를 입력했습니다.

09 '글꼴'과 '크기', '색상' 등을 클릭하여 원하는 스타일로 변경합니다. '투명'의 을 클릭하여 좌, 우로 드래그하면 글자의 투명도를 조절할 수 있습니다.

잠깐만요!

사진을 다시 원본 형태로 되돌리고 싶어요!

사진을 첨부하고 수정하다보면 다시 이전 화면으로 되돌리고 싶을 때가 있습니다. 이때 화면 오른쪽의 ㉠초기화, ㉡실행취소, ㉢다시실행을 클릭하면 원본으로 되돌리거나 이전 상태로 가서 다시 작업할 수 있습니다.

10 '배경' 탭을 클릭하여 서명 글자의 배경에 색상을 넣어보고 '투명도'의 단추를 드래그하여 배경색의 투명도를 조절합니다.

11 이번에는 앞서 익힌 내용을 토대로 글자색은 '하얀색'으로, 배경색은 투명하게 설정합니다. 모든 사진에 동일한 값을 적용할 수 있도록 [모든사진 적용] 버튼을 클릭합니다. 사진 편집을 완료하고 스마트 에디터에 업로드하기 위해 [올리기] 버튼을 클릭하세요.

12 글쓰기 영역에 편집한 사진이 첨부된 것을 확인할 수 있습니다.

13 이동 막대를 아래로 드래그하여 화면 아래쪽에 있는 '첨부파일' 영역에 있는 사진들 중에서 대표 사진을 하나 선택합니다. '주제분류'와 '태그달기', '설정정보'를 아래 그림과 같이 설정한 후 글을 등록하기 위해 [확인] 버튼을 클릭하세요.

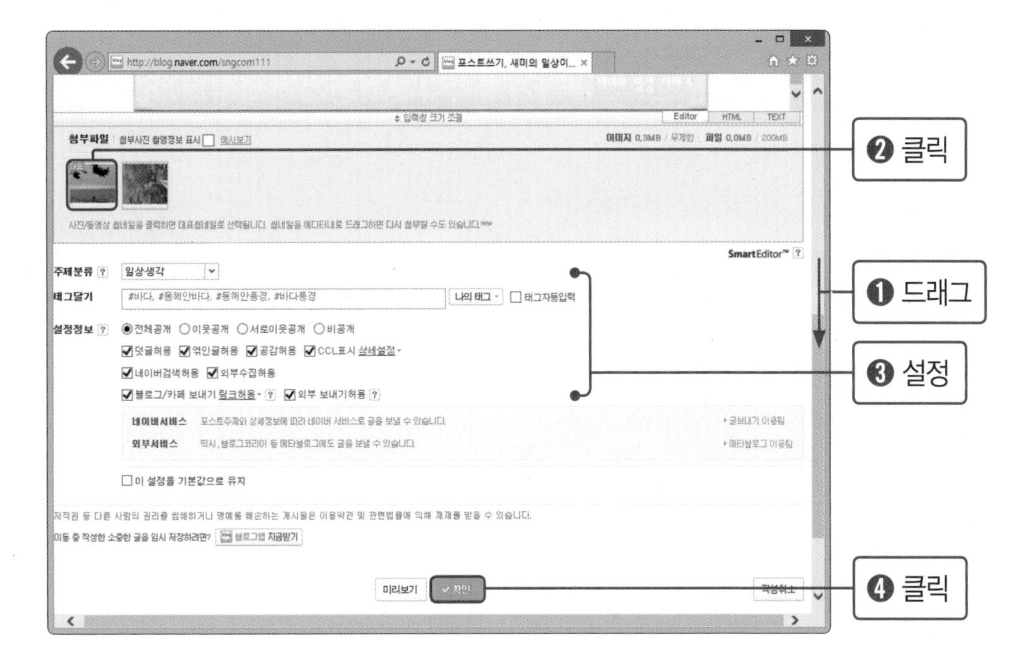

14 편집이 완료된 사진과 글이 블로그에 등록된 것을 확인할 수 있습니다.

잠깐만요!

등록된 내 글에 대한 저작권을 확인해 보세요!

등록된 글의 오른쪽 하단에 보면 저작권 표시가 보입니다. 이 부분에 마우스 커서를 위치시키면 저작권 사용 가능 여부를 알 수 있습니다. 이 저작권 표시가 보이지 않는다면 프로필 영역에 있는 '관리'를 클릭하여 '관리' 페이지의 '콘텐츠 공유 설정'에서 CCL을 '사용'으로 설정해 놓으면 됩니다.

CCL(저작물 이용 허락 표시)은 게시물 작성자로서 나의 권리를 더 잘 보호할 수 있고 더 많은 사람들과 보다 쉽고 편리하게 내 글을 나눌 수 있도록 돕는 저작권 표시입니다. 즉, 내가 쓴 글을 타인이 인용하고자 할 때 그 허락 범위나 조건을 상대방이 알 수 있도록 표시할 수 있는 편리한 방법입니다.

08 여러 장의 사진을 스토리포토로 꾸미기

앞서 익힌 사진 편집 기능들은 사진을 하나씩 차례로 보여줍니다. 그러나 여러 장의 사진을 한 눈에 보기 좋게 편집하고 싶다면 '스토리포토' 기능을 사용하면 됩니다. '스토리포토' 기능에는 '레이아웃, 관계, 나열, 슬라이드' 총 4가지 사진 배열 방법이 있습니다. 08장에서는 이 중에서 '레이아웃' 배열 방법에 대해 익혀보겠습니다.

무작정 따라하기

01 블로그 시작 화면의 '프로필 영역'에서 '포스트쓰기'를 클릭합니다.

02 '카테고리'를 선택하고 '제목' 입력란을 클릭해 제목을 입력합니다. 여기서는 『봄의 향연-벚꽃축제, 장미축제, 튤립축제를 동시에 즐겨요.』라고 입력했습니다. 글쓰기 영역에 아래 그림과 같이 내용도 입력해보세요. 글과 사진의 간격을 주기 위해 글의 끝에서 Enter를 두 번 누릅니다. 사진을 추가하기 위해 '사진(사진)'을 클릭합니다.

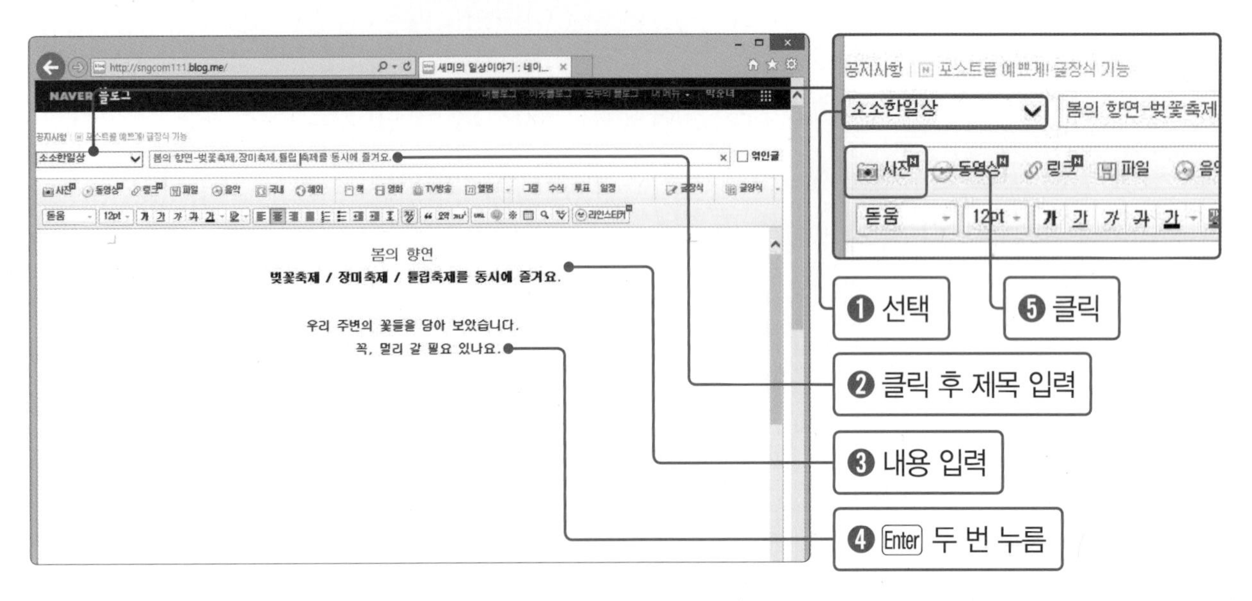

03 '스토리포토' 탭을 클릭한 후 [내PC] 버튼을 클릭하여 10장 이상의 사진을 불러옵니다. 사진은 왼쪽 위부터 차례대로 나열됩니다. 배열 방법은 '레이아웃'을 선택합니다. 가로 4칸, 세로 3칸 총 12칸으로 구성됩니다. 화면 오른쪽의 '직접선택'에서 '가로칸수'와 '세로칸수'의 숫자를 클릭해 사진을 넣을 칸의 개수를 수정할 수 있습니다. 칸의 개수 설정이 완료되었으면 [칸에 사진채우기] 버튼을 클릭합니다.

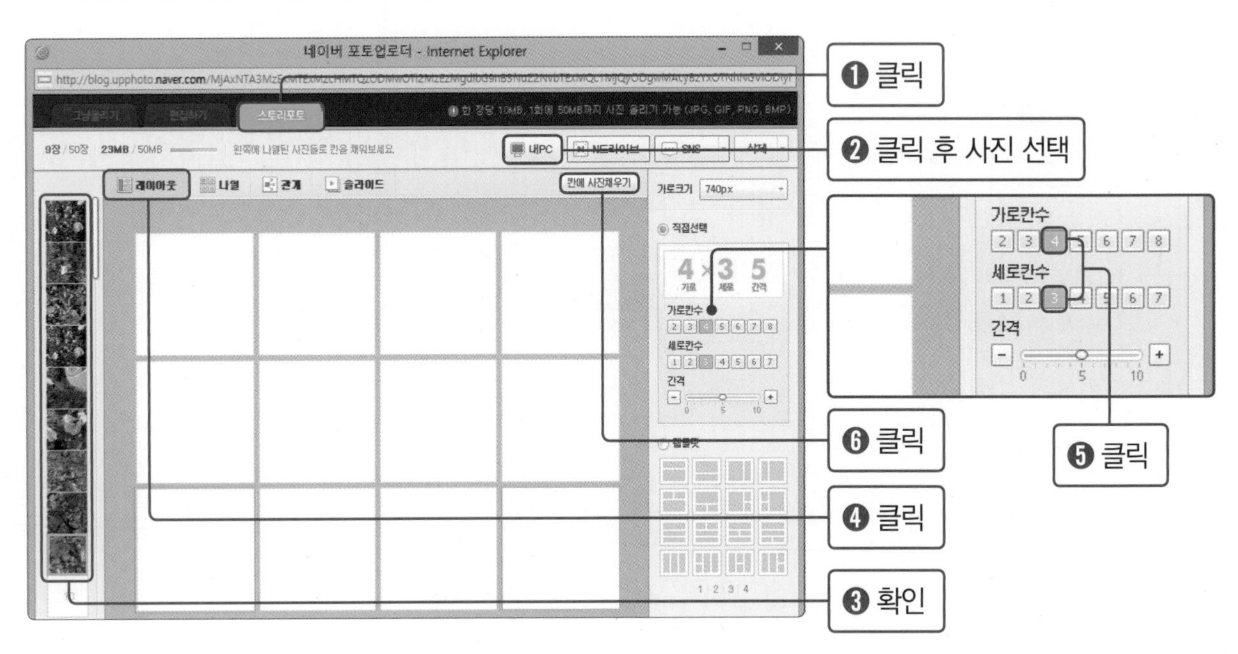

04 모든 칸에 사진이 채워집니다. 사진을 클릭하여 드래그하면 원하는 위치로 이동할 수 있습니다. 사진을 블로그 글에 등록하기 위해 [올리기] 버튼을 클릭하세요.

05 글쓰기 영역에 사진이 보이지 않고 '레이아웃 스토리포토'라는 영역만 표시됩니다. 등록을 완료하면 사진이 나타나니 걱정하지 마세요. '가운데 정렬(≣)'을 클릭하여 사진의 위치를 가운데로 정렬시킵니다. 블로그 글을 등록하기 위해 이동 막대를 아래로 드래그하세요.

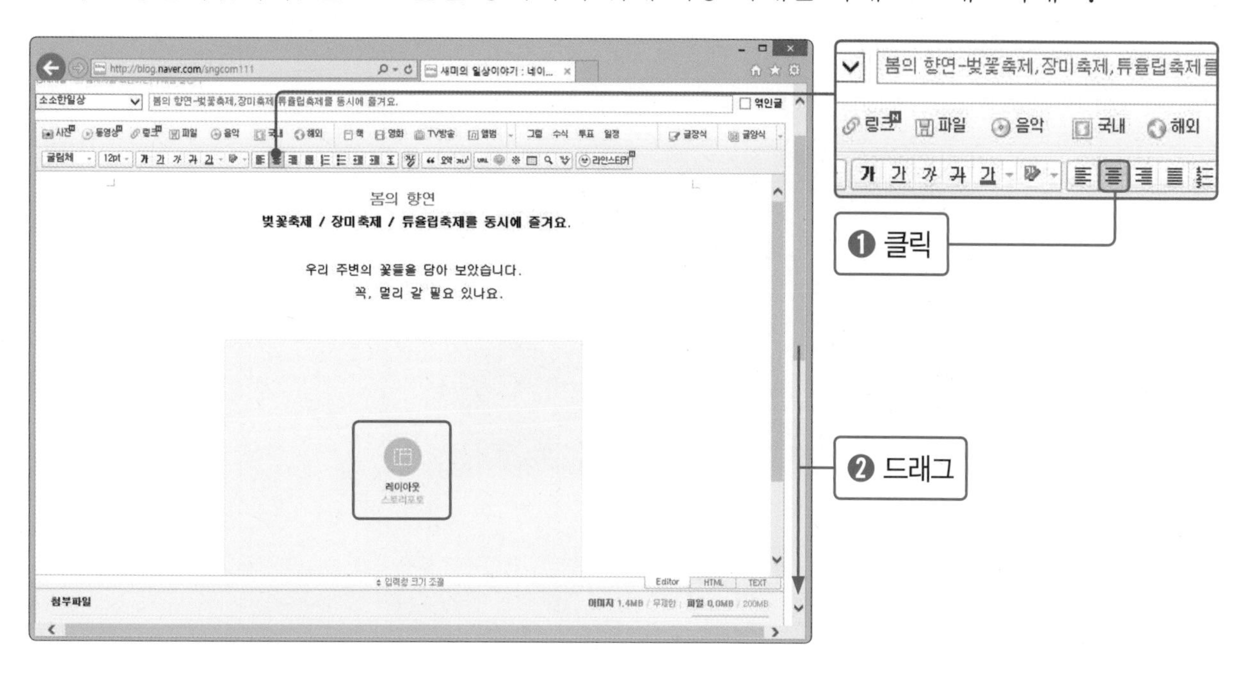

06 화면 아래쪽에 있는 [확인] 버튼을 클릭합니다.

07 '스토리포토' 기능을 사용해 여러 장의 사진을 한눈에 볼 수 있는 글이 등록된 것을 확인할 수 있습니다.

한 걸음 더 다양한 스토리포토 효과 살펴보기

'스토리포토' 기능에는 레이아웃 외에 관계, 나열, 슬라이드의 스토리포토 효과가 있습니다. 각각의 효과를 살펴보고 어떤 글에 주로 활용하는지 알아보겠습니다.

1. '나열' 효과

'레이아웃' 기능처럼 여러 장의 사진을 한번에 올릴 수 있다는 장점이 있습니다. 여행을 다녀 온 후 다양한 사진을 멋지게 보여주고 싶다면 '나열' 효과를 사용해보세요.

2. '관계' 효과

어떠한 주제를 중심으로 사진들의 관계를 나타내는 느낌을 표현하고 싶을 때 사용하면 좋습니다.

3. '슬라이드' 효과

'슬라이드' 효과는 사진들이 움직이는 동영상의 효과를 볼 수 있는 기능입니다. 움직이는 효과를 '화면전환 효과'로 선택해서 줄 수 있는데, '화면전환 효과'에는 '페이드인 아웃, 크기변경, 슬라이딩, 블라인드' 4가지의 기능이 있습니다.

3-1. 화면 전환 효과 4가지 기능

㉠ **페이드인 아웃** : 사진이 서서히 나타나거나 서서히 사라지게 하는 효과입니다

㉡ **크기변경** : 사진의 크기가 변경되면서 나타나거나 사라지게 하는 효과입니다.

㉢ **슬라이딩** : 사진이 오른쪽에서 왼쪽 방향으로 미끄러지듯이 나타나는 효과입니다.

㉣ **블라인드** : 창가에 설치하는 블라인드처럼 사진이 나타나는 효과입니다.

09 정보성 글을 쓸 때 링크 첨부하기

블로그의 핵심은 좋은 콘텐츠를 꾸준히 올려 내 블로그에 방문하는 이에게 알찬 정보를 제공해 주는 데 있습니다. 특히 정보성 글이 있는 사이트로 바로 이동할 수 있는 링크를 삽입하면 풍부한 내용을 전달할 수 있습니다. 이를 '큐레이션(Curation)' 즉, 여러 정보를 수집, 선별하고 이에 새로운 가치를 부여해 전파하는 것이라고 합니다. 09장에서는 건강 관련 사이트를 검색해 링크를 넣고 정보성 글을 작성하는 방법을 배워보겠습니다.

무작정 따라하기

01 블로그 시작 화면의 '프로필 영역'에서 '포스트쓰기'를 클릭합니다.

02 '카테고리'를 선택하고 '제목' 입력란에 아래와 같이 제목을 입력합니다. 여기서는『생활에 유용한 건강정보 사이트 모음』이라고 입력했습니다. 글쓰기 영역을 클릭한 후 내용을 입력한 다음 글을 부드럽게 표현하기 위해 네이버에서 제공하는 '라인스티커'를 넣어보겠습니다. 도구상자에 있는 '라인스티커'를 클릭하세요.

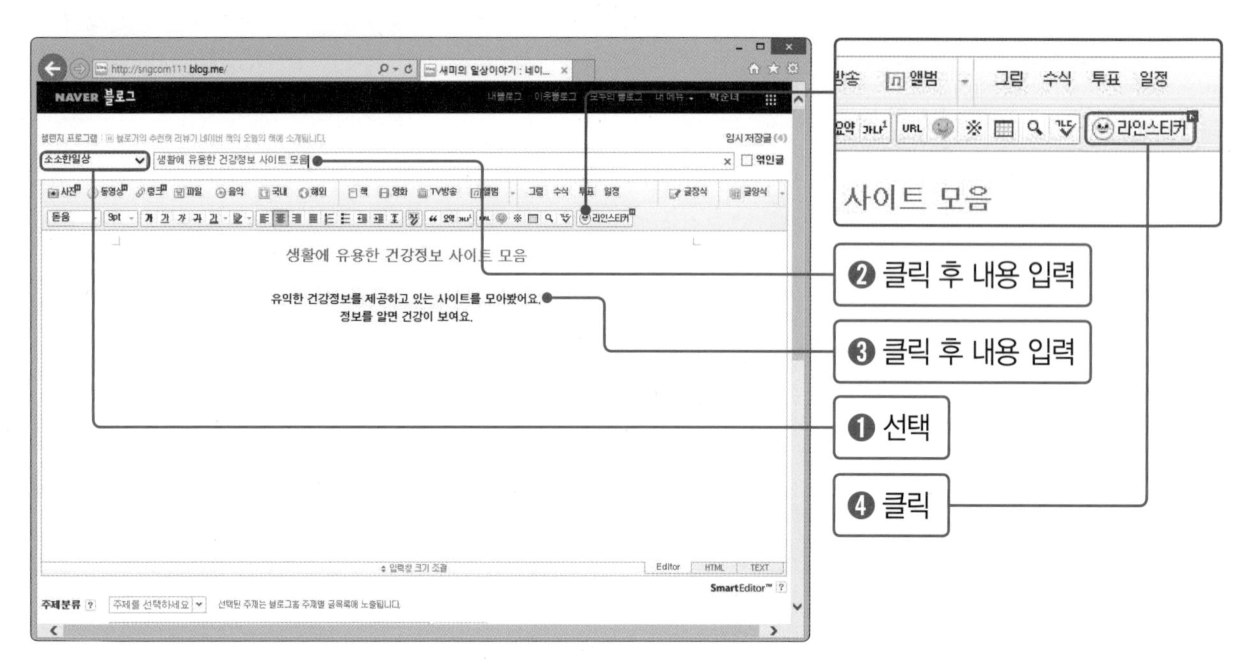

03 다양한 라인스티커가 보입니다. 마음에 드는 스티커를 골라 클릭하세요.

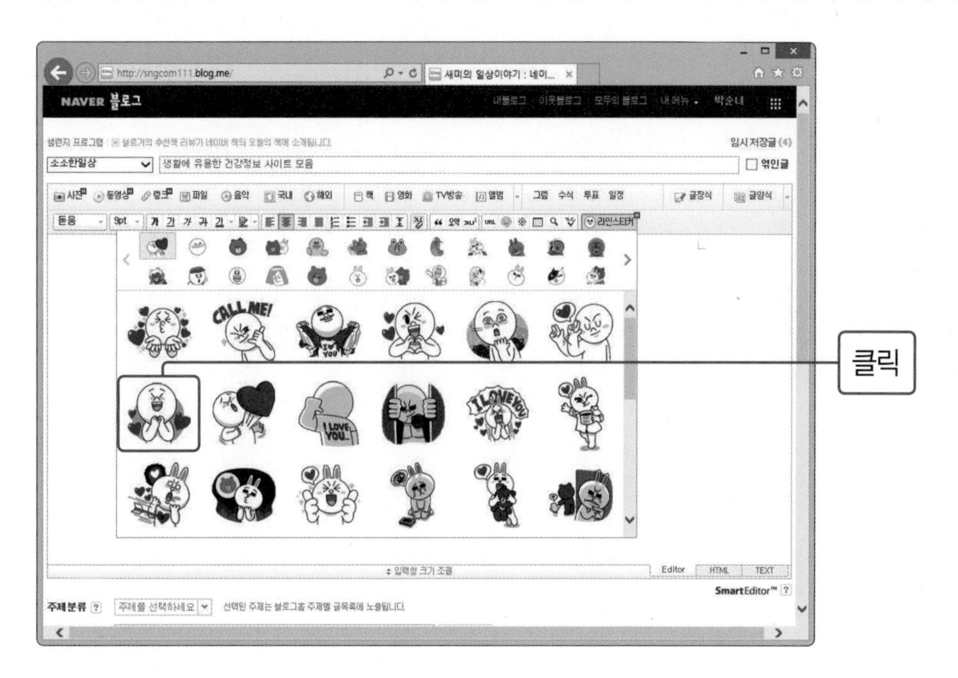

04 선택한 라인스티커가 삽입됩니다. 내용을 추가하기 위해 스티커 뒤에 커서를 위치한 후 Enter를 두 번 눌러 간격을 줍니다. 이어서 아래와 같이 건강정보와 관련된 내용을 입력합니다.

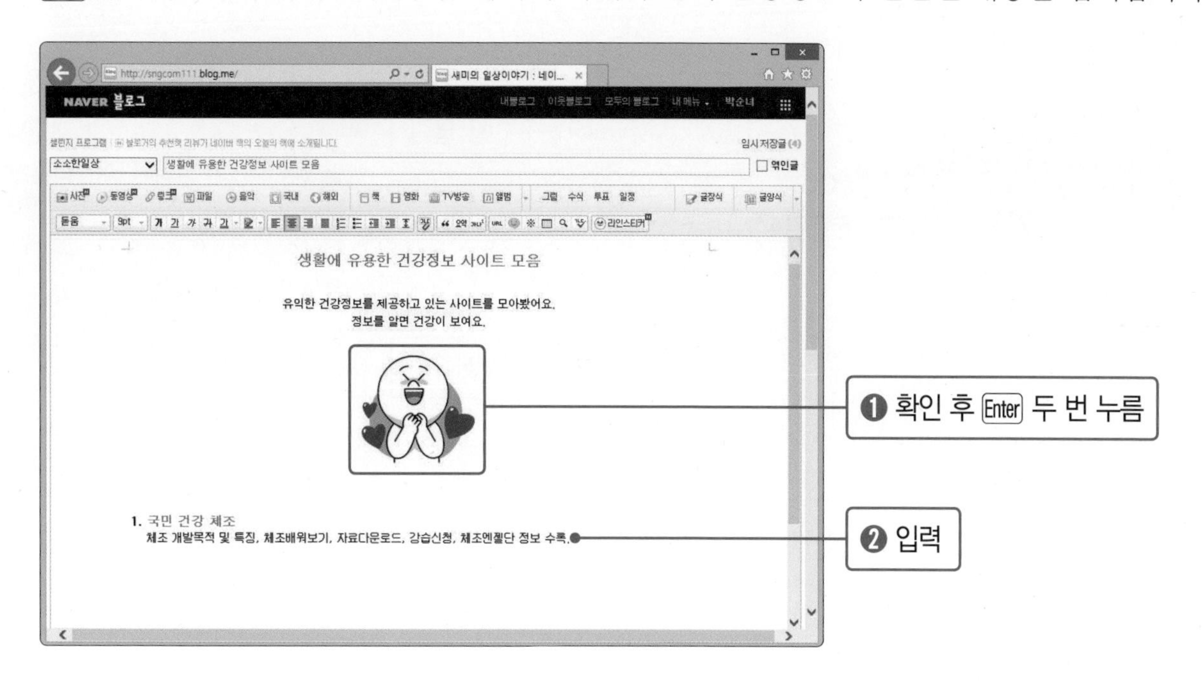

05 입력한 내용과 관련이 있는 사이트 주소를 블로그에서 바로 찾아 갈 수 있도록 링크를 넣어주겠습니다. 작성한 글 아래 커서를 위치한 후 도구상자에서 '링크(링크)'를 클릭합니다. '링크 추가' 화면이 나타나면 '국민건강체조' 사이트의 주소인 『http://nmh.kspo.or.kr』를 입력합니다.

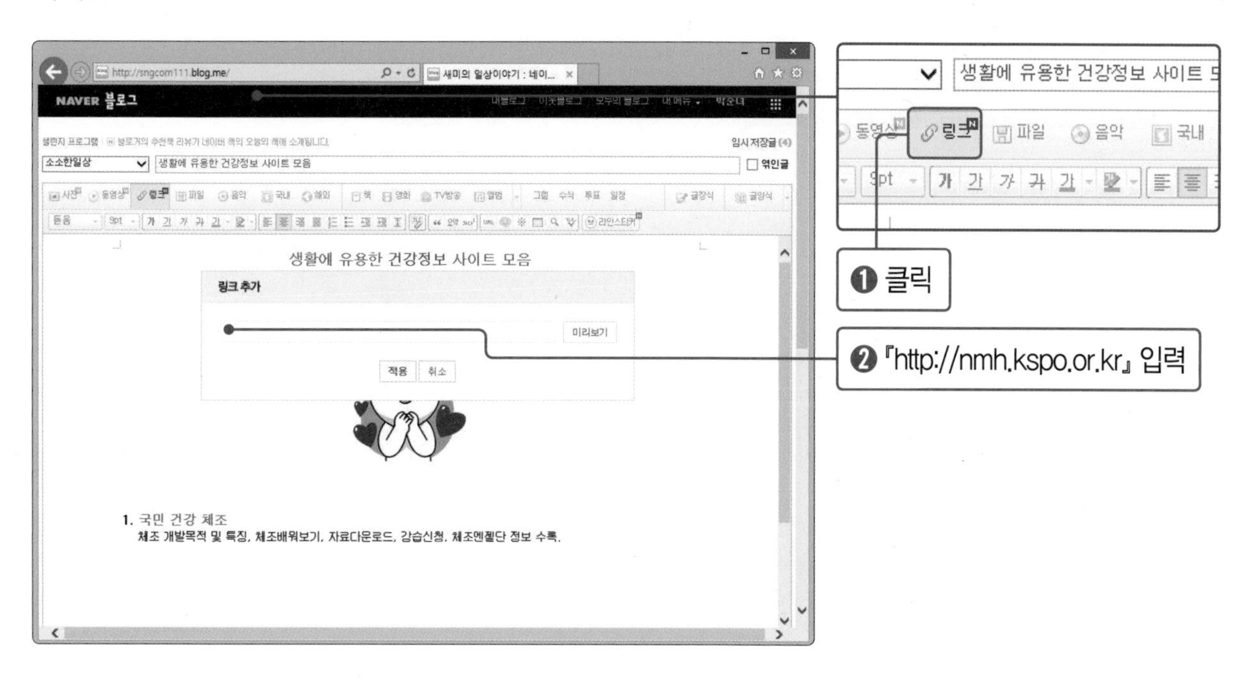

06 링크를 입력한 후에 [미리보기] 버튼을 클릭하면 링크 이미지와 제목을 미리 볼 수 있습니다. 블로그에 적용하기 위해 [적용] 버튼을 클릭하세요.

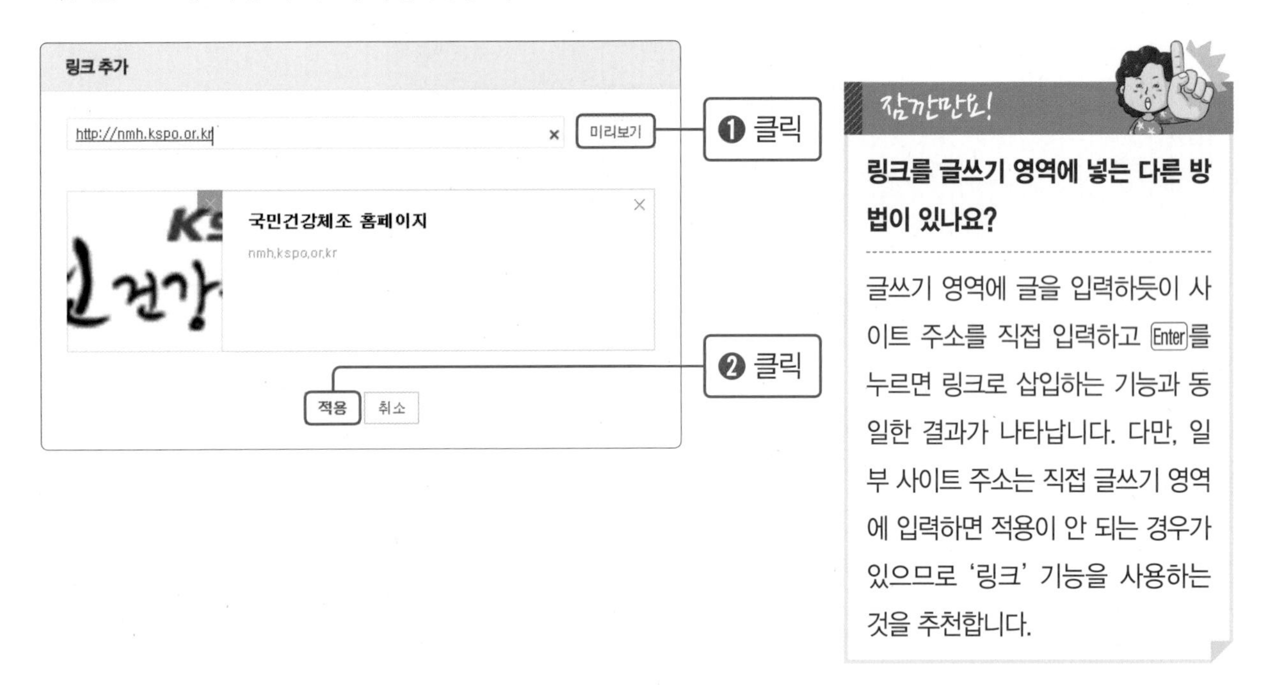

잠깐만요!

링크를 글쓰기 영역에 넣는 다른 방법이 있나요?

글쓰기 영역에 글을 입력하듯이 사이트 주소를 직접 입력하고 Enter를 누르면 링크로 삽입하는 기능과 동일한 결과가 나타납니다. 다만, 일부 사이트 주소는 직접 글쓰기 영역에 입력하면 적용이 안 되는 경우가 있으므로 '링크' 기능을 사용하는 것을 추천합니다.

07 아래 그림과 같이 링크에 연결된 사이트의 대표 이미지와 제목이 나타납니다. 실제로 링크를 클릭해 해당 사이트에 방문하려면 블로그 글 등록을 완료해야 합니다. 같은 방법으로 글을 추가로 입력한 후 **05~06**번 과정을 참고해 링크를 만들어 보세요. '국민 건강 정보 포털'의 사이트 주소는 『http://health.mw.go.kr』을 입력합니다.

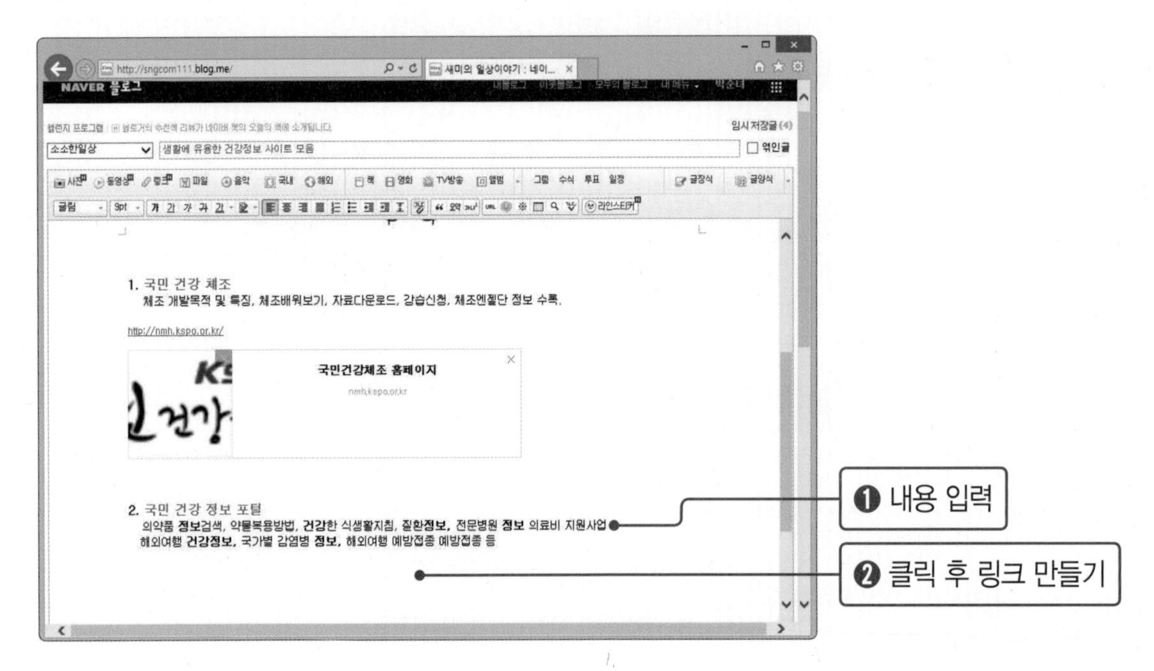

08 이번에는 사이트 주소를 복사해서 바로 링크로 연결시키는 방법을 배워보겠습니다. 우선 아래 그림과 같이 3번의 내용을 입력합니다. '네이버 건강백과'를 검색하기 위해 인터넷 창에서 '새 탭'을 클릭합니다.

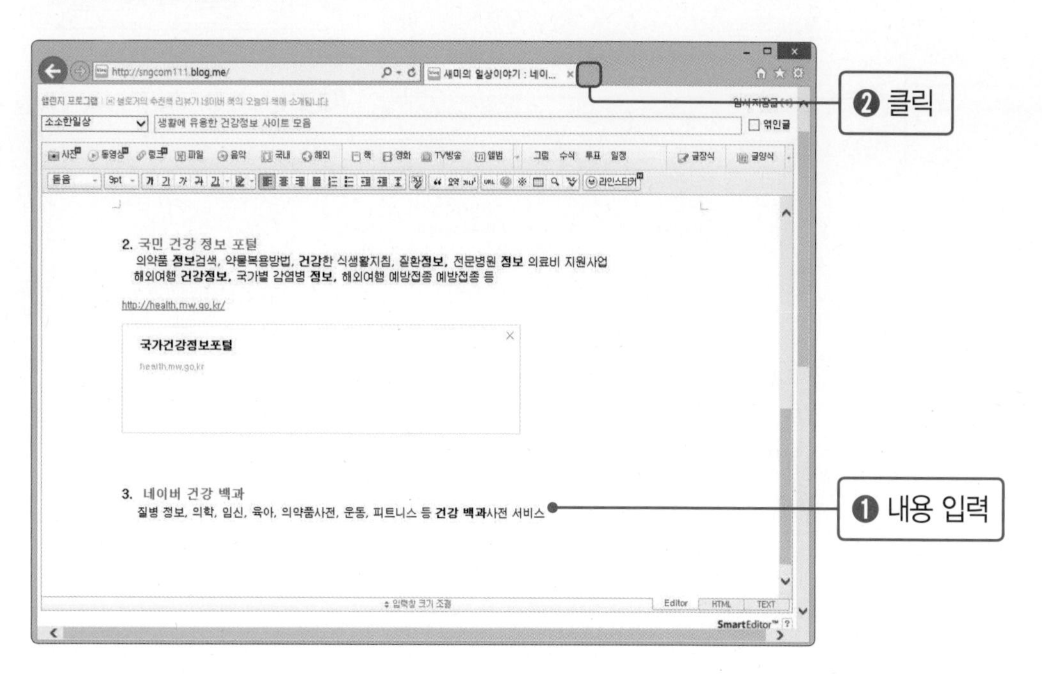

09 네이버 사이트에 접속한 후 검색 창에 『네이버 건강백과』를 입력하고 [검색] 버튼을 클릭합니다. 검색된 결과에서 첫 번째로 보이는 '건강백과–네이버 지식백과'를 클릭합니다.

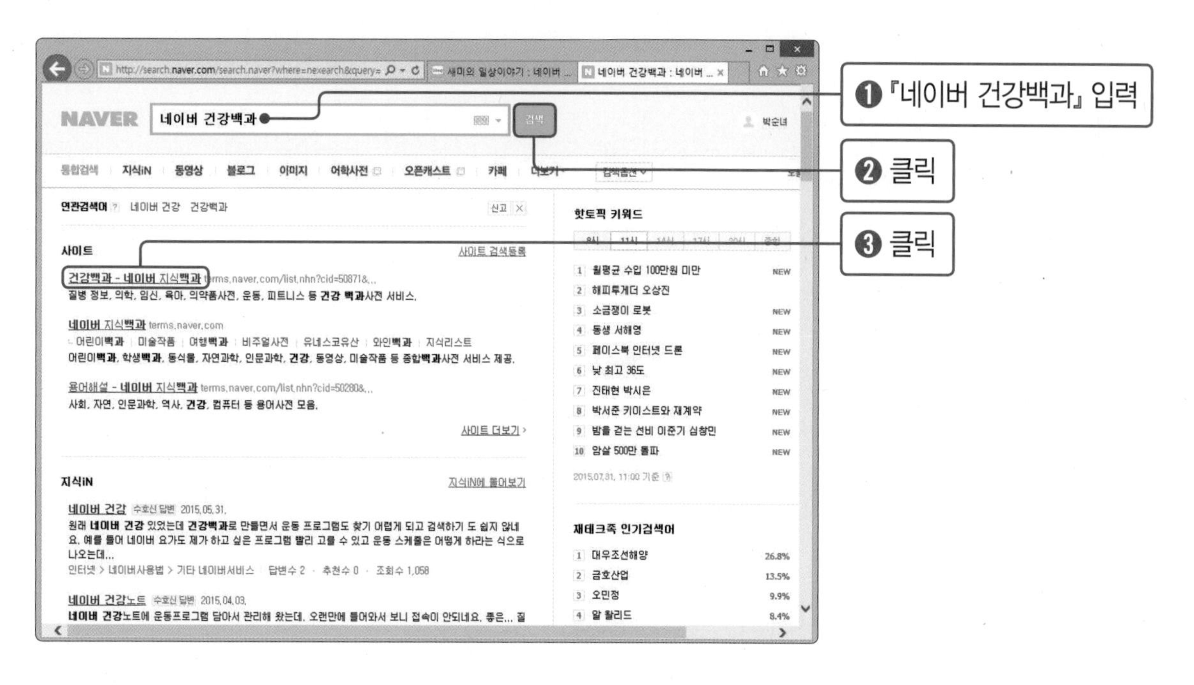

10 아래 그림과 같이 사이트가 나타납니다. 주소 표시줄의 주소 부분을 마우스 오른쪽 버튼으로 클릭한 후 바로가기 메뉴 중에서 '복사'를 클릭하세요.

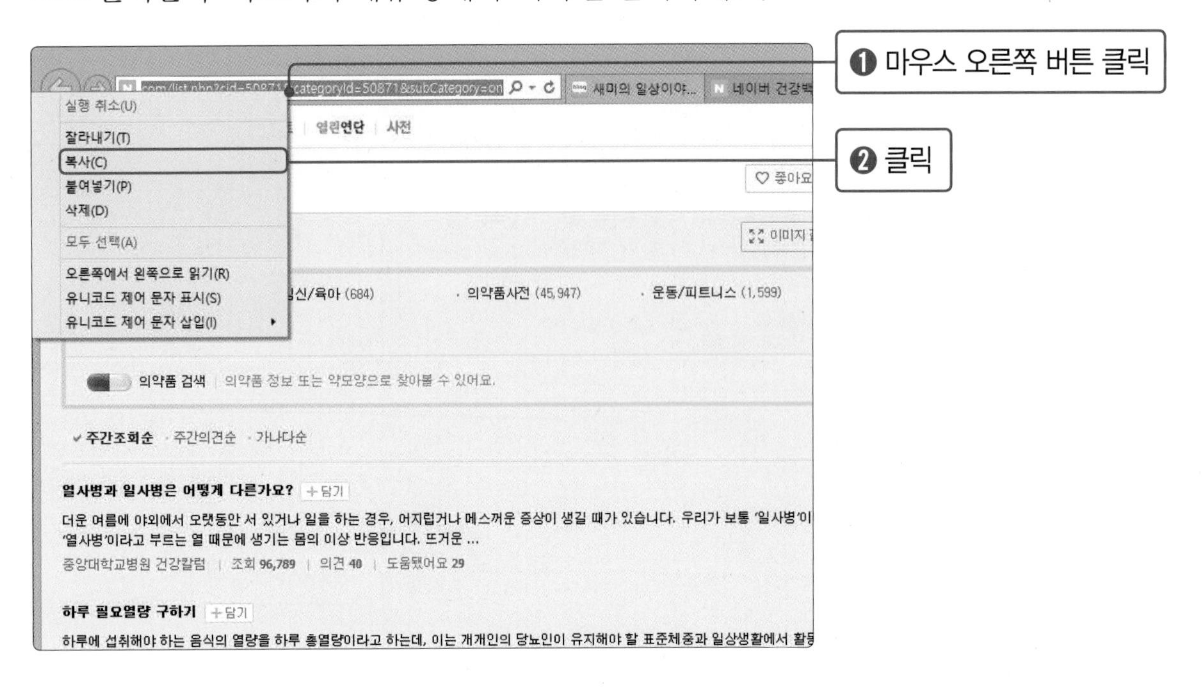

11 블로그 글쓰기를 진행하던 탭을 클릭하여 글쓰기 화면으로 돌아옵니다. 도구상자에서 '링크'를 클릭합니다. '링크 추가' 화면에서 마우스 오른쪽 버튼을 클릭한 후 바로가기 메뉴의 '붙여넣기'를 클릭합니다. [적용] 버튼을 클릭하세요.

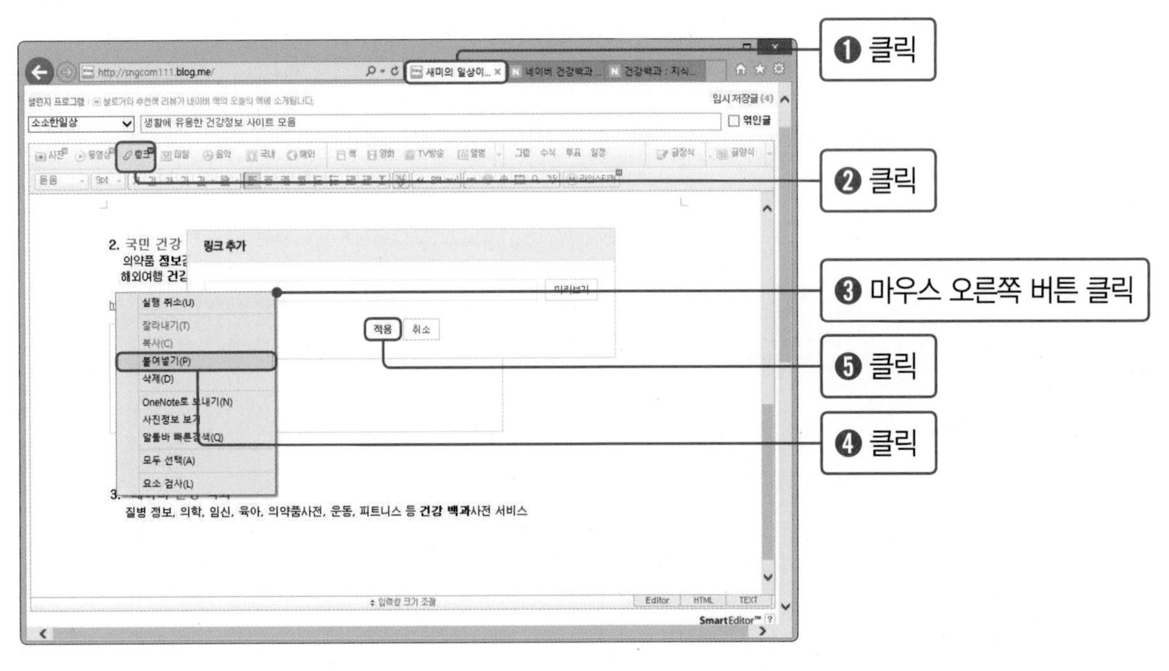

12 이동 막대를 아래로 드래그하여 화면 아래쪽으로 이동한 후 '주제분류'와 '태그달기', '상세정보' 항목을 설정한 후 글을 등록하기 위해 [확인] 버튼을 클릭합니다.

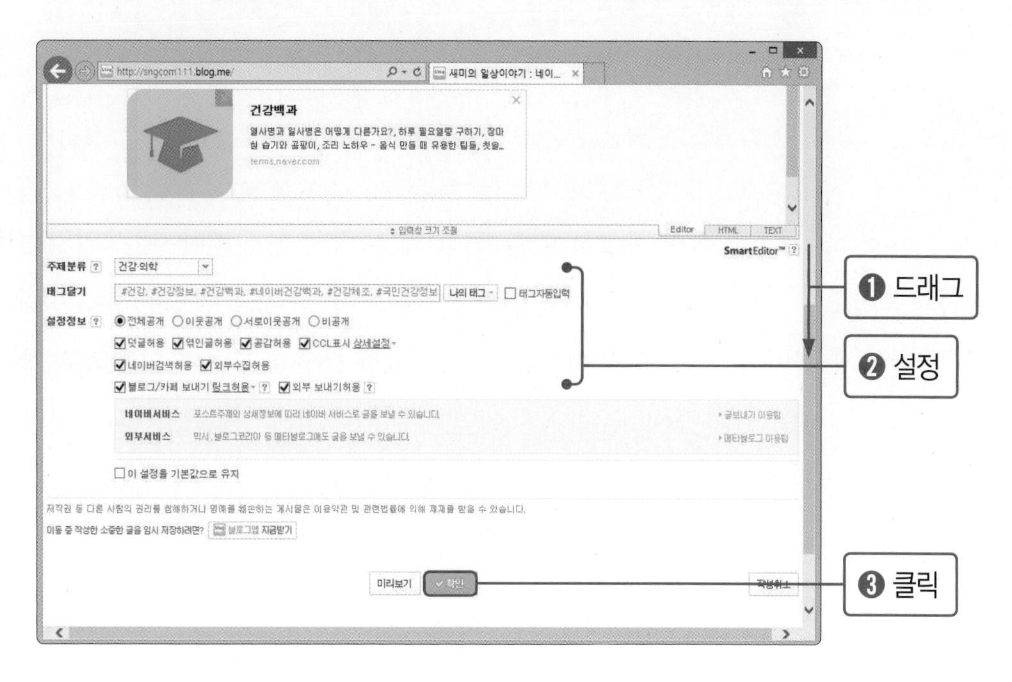

13 '링크' 기능이 적용된 글이 등록된 것을 확인할 수 있습니다.

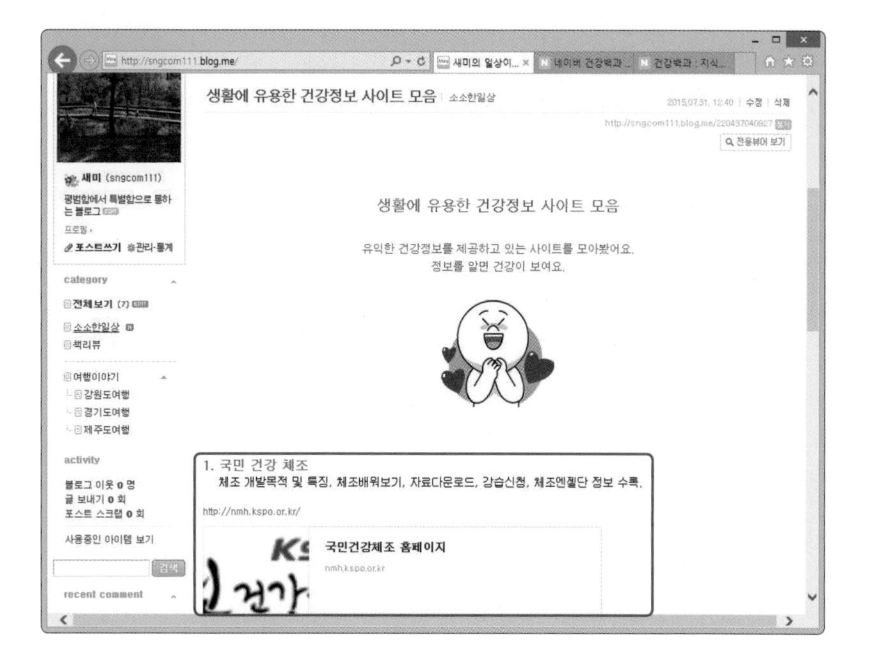

10 내가 찍은 동영상을 블로그에 올리기

최근에는 언제 어디서나 스마트폰으로 동영상을 찍을 수 있게 되면서 사진보다 더 재미있는 볼거리를 만들 수 있게 되었고, 블로그나 동영상 사이트에 업로드하여 나를 알리는 홍보용으로 활용하기도 합니다. 이렇게 개인이 직접 찍은 영상을 'UCC(User Create Contents, 사용자 제작 콘텐츠)'라고 합니다. 네이버 블로그에 동영상을 업로드하려면 기본 1024MB 용량에 15분 분량까지만 가능합니다. 대용량 혹은 장편 동영상을 업로드하려면 본인인증을 해야 하며, 최대 1시간까지 재생 가능한 영상을 올릴 수 있습니다.

무작정 따라하기

01 블로그 시작 화면의 '프로필 영역'에서 '포스트쓰기'를 클릭합니다.

02 '카테고리'를 선택한 후 '제목' 입력란에 제목을 입력합니다. 여기서는『근처 공원에서 찍은 영상_태양광 로봇』이라고 입력했습니다. 글쓰기 영역을 클릭해 관련된 내용을 아래 그림과 같이 입력합니다. 사진도 넣어주세요. 이제 동영상을 추가하기 위해 도구상자에서 '동영상(동영상)'을 클릭합니다.

03 아래 그림과 같이 '네이버–블로그업로더' 창이 나타납니다. '동영상 올리기' 탭이 선택된 상태에서 [내 컴퓨터 파일 선택] 버튼을 클릭합니다.

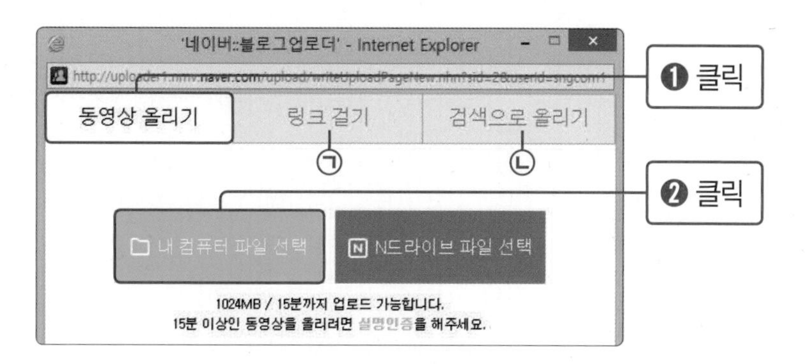

잠깐만요!

'링크 걸기'와 '검색으로 올리기'는 어떤 기능인가요?

㉠ '링크 걸기' 기능은 YouTube 등의 동영상 서비스에서 동영상 공유 시 제공하는 소스코드를 복사해 입력 창에 붙여넣으면 자동으로 연결하여 동영상을 보여주는 기능입니다.

㉡ '검색으로 올리기' 기능은 네이버 동영상 서비스인 TV 캐스트의 영상만 검색하도록 지원되며 검색된 영상만 내 블로그에 연결하여 보여주는 기능입니다.

04 내 컴퓨터에서 업로드할 동영상의 파일 경로를 찾아 해당 동영상을 클릭해 선택한 후 [열기] 버튼을 클릭합니다.

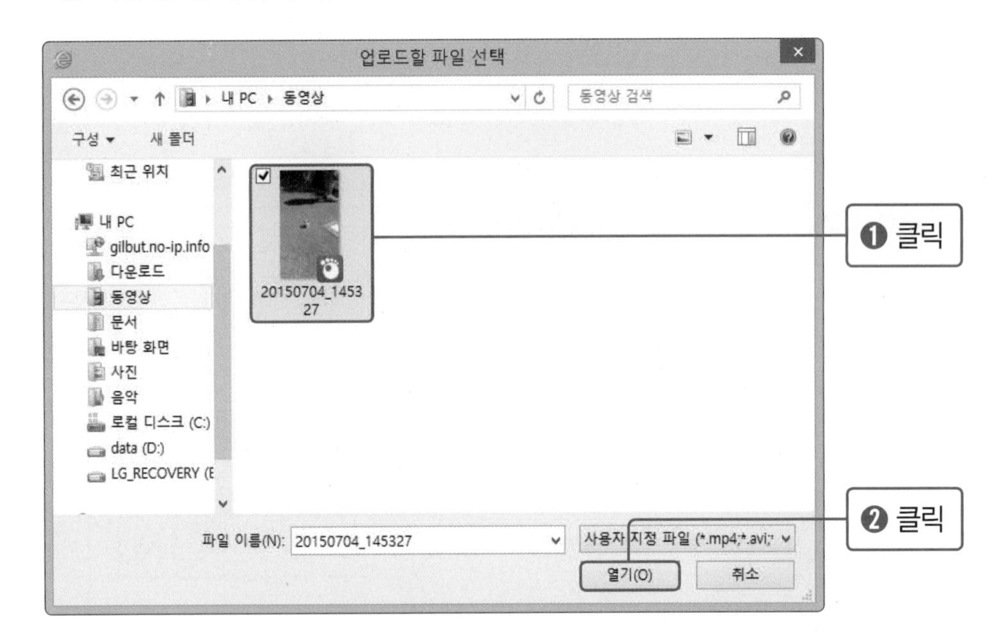

05 선택한 동영상이 네이버에 업로드된 후 아래 그림과 같이 동영상 대표 이미지로 설정할 이미지를 클릭해 선택합니다. [완료] 버튼을 클릭합니다.

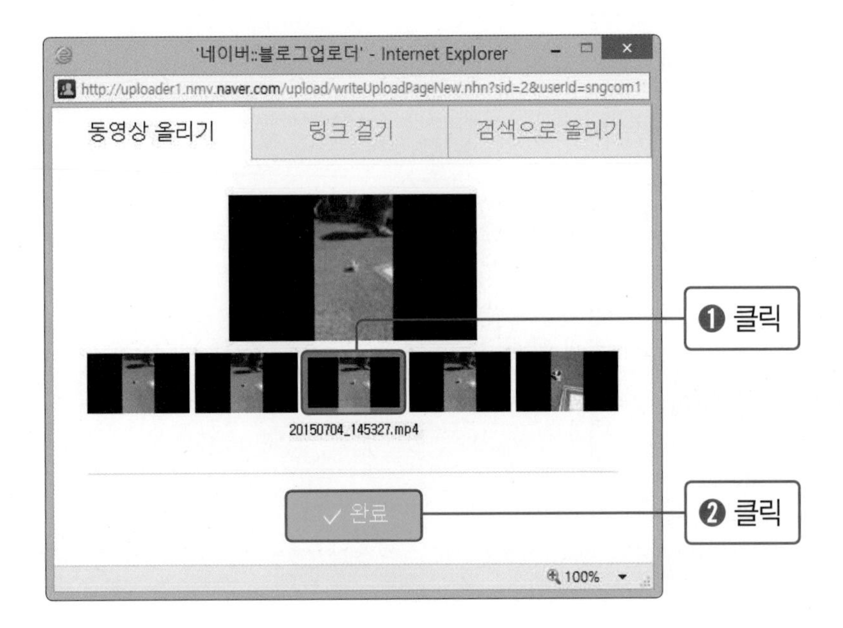

06 글쓰기 영역에 동영상이 삽입된 것을 확인할 수 있습니다. 다만, 아직 동영상 이미지가 보이지 않습니다. 글을 등록해야만 영상을 확인할 수 있습니다.

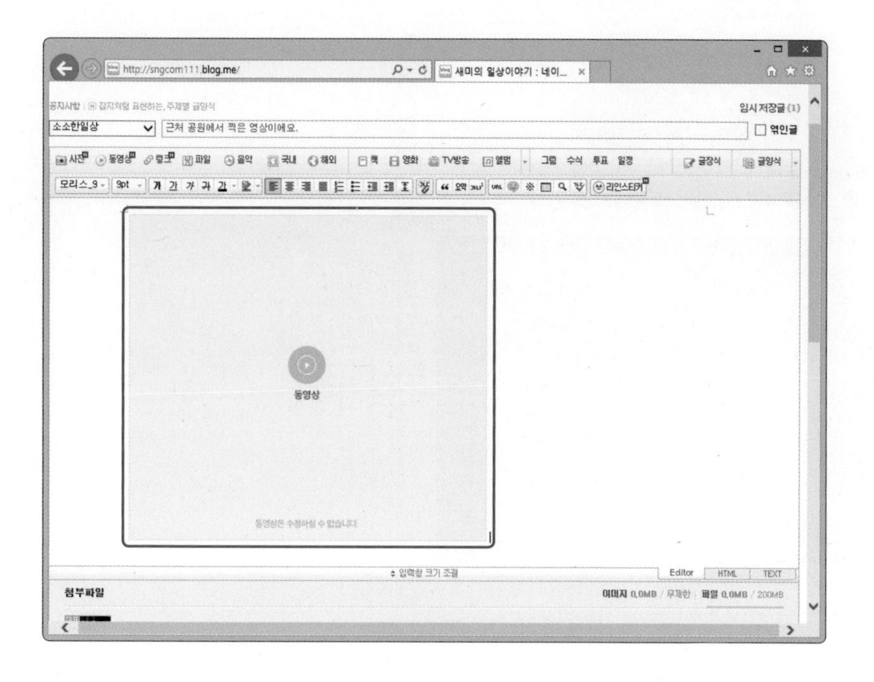

07 블로그 글을 등록하기 위해 이동 막대를 아래로 드래그하여 화면을 이동한 후 [확인] 버튼을 클릭합니다.

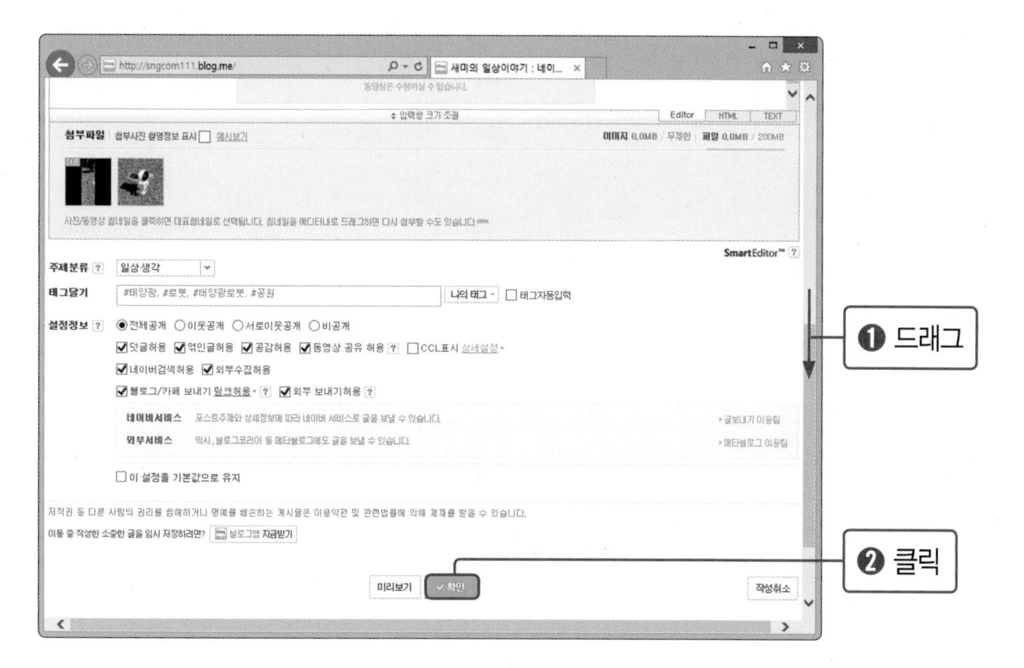

08 글과 사진, 동영상이 함께 있는 글이 등록된 것을 확인할 수 있습니다. 등록된 동영상의 버튼을 클릭하면 영상이 실행되는 것을 확인할 수 있습니다.

잠깐만요!

동영상 실행 화면을 크게 확대하여 보고 싶어요!

등록된 동영상을 실행하면 화면이 포스트 영역 안에서만 실행되며 실제 동영상 크기로 보이지 않습니다. 동영상 실행 화면을 크게 확대해서 보고 싶다면 동영상 화면 오른쪽 아래의 을 클릭하세요. 모니터 크기만큼 화면이 커집니다. 다시 원래 화면으로 되돌리려면 키보드의 Esc를 누르면 됩니다.

다섯째 마당

소통 기능을 이용해 인기 블로그 만들기

블로그를 꾸미고 글 쓰는 방법을 어느 정도 익혔다면 이제 본격적으로 블로그를 더 활성화 시킬 수 있는 방법을 익혀야 합니다. 아무리 좋은 글을 작성했더라도 아무도 와서 읽지 않는다면 블로그를 운영하는 의미가 없지요. 즉, 블로그의 핵심인 '소통'을 해야 합니다. 다섯째마당에서는 사람들이 방문해 글을 읽고 공감하고 소통할 수 있는 끈인 이웃 기능과, 덧글을 쓰고 공감 버튼을 누르며 자연스럽게 소통을 할 수 있는 기능들을 익혀보겠습니다. 더불어 프롤로그, 통계 기능 등 내 블로그를 인기 있는 파워블로그로 활성화 할 수 있는 방법도 알아보겠습니다.

이봐, 친구!
내 블로그에 댓글이 달렸어!
ㅋㅋㅋ
하하! 이 친구 열심히 블로그를 하더니
블로그에 사람들이 찾아오는가 보구먼

내가 그저 취미로 올린 글에 누군가가 와서 도란도란 이야기를 하고 간다는 것이 너무 신기해!
그럴 땐 댓글에 대답을 달아주면 좋아
그게 바로 블로그로 소통하는 재미이지.

그렇구먼
그리고 누가 나를 이웃 신청을 한다던데 그게 뭔가?
자네 글이 재미있거나 정보가 좋아서 자네를 이웃으로 추가하면
자네가 블로그에 글을 올릴 때마다 보러 온다네.

인터넷 세상은 참으로 신기해!
하하! 요새는 인터넷으로도 이웃을 만드나보네

01 블로그 이웃, 서로이웃 알아보기

블로그에서 말하는 '이웃' 기능은 관심 있는 블로그를 '즐겨찾기'로 설정하여 이웃 블로그에 글이 올라올 때 알림을 받을 수 있도록 하는 것이라고 이해하면 쉽습니다. 블로그에서 진정한 소통은 많은 이웃들과 정보를 공유하고 덧글을 남기거나 공감 버튼을 눌러 공감대를 형성하며 만들어 나가는 것입니다. 더 많은 사람들이 내 블로그에 방문해 글을 읽어 주고 함께 공감하며 소통할 수 있는 끈이 '이웃'입니다.

그러므로 좋은 정보를 담은 블로그를 발견했다면 [이웃추가] 버튼을 클릭해 해당 블로그를 내 이웃으로 추가해보세요. 내 이웃 블로그에 유용한 정보와 이야기들이 올라오는 대로 알림을 받아볼 수 있을 뿐만 아니라 나와 비슷한 관심사를 가진 다른 블로거들도 많이 만날 수 있습니다.

'이웃'과 '서로이웃'의 차이점

'이웃'은 일종의 즐겨찾기 기능이므로 상대방의 동의 없이도 내가 자유롭게 일방적으로 추가할 수 있습니다. 반면 '서로이웃'은 상대방이 서로이웃 신청에 동의를 해주어야만 할 수 있습니다. 즉, 신청과 동의 절차를 통해 맺어지는 쌍방향 관계입니다.

또한 이웃인지, 서로이웃인지에 따라서 글을 볼 수 있는 범위가 달라집니다. '전체공개'로 설정된 글은 이웃과 관계없이 블로그에 방문한 모든 사람이 볼 수 있지만, 공개 범위가 '이웃'으로 설정된 글은 이웃과 서로이웃만 볼 수 있고, 공개 범위가 '서로이웃'으로 설정된 글은 '서로이웃' 관계만 볼 수 있습니다. 그래서 이웃이나 서로이웃을 맺을수록 관심 블로그에 올라온 특별한 글을 읽어 볼 수 있다는 장점이 있습니다.

검색을 하다가 우연히 발견한 좋은 블로그나 내 관심 분야의 블로그를 찾아서 이웃을 맺기 시작하다보면 블로그 활동이 더욱 재미있게 느껴질 겁니다. 관심분야 블로그는 네이버 블로그 시작 화면의 메뉴에서 관심분야 주제를 클릭해 확인할 수 있습니다.

02 이웃, 서로이웃으로 추가하기

누군가 내 블로그에 방문하기만을 기다리지 말고 내가 먼저 좋은 블로그, 관심 있는 블로그를 찾아 방문하고 이웃으로 추가해보세요. 이웃 기능을 통해 나와 비슷한 관심사를 가진 다른 블로거들과 자주 소통을 하면서 블로그의 재미를 한층 더 느낄 수 있게 됩니다. 02장에서는 이웃 맺는 방법에 대해 알아보겠습니다.

무작정 따라하기

01 네이버 검색이나 블로그 시작 화면에서 관심 있는 블로그를 발견했다면 해당 블로그에 접속합니다. 그리고 난 후 관심 있는 블로그의 프로필 영역 아래에 보이는 '이웃추가'를 클릭합니다.

02 '이웃 추가' 창이 나타납니다. 여기서 '이웃'과 '서로이웃'을 선택할 수 있으며 기본으로 '이웃'이 설정되어 있습니다. '이웃'에 표시된 것을 확인한 후 [다음] 버튼을 클릭하세요.

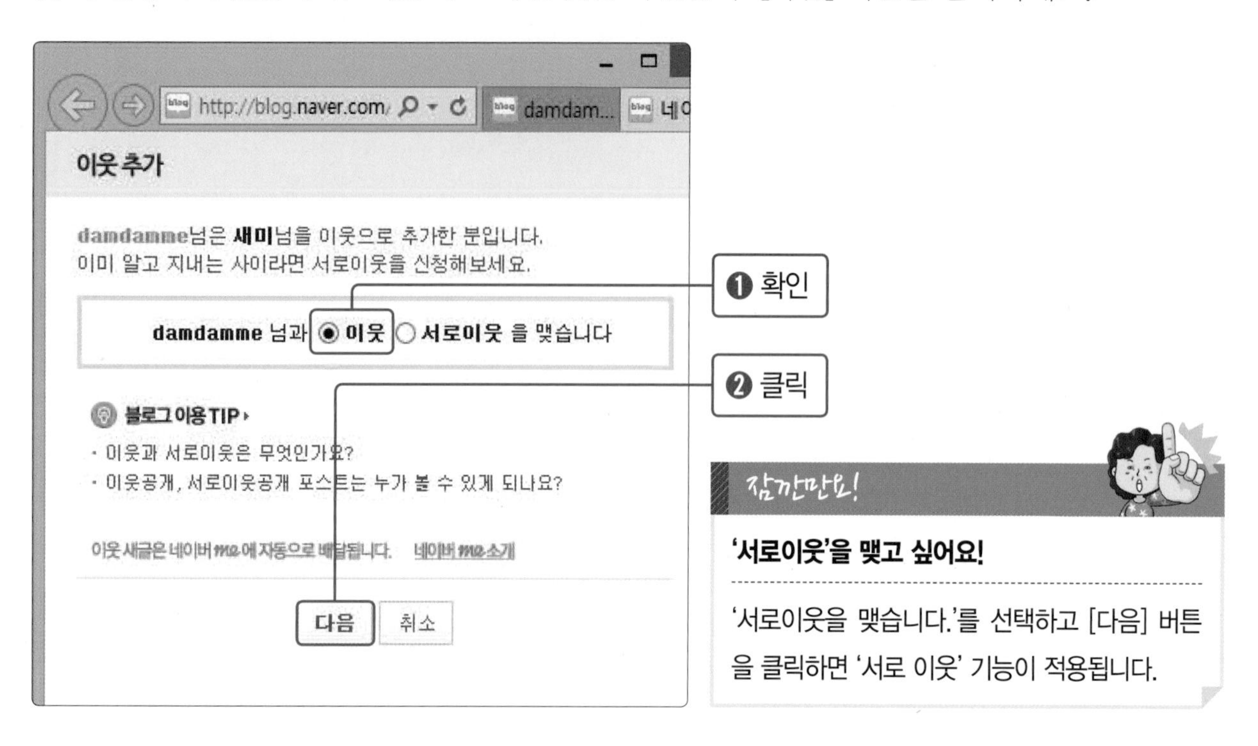

03 이웃을 추가할 그룹을 선택하는 화면이 나타납니다. 그룹을 만들어서 이웃을 관리하면 더 효율적입니다. 그룹을 추가하기 위해 [그룹추가] 버튼을 클릭합니다.

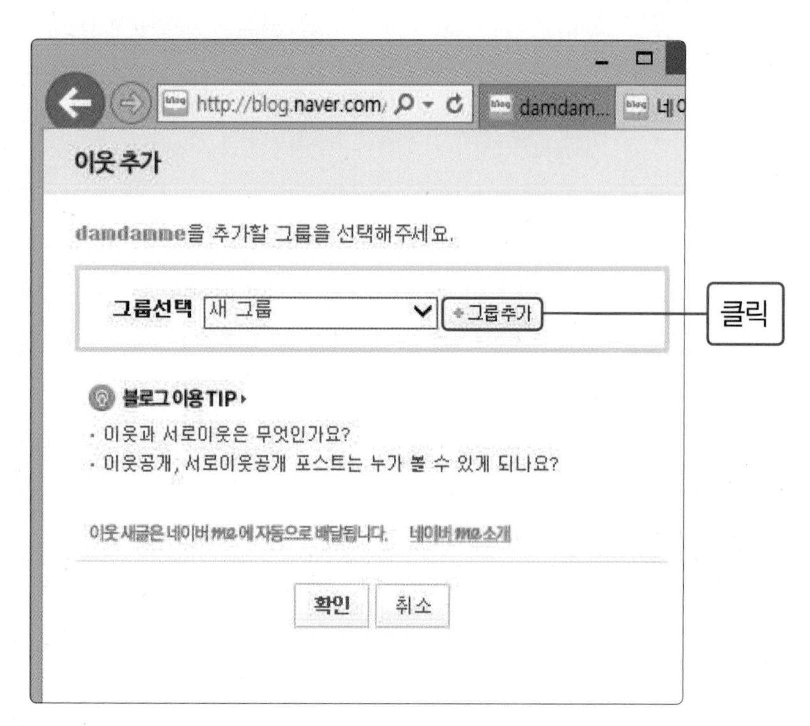

04 입력란에 그룹명을 입력한 후 [확인] 버튼을 클릭합니다. 여기서는 『여행』이라고 입력하였습니다.

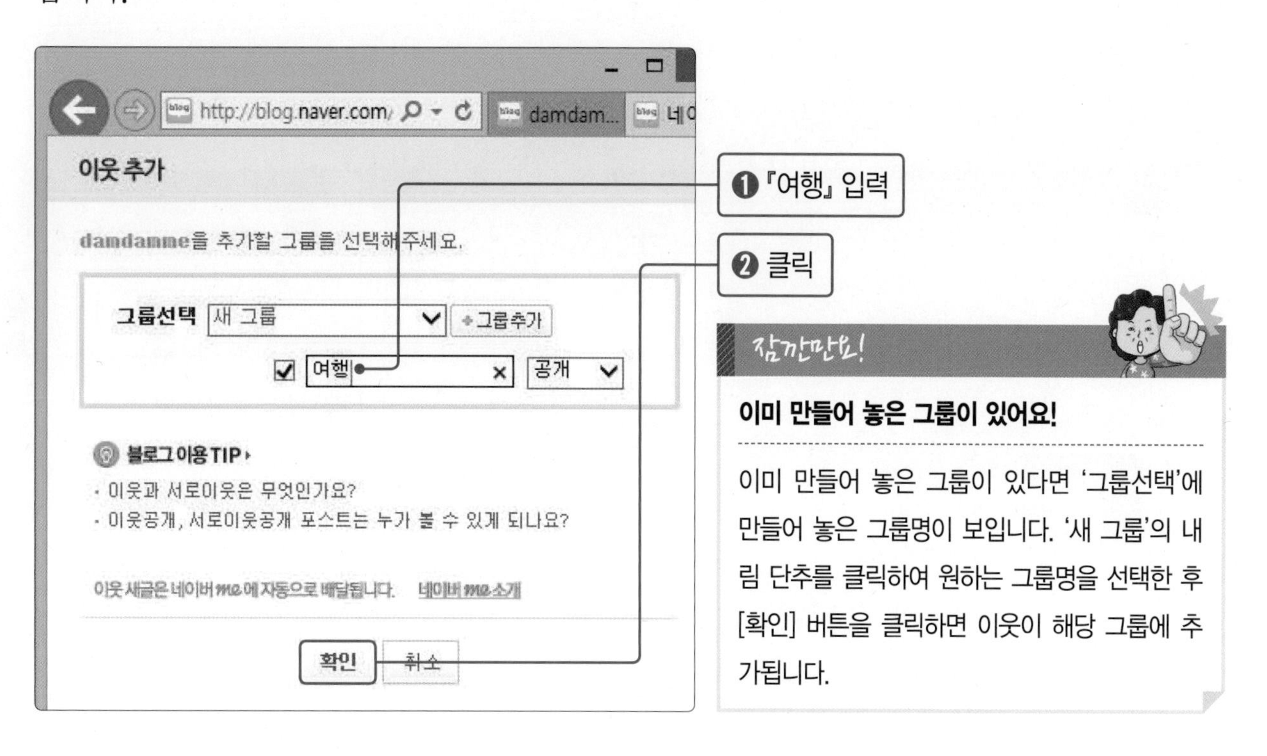

잠깐만요!

이미 만들어 놓은 그룹이 있어요!

이미 만들어 놓은 그룹이 있다면 '그룹선택'에 만들어 놓은 그룹명이 보입니다. '새 그룹'의 내림 단추를 클릭하여 원하는 그룹명을 선택한 후 [확인] 버튼을 클릭하면 이웃이 해당 그룹에 추가됩니다.

05 '000님의 블로그가 '00' 그룹에 추가되었습니다.'라는 메시지가 나타나면 이웃이 그룹에 추가된 것입니다. [닫기] 버튼을 클릭합니다.

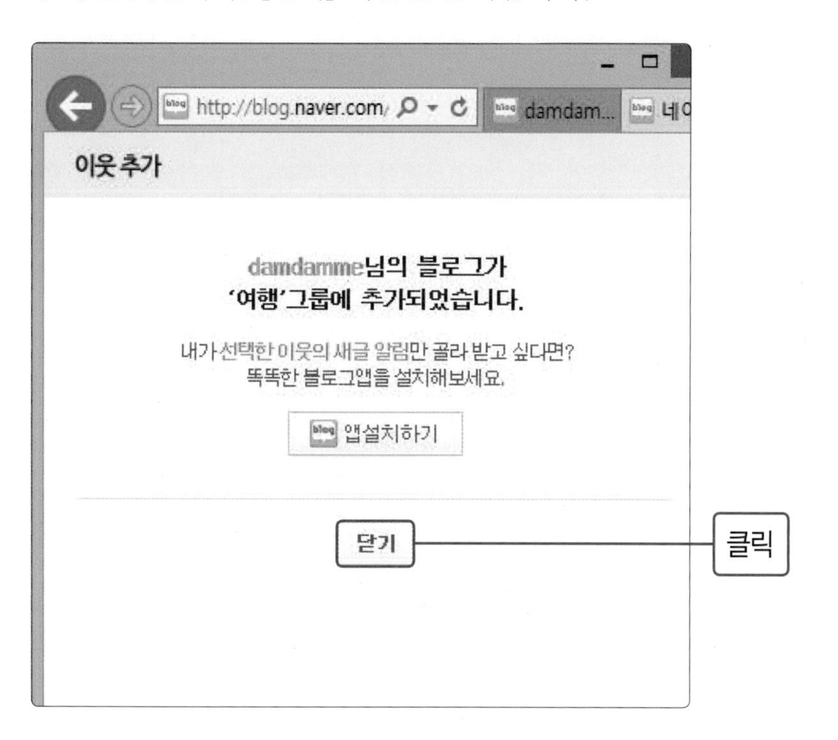

06 제대로 적용되었는지 확인해보겠습니다. 이웃으로 추가한 블로그의 프로필 영역을 보면 '이웃추가'가 '서로이웃추가'로 변경된 것을 확인할 수 있습니다. '이웃추가'는 이미 완료되어 '서로이웃추가'를 하라는 것입니다. 내 블로그에서 이웃을 확인하기 위해 화면 오른쪽 맨 위에 있는 '내 블로그'를 클릭합니다.

07 내 블로그에서 내가 추가한 이웃을 확인하기 위해 블로그 화면 가장 오른쪽 위에 있는 '이웃블로그'를 클릭합니다. 목록에서 이웃으로 추가된 블로그가 나타납니다. 이웃블로그 목록 중에서 하나를 선택해 클릭하면 해당 블로그를 방문할 수 있습니다.

한 걸음 더 이웃 블로그 목록을 관리하거나 삭제하기

'이웃추가'는 즐겨찾기 기능과 같다고 했습니다. 즐겨찾기 기능은 관심 있는 블로그에 자주 방문하기 위해서 설정하는 경우이므로 자주 방문할 필요가 없을 경우에는 삭제하는 것이 좋습니다.

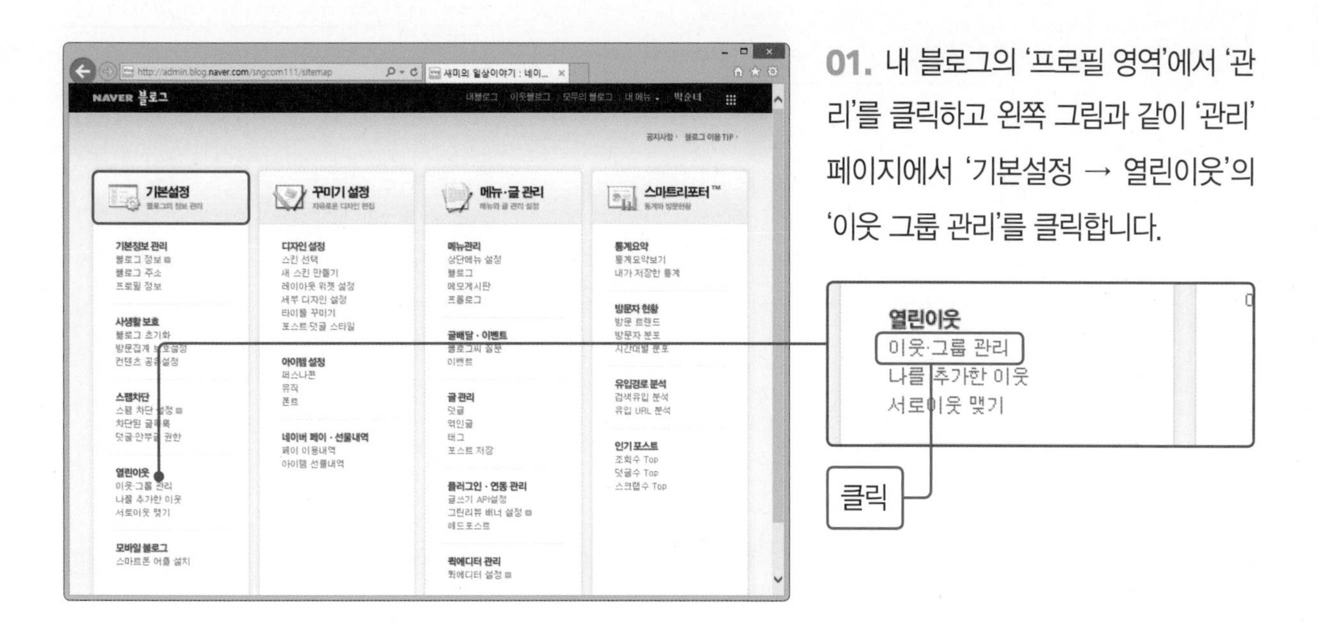

01. 내 블로그의 '프로필 영역'에서 '관리'를 클릭하고 왼쪽 그림과 같이 '관리' 페이지에서 '기본설정 → 열린이웃'의 '이웃 그룹 관리'를 클릭합니다.

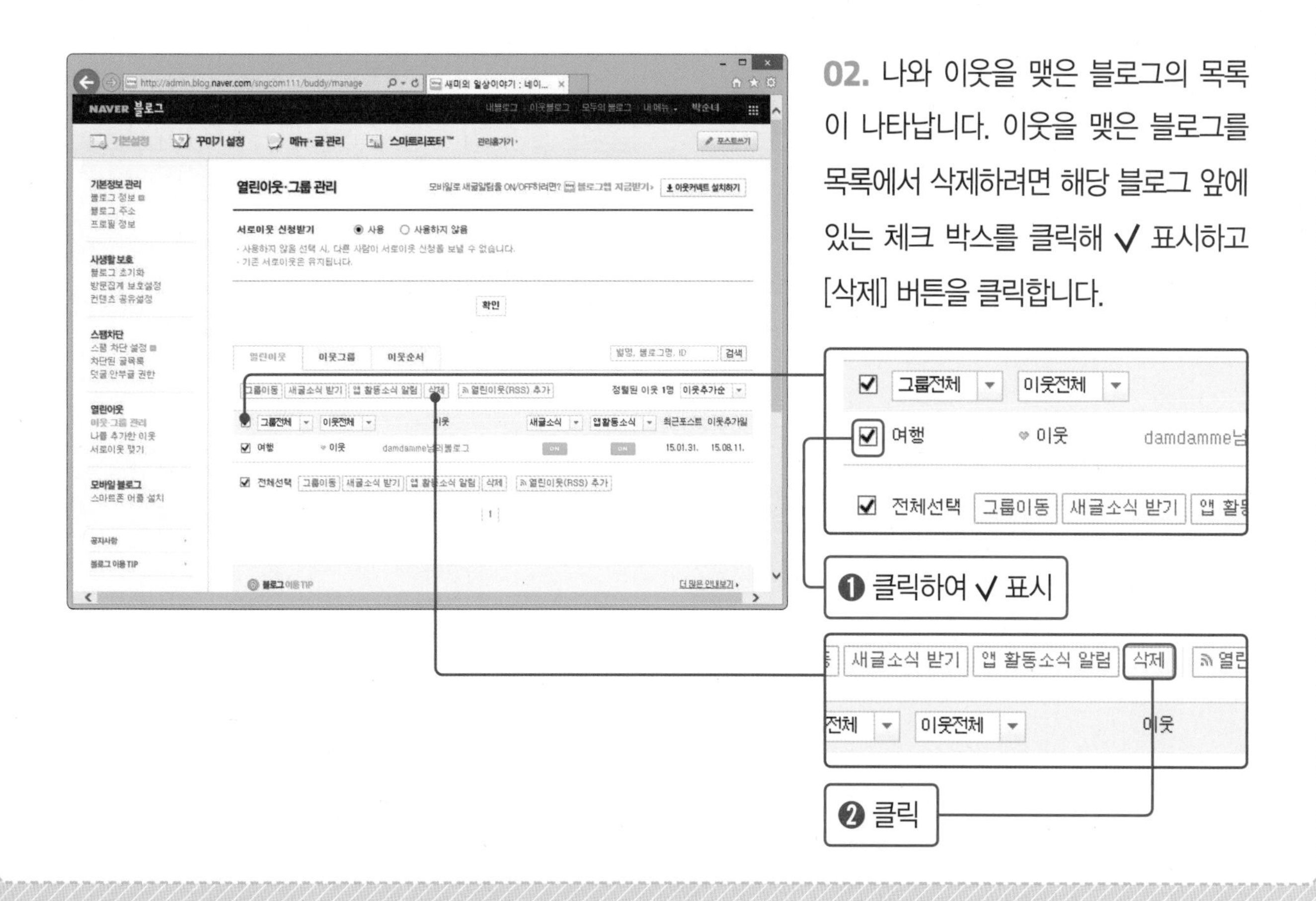

02. 나와 이웃을 맺은 블로그의 목록이 나타납니다. 이웃을 맺은 블로그를 목록에서 삭제하려면 해당 블로그 앞에 있는 체크 박스를 클릭해 ✓ 표시하고 [삭제] 버튼을 클릭합니다.

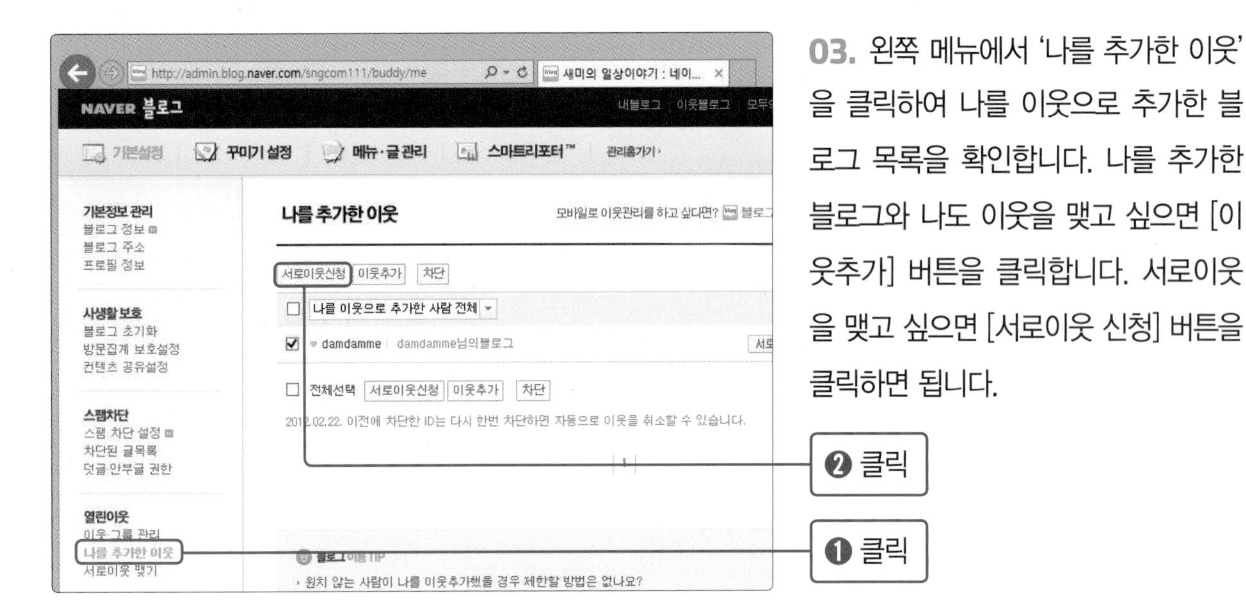

03. 왼쪽 메뉴에서 '나를 추가한 이웃'을 클릭하여 나를 이웃으로 추가한 블로그 목록을 확인합니다. 나를 추가한 블로그와 나도 이웃을 맺고 싶으면 [이웃추가] 버튼을 클릭합니다. 서로이웃을 맺고 싶으면 [서로이웃 신청] 버튼을 클릭하면 됩니다.

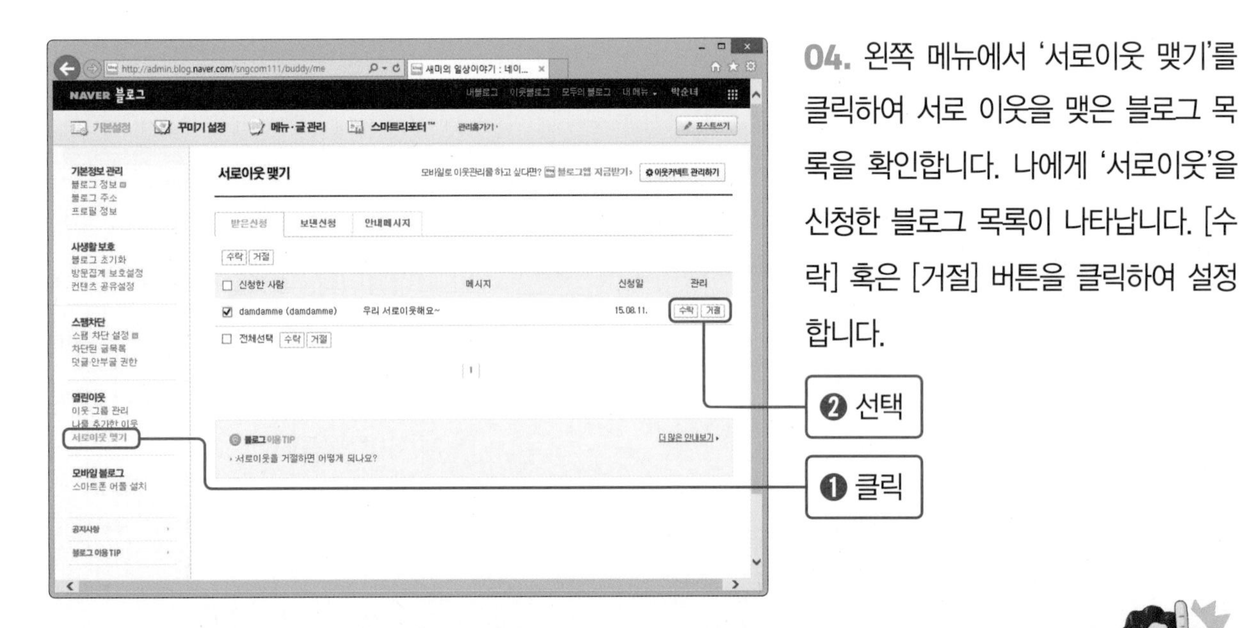

04. 왼쪽 메뉴에서 '서로이웃 맺기'를 클릭하여 서로 이웃을 맺은 블로그 목록을 확인합니다. 나에게 '서로이웃'을 신청한 블로그 목록이 나타납니다. [수락] 혹은 [거절] 버튼을 클릭하여 설정합니다.

잠깐만요!

서로이웃 신청이 들어왔을 때 거절하면 어떻게 되나요?

예를 들어, A씨가 나에게 서로이웃 신청을 한 경우, 내가 신청을 거절해도 A씨에게 거절 알림이 전달되지는 않습니다. 다만, 이 경우 A씨에게는 내가 이웃으로 추가됩니다.

03 이웃의 활동을 확인하고 방문할 수 있는 이웃커넥트 설정하기

관심 있는 블로그를 찾아 이웃을 맺었다면 자주 방문하고 소통해야 블로그 활동의 재미를 느낄 수 있습니다. 또, 이웃을 자주 방문하고 덧글과 공감으로 자연스럽게 소통해야 블로그의 주목도와 인기도 지수도 올라가게 됩니다. 이러한 지수는 파워블로그 선정 기준에도 포함이 되며, 더불어 검색율과 방문율도 증가하게 됩니다. 이웃의 활동을 바로 확인하고 방문할 수 있도록 도와주는 기능이 '이웃커넥트'입니다. 이번 장에서는 이웃커넥트를 설정하고 공감과 덧글 기능을 활용하는 방법에 대해 살펴보겠습니다.

무작정 따라하기

01 '이웃커넥트' 기능을 사용하려면 해당 위젯을 내 블로그에 설정해야 합니다. '관리' 페이지로 이동하기 위해 내 블로그의 '프로필 영역'에서 '관리'를 클릭하세요.

02 '관리' 페이지의 '꾸미기 설정'의 '디자인 설정'에서 '레이아웃·위젯 설정'을 클릭합니다.

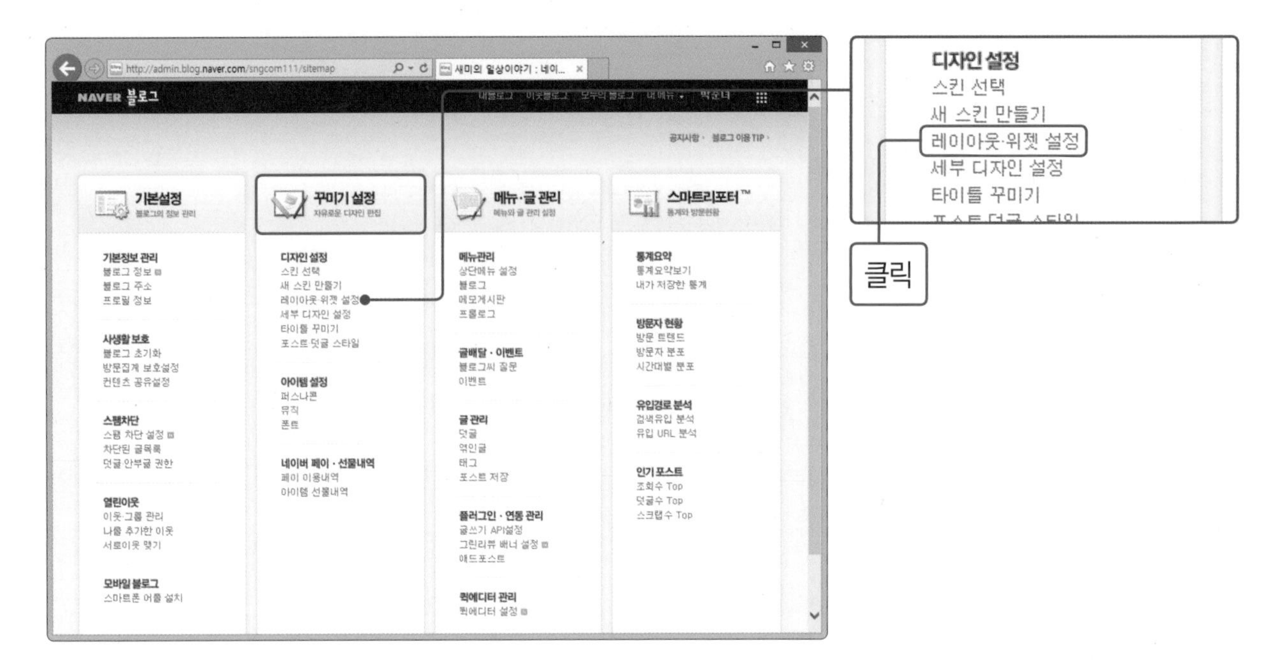

03 '레이아웃·위젯 설정' 화면의 오른쪽 영역에서 '메뉴 사용 설정'의 '이웃커넥트'를 클릭해 ✔ 표시한 후 이동 막대를 아래로 드래그하여 화면 가장 아래쪽에 있는 [적용] 버튼을 클릭합니다. '레이아웃을 블로그에 적용하시겠습니까?'라는 메시지가 나타나면 [확인] 버튼을 클릭하세요.

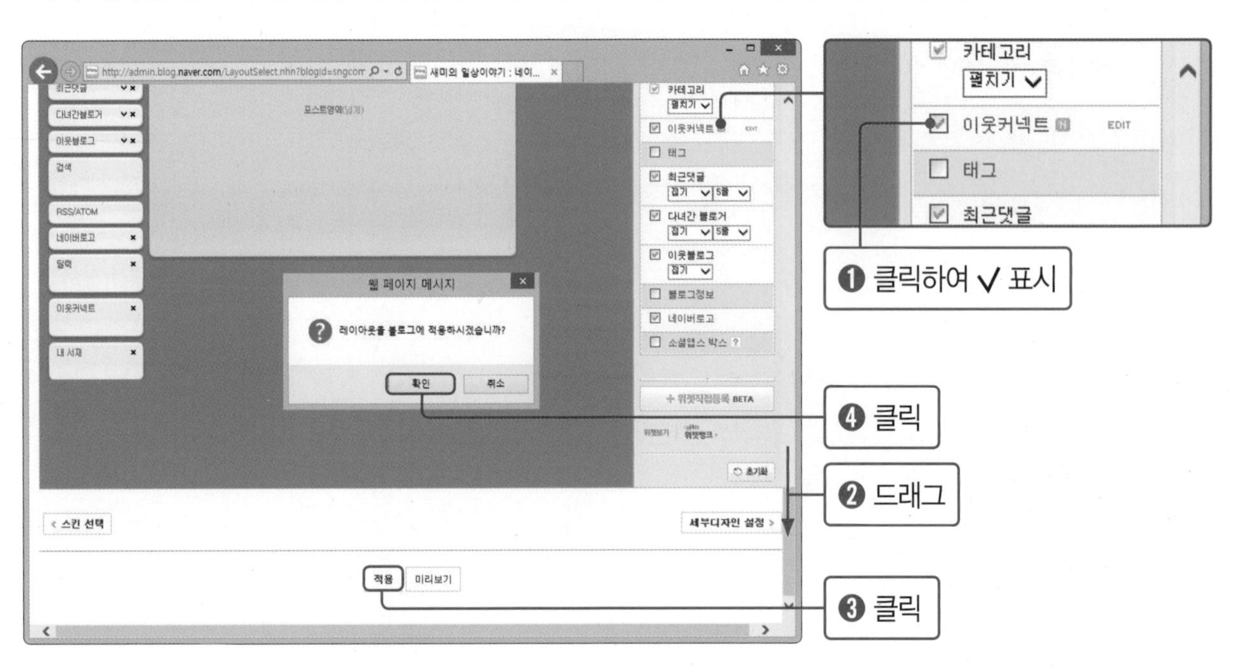

04 내 블로그에 '이웃커넥트' 위젯이 적용된 모습을 확인할 수 있습니다. '내가 추가한' 탭에서 '전체이웃' 목록을 확인할 수 있습니다. 이웃 블로그를 클릭하면 해당 블로그로 바로 이동할 수 있습니다. 위젯에 있는 '이웃 커넥트'를 클릭하면 이웃들의 새글을 모아 볼 수 있습니다. 여기서는 '이웃 커넥트'를 클릭하세요.

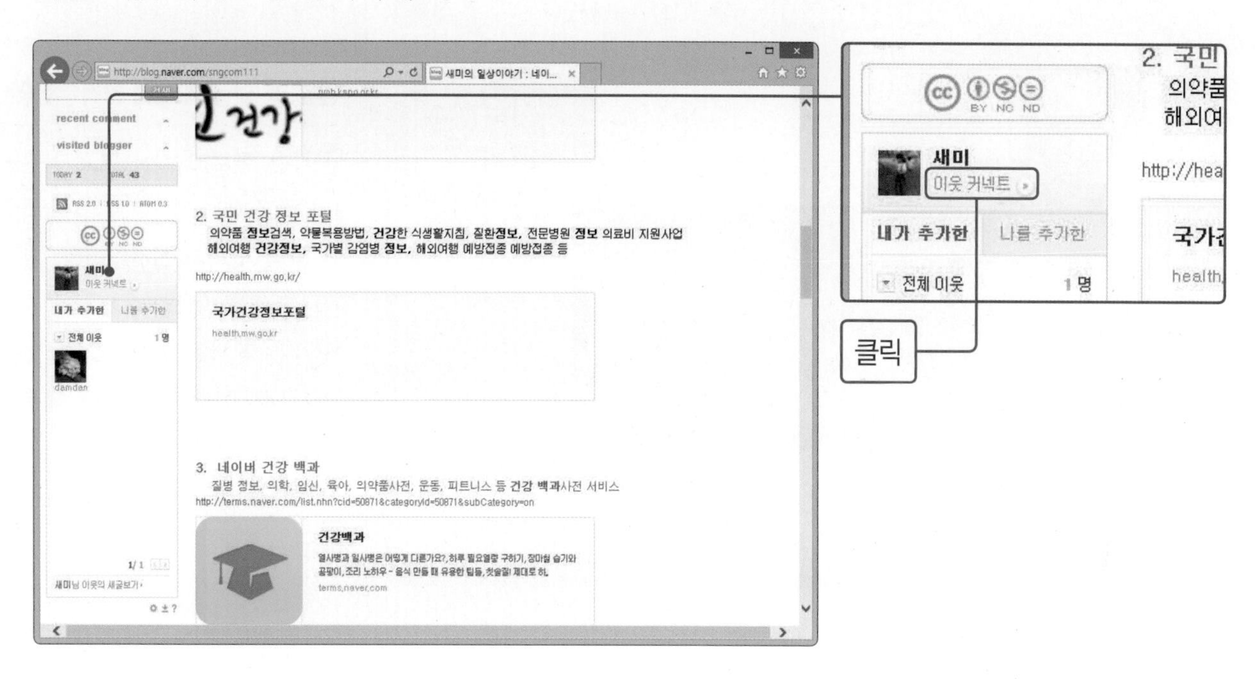

05 이웃 블로그에 업데이트된 새글이 있는 것을 확인할 수 있습니다. 더불어 주제별로 활동하는 블로그의 글이 보이며 원하는 글을 클릭하여 자세하게 읽을 수도 있습니다. 읽고 싶은 새글 하나를 클릭합니다.

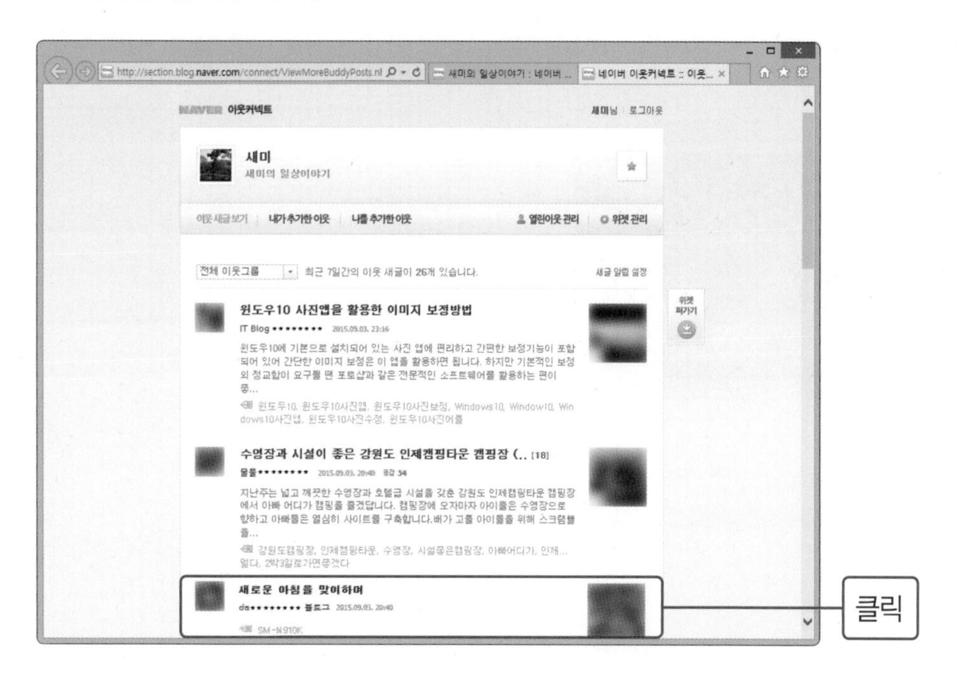

06 해당 블로그로 이동하여 블로그 글을 확인할 수 있습니다. 이제 글을 읽고 공감과 덧글을 남겨보겠습니다. 우선, 글에 대한 공감을 표시하기 위해 글 아래쪽에 있는 [♡ 0]을 클릭합니다.

> **잠깐만요!**
>
> **'공감'과 '덧글'에 대해 알려주세요!**
>
> '공감'은 블로그 글을 보고 공감을 표시하고 싶을 때 [♡ 0]을 눌러주면 공감 숫자가 올라갑니다. 가장 간단한 소통 방법입니다.
> '덧글'은 게시물(글)에 남기는 짧은 글로 '댓글'이라고도 합니다. 블로그의 글을 읽고 마음에 들면 생각이나 의견 등을 남기고 싶을 때 짧은 글을 남겨 소통하는 방법입니다.

07 공감의 하트 색이 채워지면서 숫자가 올라간 것을 확인할 수 있습니다. 이번에는 덧글을 남겨보겠습니다. 글 아래쪽에 있는 '댓글 쓰기'를 클릭하세요.

08 해당 글에 대한 느낌이나 생각을 덧글 입력 창에 입력합니다. 덧글을 남길 때 '스티커 댓글'을 클릭해 마음에 드는 스티커를 붙일 수도 있습니다. 입력이 끝난 후 [덧글 입력] 또는 [comment] 버튼을 클릭합니다.

잠깐만요!

내가 입력한 덧글 내용을 블로그 주인과 나만 보게 하고 싶어요!

블로그 방문자라면 남겨진 덧글을 다 확인할 수 있습니다. 덧글을 남길 때 다른 방문자에겐 보이지 않고 블로그 주인과 덧글을 남기는 사람에게만 글이 보이게 하려면 덧글 입력란 옆의 '주인만 보기'를 클릭해 ✓ 표시하면 됩니다.

09 덧글 입력이 완료된 것을 확인할 수 있습니다. 입력한 덧글 내용을 수정하고 싶으면 해당 덧글 오른쪽 옆에 있는 '수정'을 클릭한 후 입력합니다. '삭제'를 누르면 입력한 덧글을 삭제할 수 있습니다.

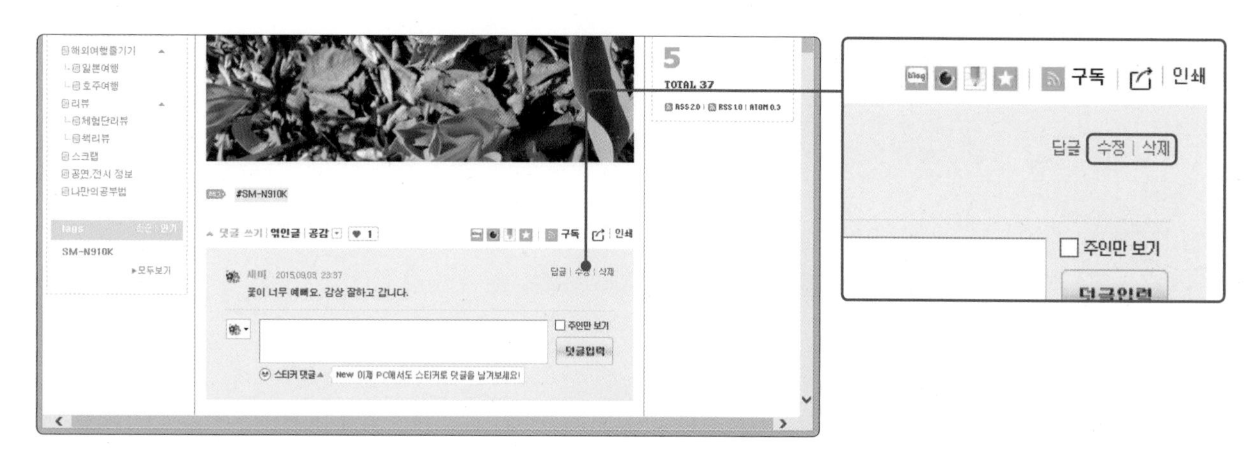

한 걸음 더 내 블로그에 남겨진 덧글 확인하고 답글 달기

누군가 내 블로그에 와서 덧글을 남겼다면 블로그 주인은 덧글에 다시 답글을 달아 소통을 하는 것이 좋습니다. 내 블로그에 누군가 와서 덧글을 남겼을 때 블로그 주인이 덧글을 확인하지 못하면 답글을 남기기 어렵습니다. 그래서 블로그 기능 중에 최근 덧글을 확인하는 기능이 있습니다. 답글 기능과 최글 덧글을 확인하는 방법을 알아보겠습니다.

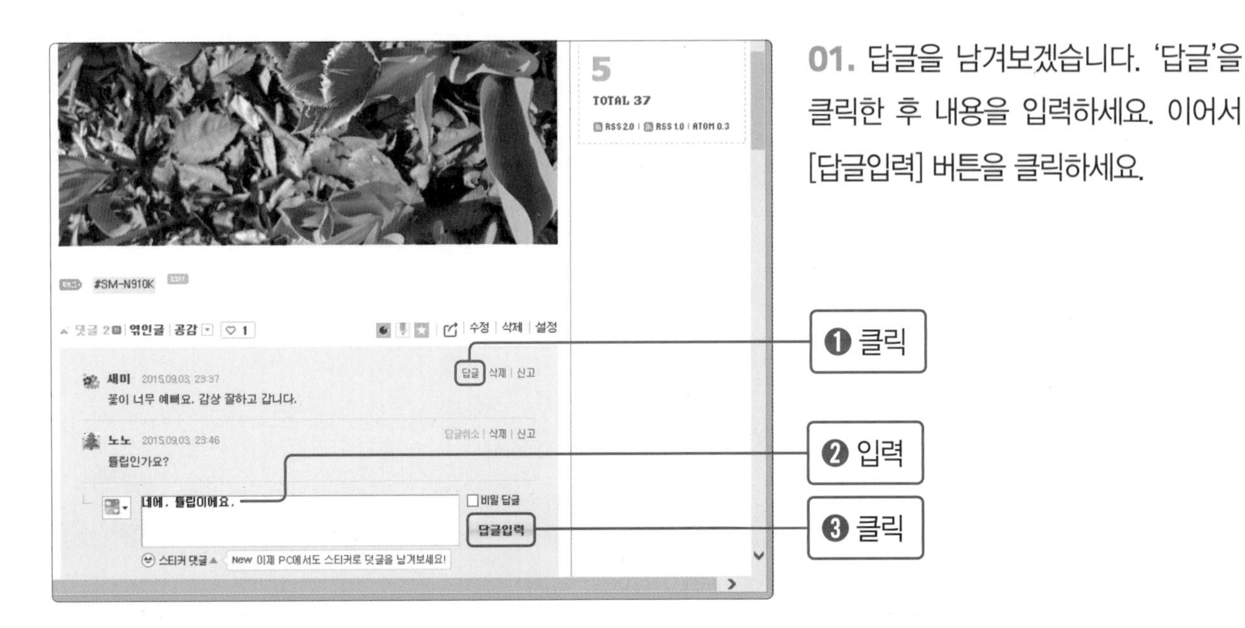

01. 답글을 남겨보겠습니다. '답글'을 클릭한 후 내용을 입력하세요. 이어서 [답글입력] 버튼을 클릭하세요.

02. 완료하면 약간 안쪽으로 답글이 추가된 것을 확인할 수 있습니다.

03. 최근 덧글을 확인하려면 내 블로그의 왼쪽 영역에서 '최근댓글' 영역을 확인해보세요. 덧글이 달린 글의 제목이 보입니다. 클릭하면 글이 나타나면서 댓글을 확인할 수 있습니다.

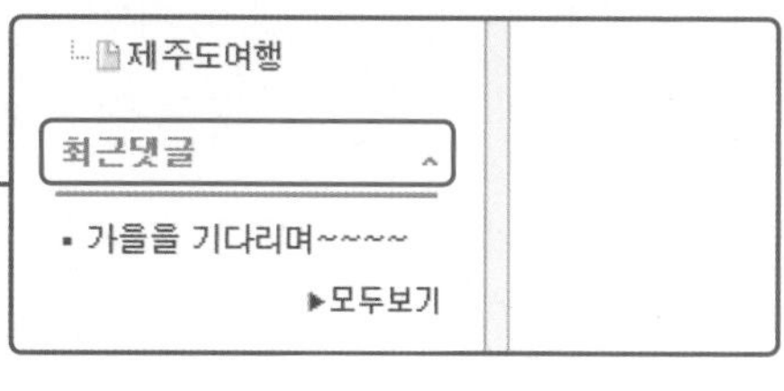

04. 또한, 내 덧글에 답글이 달리면 블로그는 '알림' 기능으로 답글이 달린 것을 알려줍니다. 답글이 달린 것을 확인하기 위해 네이버 첫 화면으로 이동합니다. 로그인이 되어 있는 상태에서 상단의 'me' 옆에 알림의 숫자가 나타납니다. 또는 로그인 위치의 '알림'에도 숫자가 나타나 있습니다. 클릭하면 알림 내용을 알 수 있습니다.

잠깐만요!

'알림'의 역할과 숫자의 의미는 무엇인가요?

내게 온 알림, 지인들의 새 소식, 구독 컨텐츠 업데이트를 모아서 알려주는 기능입니다. 덧글에 답글이 달렸을 때나 메일 활동 관련 알림, 카페 활동과 관련된 알림 등을 다양하게 제공되고 있습니다. 알림의 숫자는 새로운 알림의 갯수를 나타내는 숫자입니다.

04 블로그 시작 화면 다양하게 꾸미기

내 블로그의 시작 화면은 최근에 등록된 글이 가장 먼저 보이도록 '블로그' 형태로 설정되어 있는 것이 기본입니다. 이러한 보기 형태를 '프롤로그' 형태로 변경할 수 있습니다. 프롤로그 형태는 원하는 포스트 목록을 시작 화면에 보이도록 설정해 대문으로 활용할 수 있는 기능입니다. 다만, 글이 어느 정도 등록되고 사진이 첨부된 글들이 많아야 이 기능을 적절히 표현할 수 있습니다. 참고로 카테고리(메뉴)는 '블로그' 형태에서만 나타나고 '프롤로그' 형태에서는 나타나지 않는다는 점을 알아두세요.

▲ '블로그' 형태

▲ '프롤로그' 형태

무작정 따라하기

01 '관리' 페이지로 이동하기 위해 내 블로그의 '프로필 영역'에서 '관리'를 클릭하세요.

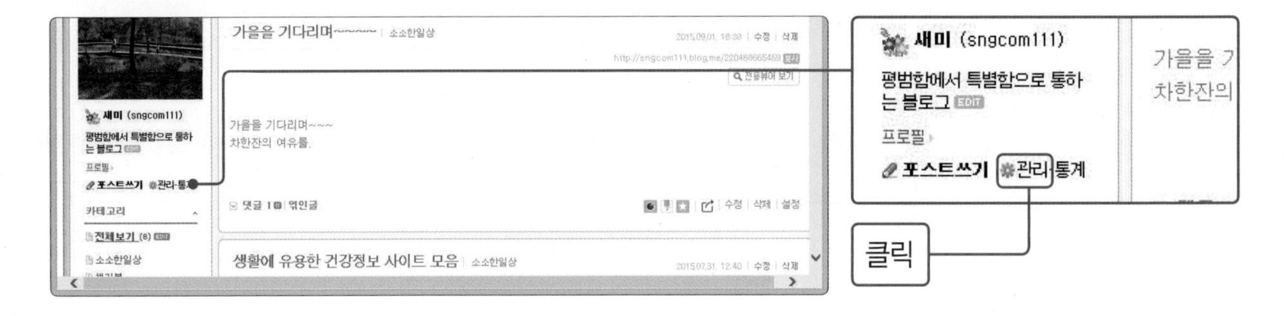

02 현재의 블로그 시작 화면을 '프롤로그' 형태로 변경해보겠습니다. '관리' 페이지에서 '메뉴·글 관리'에서 '상단메뉴 설정'을 클릭하세요.

03 '상단메뉴 설정' 화면이 나타나면 '프롤로그'의 '대표메뉴'를 클릭하여 선택합니다.

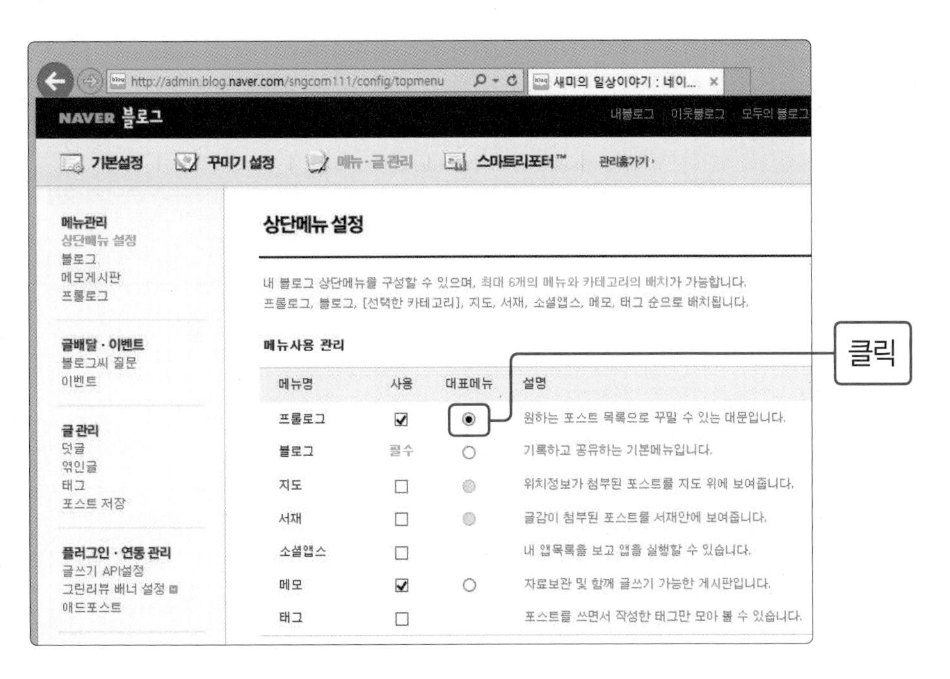

04 적용하기 위해 하단의 [확인] 버튼을 클릭하여 '성공적으로 반영되었습니다.'라는 메시지가 나타나면 [확인] 버튼을 클릭하세요.

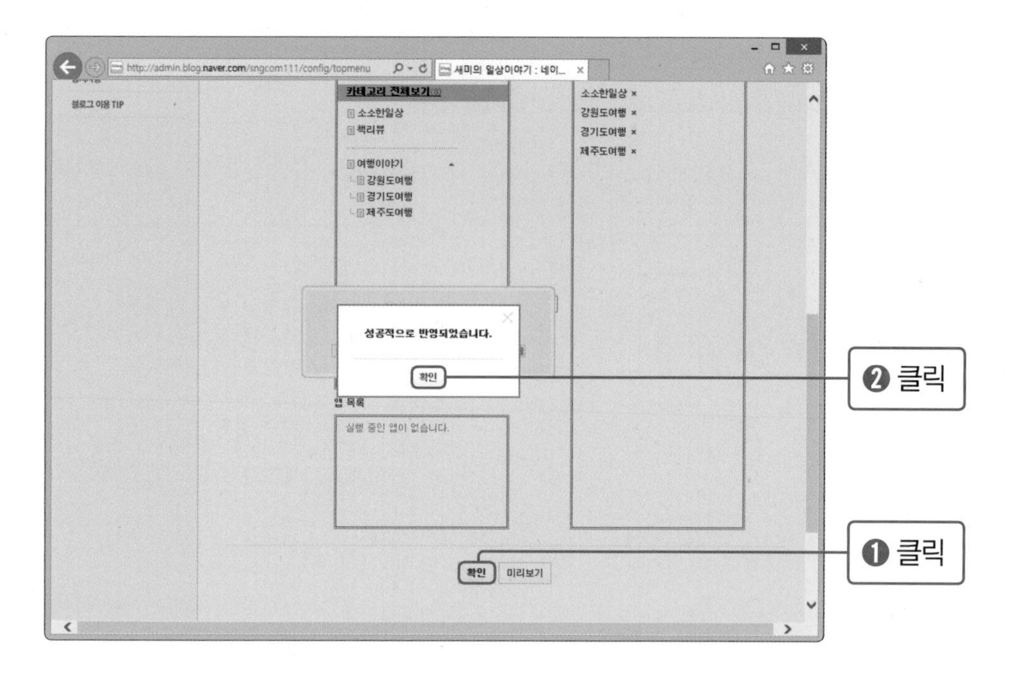

05 다시 '상단메뉴 설정' 화면에서 세부 설정을 위해 화면 오른쪽에 있는 '프롤로그 관리'를 클릭합니다.

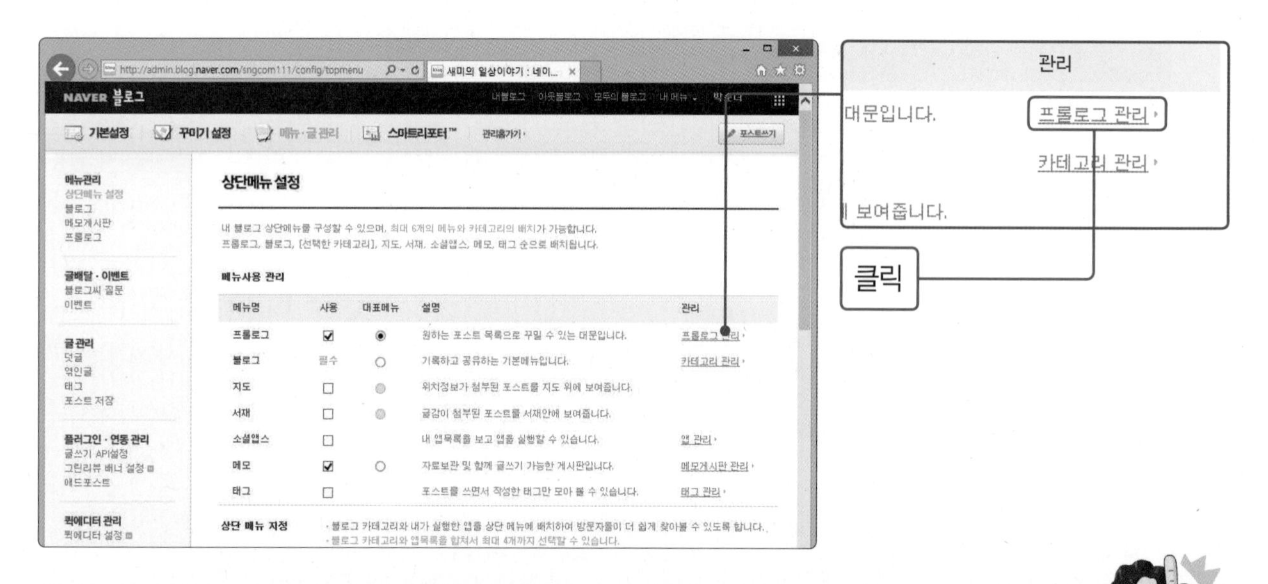

잠깐만요!

'프롤로그' 형태를 다시 '블로그' 형태로 변경하고 싶어요!

위의 '상단메뉴 설정' 화면에서 '블로그'의 '대표메뉴'를 클릭하여 선택한 후 하단의 [확인] 버튼을 클릭하여 설정을 완료하면 됩니다.

06 ‘프롤로그’ 설정 화면이 나타납니다. 여기서는 ‘보기 설정’을 ‘포스트 강조’와 ‘이미지 강조’ 중에서 선택하여 설정할 수 있습니다. 여기서는 ‘포스트 강조’를 클릭해 선택하였습니다. ‘이미지목록’과 ‘글목록’의 ‘사용설정’에 ✓ 표시합니다. 또한 각각의 메뉴 선택을 위해 먼저 ‘이미지목록’의 ‘변경’을 클릭합니다.

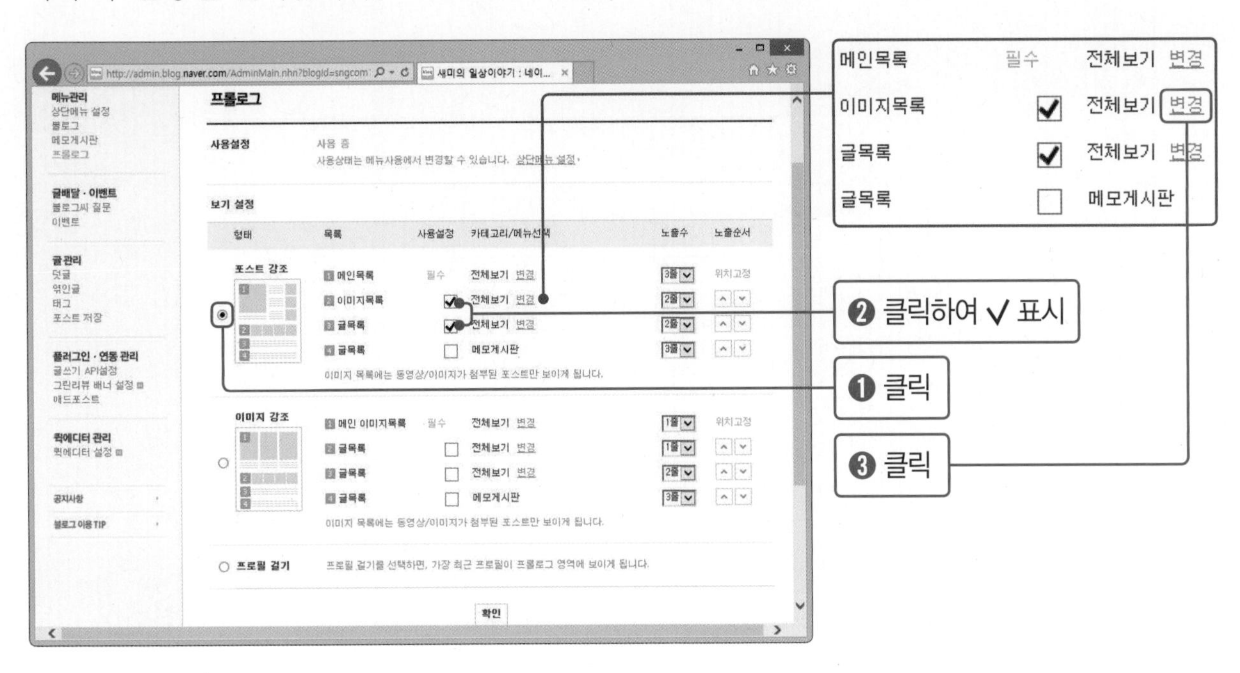

07 어떤 메뉴를 배치하고 싶은지 선택한 후 [확인] 버튼을 클릭합니다. ‘글목록’도 이와 같은 방법으로 ‘변경’을 클릭해 메뉴를 선택한 후 [확인] 버튼을 클릭합니다.

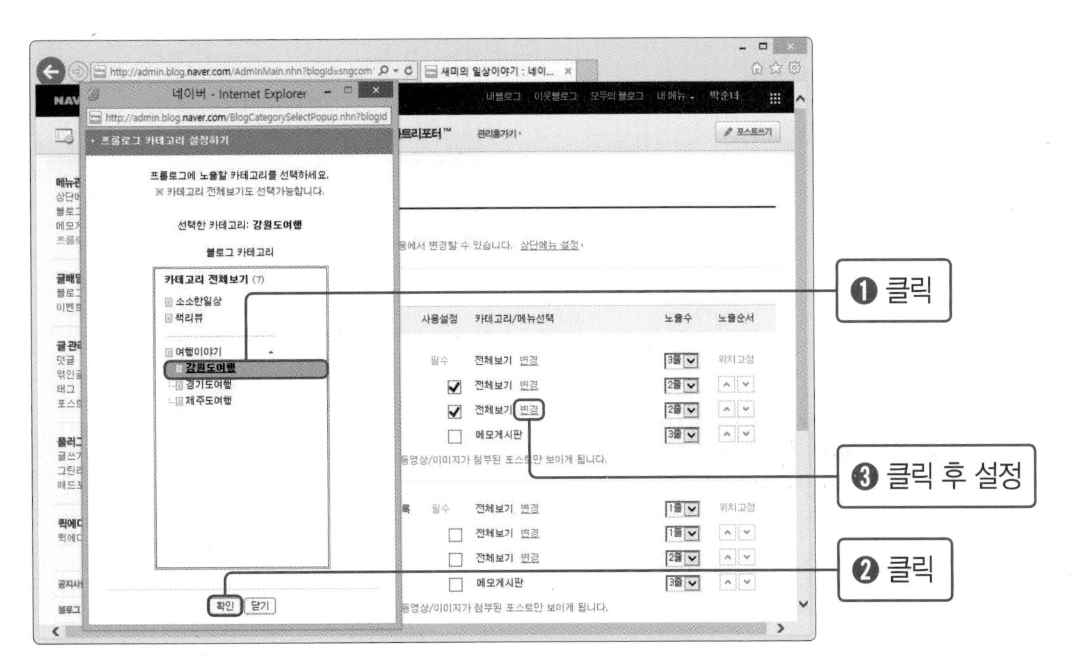

08 설정이 모두 완료되면 화면 아래쪽에 있는 [확인] 버튼을 클릭합니다. '포스트 강조형으로 설정되었습니다.'라는 메시지가 나오면 [확인] 버튼을 클릭합니다.

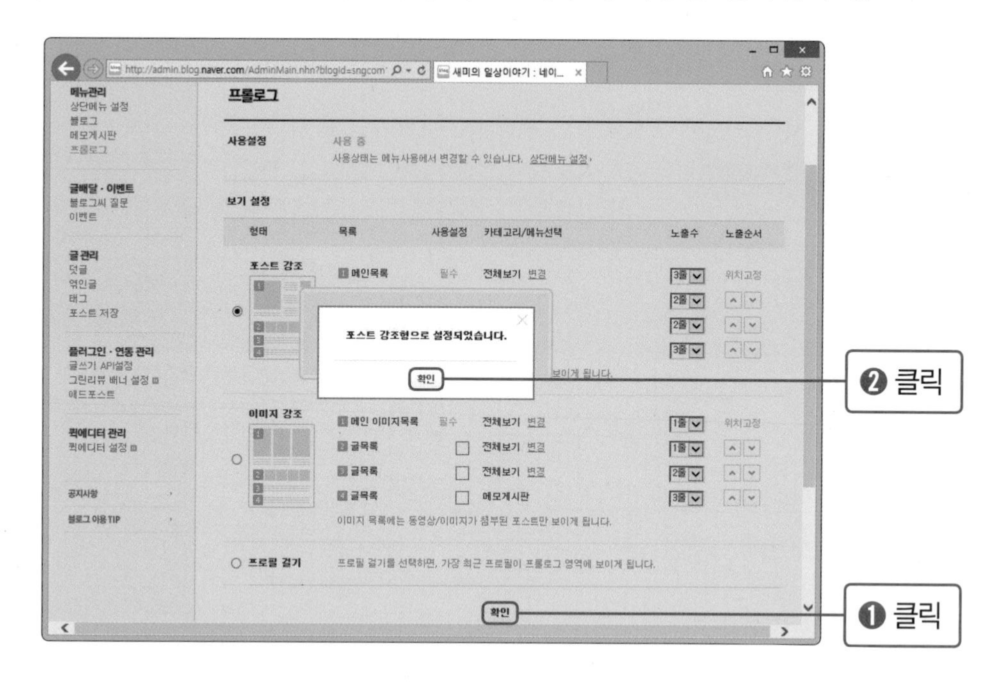

09 내 블로그의 시작 화면으로 가면 '프롤로그' 형태로 변경된 블로그 시작 화면이 나타납니다. 왼쪽 메뉴가 보이지 않고 포스트 영역이 갤러리처럼 배치됩니다.

05 내 블로그에서 가장 인기 있는 글 확인하기

블로그를 어느 정도 운영하다보면 내 블로그에 방문하는 방문자 수에 관심이 높아집니다. 방문자 수가 높아진다는 의미는 내 블로그의 품질이 그만큼 높아지고 있다는 것을 의미합니다. 내 블로그에 몇 명이 들어왔는지, 어떤 경로로 들어왔는지, 가장 인기 있는 글은 무엇인지 확인하면서 블로그 상태를 꾸준히 관리해야 인기 블로그로 거듭날 수 있습니다. 그래서 05장에서는 방문현황과 인기포스트, 방문경로 등을 분석할 수 있는 '통계' 기능 즉, '스마트 리포터' 대해 알아보겠습니다.

'통계' 기능을 이용하기 위해 내 블로그 시작 화면의 '프로필 영역'에서 '통계'를 클릭합니다.

'통계요약보기' 화면에서 하루 전의 내 블로그 방문 현황과 방문자 분포, 검색유입분석에 대한 요약 정보를 확인할 수 있습니다. 화면 위쪽의 [일간], [주간], [월간] 버튼을 클릭하여 해당 기간 동안의 블로그 현황을 확인할 수 있습니다.

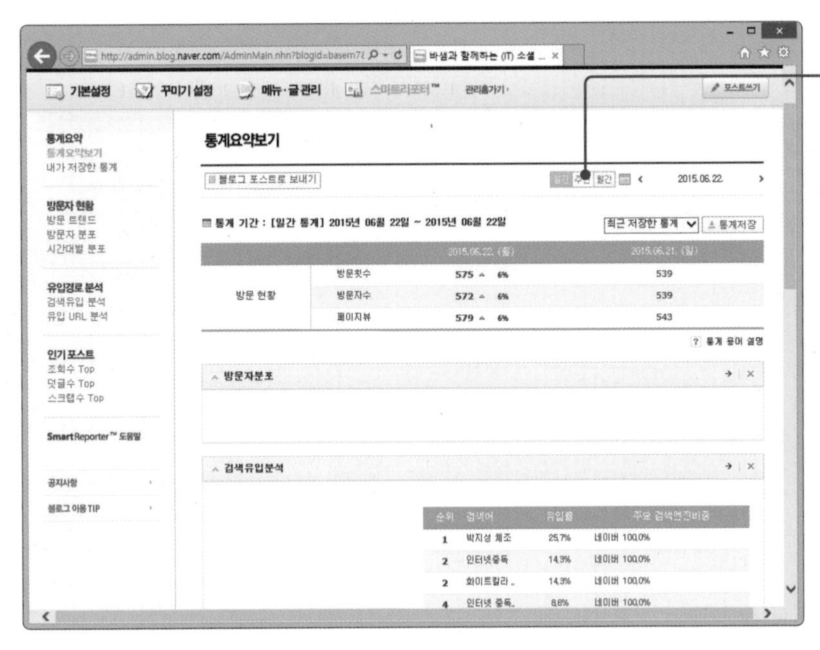

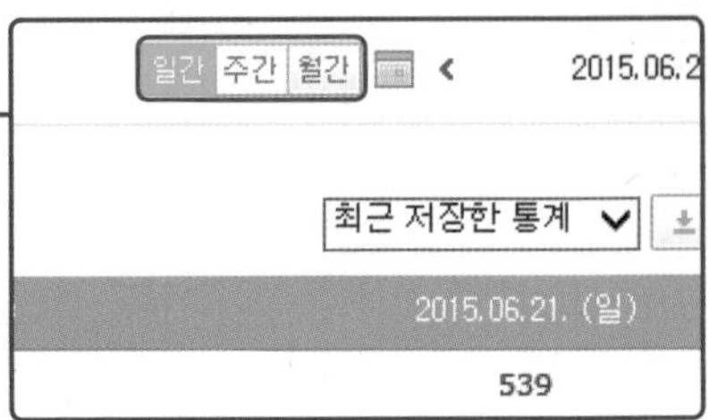

잠깐만요!

방문 현황 항목에 대한 의미를 자세히 알고 싶어요!

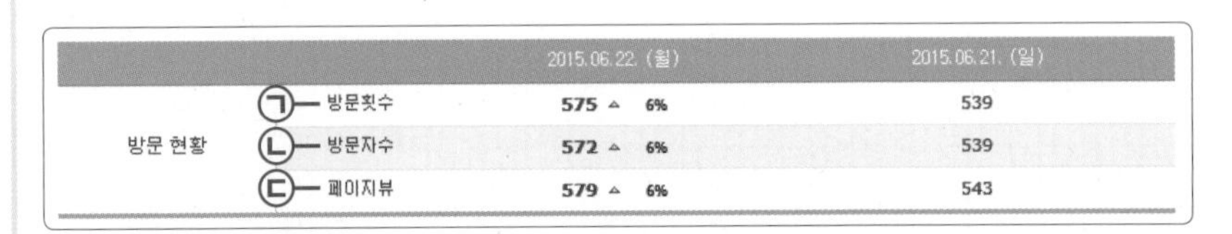

		2015.06.22. (월)	2015.06.21. (일)
방문 현황	㉠ 방문횟수	575 ▲ 6%	539
	㉡ 방문자수	572 ▲ 6%	539
	㉢ 페이지뷰	579 ▲ 6%	543

㉠ **방문횟수** : 다른 사람이 내 블로그에 방문한 횟수를 표시합니다.

㉡ **방문자수** : 내 블로그에 방문한 사람이 몇 명인지 표시합니다.

㉢ **페이지뷰** : 방문자가 내 블로그에서 읽은 총 포스트 페이지 수와 목록보기 수를 표시합니다.

참고로, 같은 방문자가 하루에 여러 번 내 블로그에 들어오는 경우, 방문자 수는 증가하지 않지만 방문 횟수는 증가합니다. 그리고 페이지뷰가 방문 횟수에 비해 더 높다면 한 번 방문해서 여러 개의 글을 읽었다는 의미입니다. 즉, 볼거리, 읽을거리가 풍부한 좋은 블로그라는 뜻이지요. 반대의 경우라면 한 번 방문해서 하나의 글만 보고 나갔다는 의미입니다. 이런 경우 꾸준히 좋은 블로그 글을 작성해 올리고 관리해 주면 방문자가 오랫 동안 내 블로그에 머물 수 있도록 할 수 있습니다.

각각의 정보를 자세히 살펴보기 위해 화면 왼쪽 메뉴에서 '방문자 현황'의 '방문자 분포'를 클릭합니다. 내 블로그에 방문하는 사람들 중에 남자가 많을지, 여자가 많을지, 연령대는 어떠할지, 이웃들은 얼마나 방문하는지 살펴볼 수 있습니다. 여기서도 일간, 주간, 월간 요약 정보를 확인할 수 있습니다.

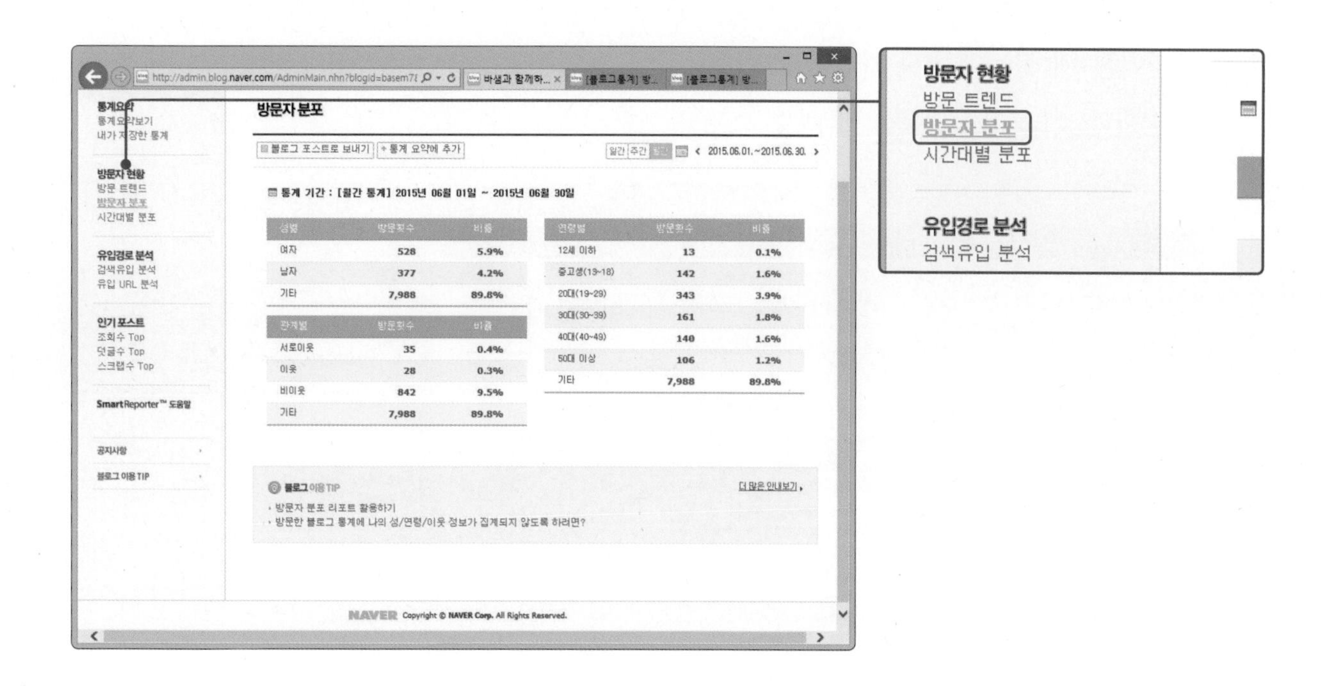

내 블로그에 검색을 통해 방문하는 사람들이 어떤 단어(키워드)를 통해 방문하는지 알아보기 위해 화면 왼쪽 메뉴의 '유입경로 분석'의 '검색유입 분석'을 클릭합니다. 내 블로그를 방문한 사람들이 가장 많이 입력한 검색어 키워드 순서대로 목록이 나열됩니다.

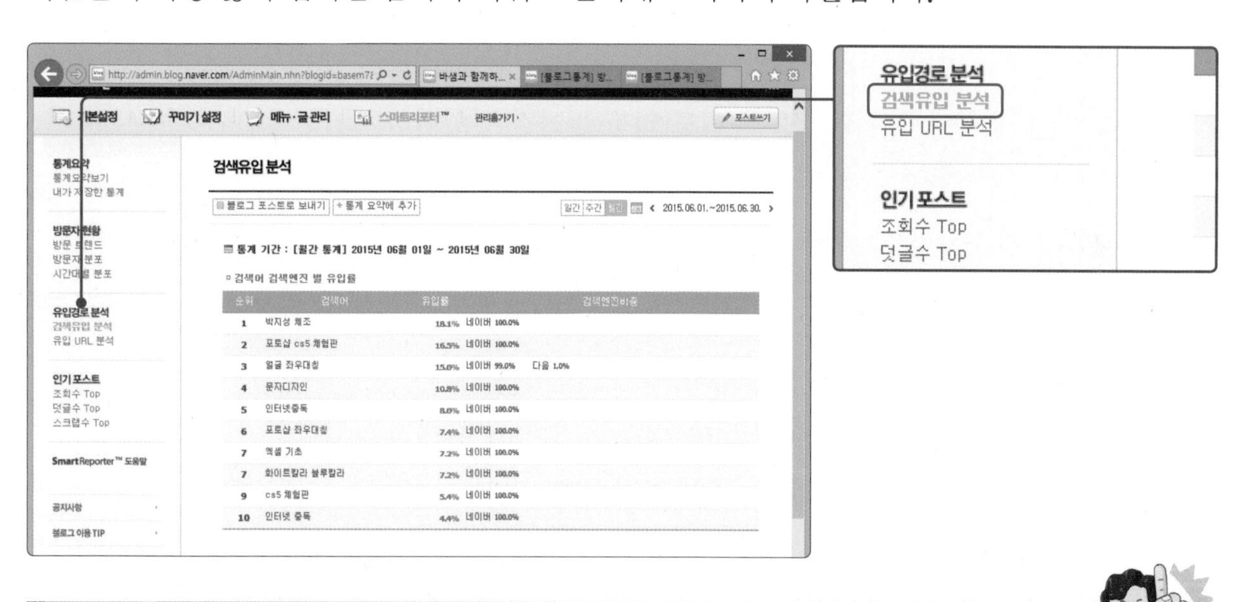

잠깐만요!

검색유입 경로는 왜 확인하나요?

검색유입 경로 부분은 어떤 검색어를 통해 어떤 경로로 내 블로그에 들어왔는지에 대해 알 수 있는 통계입니다. 블로그에 유입되는 검색어를 보고 그에 알맞는 포스팅을 꾸준히 해주는 것도 효과적입니다. 더불어 검색어의 검색엔진별 비중도 확인할 수 있습니다.

이번에는 내 블로그에서 가장 인기 있는 글을 확인해보겠습니다. 화면 왼쪽 메뉴에서 '인기포스트'의 '조회수 Top'을 클릭하세요.

내 블로그 중 어떤 포스트가 가장 인기가 있나요? 내 블로그에서 조회수가 높다는 것은 이 포스트가 검색도 잘되고 많이 읽혔다는 증거입니다. 관련 정보에 대해서 양질의 포스팅을 꾸준히 작성한다면 방문자수도 늘고 인기도 더욱 높아질 것입니다.

기타 가장 덧글이 많이 달린 포스트를 알려 주는 '덧글수', 내 글을 자신의 블로그로 가져간(공유한) 스크랩이 가장 많이 된 포스트를 알려 주는 '스크랩수' 등도 클릭하여 파악해 봅니다.

이러한 통계 기능을 통해 방문자는 몇 명인지, 어떠한 검색어로 방문이 되었는지, 어떠한 키워드로 검색해서 들어왔는지, 어떤 글이 가장 많이 읽히고 있는지 등을 파악할 수 있습니다. 앞으로 어떻게 운영할 것이지 어떠한 방향으로 진행할 것인지 어떠한 키워드를 작성해서 포스팅할 것인지 등 계획을 세워 봅니다.

06 그림판에서 블로그 타이틀 디자인하기

셋째마당에서 '리모콘'을 사용하여 블로그에서 제공하는 디자인으로 타이틀 디자인을 변경했습니다. 블로그의 특징을 부각시키거나 블로그의 브랜드를 알릴 수 있는 나만의 블로그를 원한다면 직접 디자인을 제작하여 적용해보도록 합니다. 디자인을 제작하려면 이미지 편집 프로그램이 필요한데, 전문적으로 포토샵을 이용하면 좋지만 여기서는 윈도우 보조프로그램에 설치된 '그림판' 프로그램을 사용하여 블로그 타이틀을 쉽고 빠르게 제작하는 방법에 대해서 알아보도록 하겠습니다. 네이버 블로그 타이틀의 크기는 가로 966픽셀, 세로 50~300픽셀의 이미지로 제작합니다.

무작정 따라하기

01 내 컴퓨터에 저장되어 있는 사진 중에 블로그 타이틀 사진으로 등록하려는 사진 파일을 찾아 마우스 오른쪽 버튼을 클릭합니다. 바로가기 메뉴에서 '편집'을 클릭합니다.

02 '그림판'이 실행되면서 선택한 사진이 보입니다. 화면 아래쪽에서 현재 사진 크기를 확인할 수 있습니다. 사진이 화면에서 크게 또는 작게 보인다면 오른쪽 하단의 확대/축소인 '–', 와 '+'를 클릭하여 사진을 화면에 알맞게 맞춥니다.

03 사진에서 필요 없는 부분이 있다면 '자르기'를 먼저 합니다. 자르기를 하지 않으려면 이 단계를 지나 **05**번 과정으로 바로 갑니다. 사진을 자르기 위해 '선택'을 클릭합니다. 이어서 사진위에서 남길 부분을 위주로 드래그합니다. 점선으로 사각형이 그려지면 '자르기'를 클릭합니다.

04 사진 자르기가 완료되었습니다. 사진을 자른 후 화면 하단의 사진 크기를 비교해보면 이전보다 줄어들었음을 알 수 있습니다.

05 사진의 크기를 블로그 타이틀 크기에 맞게 조절해보겠습니다. 여기서는 가로 '966px' 세로 '250px'로 제작합니다. '크기조정'을 클릭하세요. 나타나는 화면에서 '픽셀'을 클릭하여 선택한 후 '가로 세로 비율 유지'를 클릭하여 ✓ 표시를 해제합니다. 이어서 '가로'에 『966』, '세로'에 『250』을 입력한 후 [확인] 버튼을 클릭합니다.

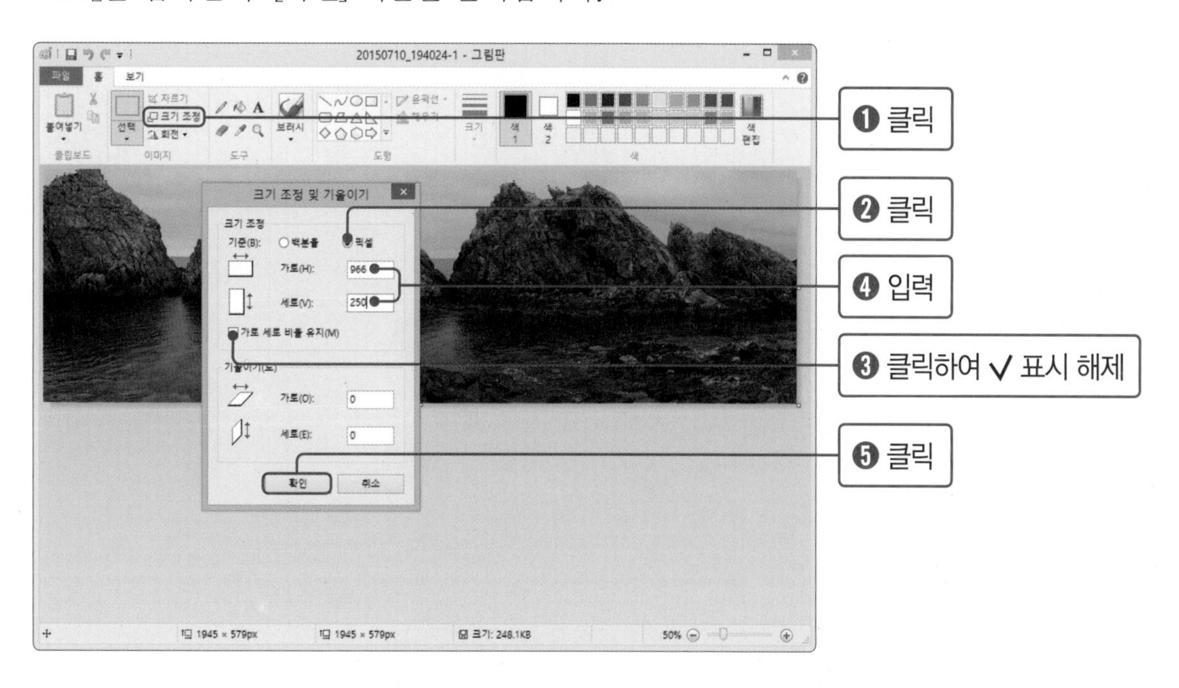

06 사진 크기가 줄어들었습니다. 화면 하단의 사진 크기를 비교해보면 입력한 크기만큼 변경되었음을 알 수 있습니다. 오른쪽 하단의 확대/축소인 '–', 와 '+'를 클릭하여 사진을 화면에 알맞게 맞춥니다. 사진 위에 타이틀 문구를 입력하겠습니다. 'A'를 클릭하세요.

잠깐만요!

타이틀에 꼭 문구를 넣어야 하나요?

제목을 디자인하지 않고 셋째마당에서 익혔던 '리모콘' 기능을 이용해서 블로그 타이틀 표시를 하면 블로그 '관리' 페이지의 '기본설정'의 '블로그 정보'에서 입력했던 제목으로 표시할 수 있습니다. 글자 디자인을 하지 않으려면 이 단계를 지나 바로 저장해도 됩니다.

07 문구를 넣고자 하는 위치에서 드래그합니다. 점선 모양의 사각형이 생깁니다. 바로 문구를 입력하세요.

08 입력된 문구를 드래그 한 후 글자 크기를 클릭하여 변경합니다. 글꼴도 변경합니다. 오른쪽에서 글자 색상도 클릭하여 변경해봅니다.

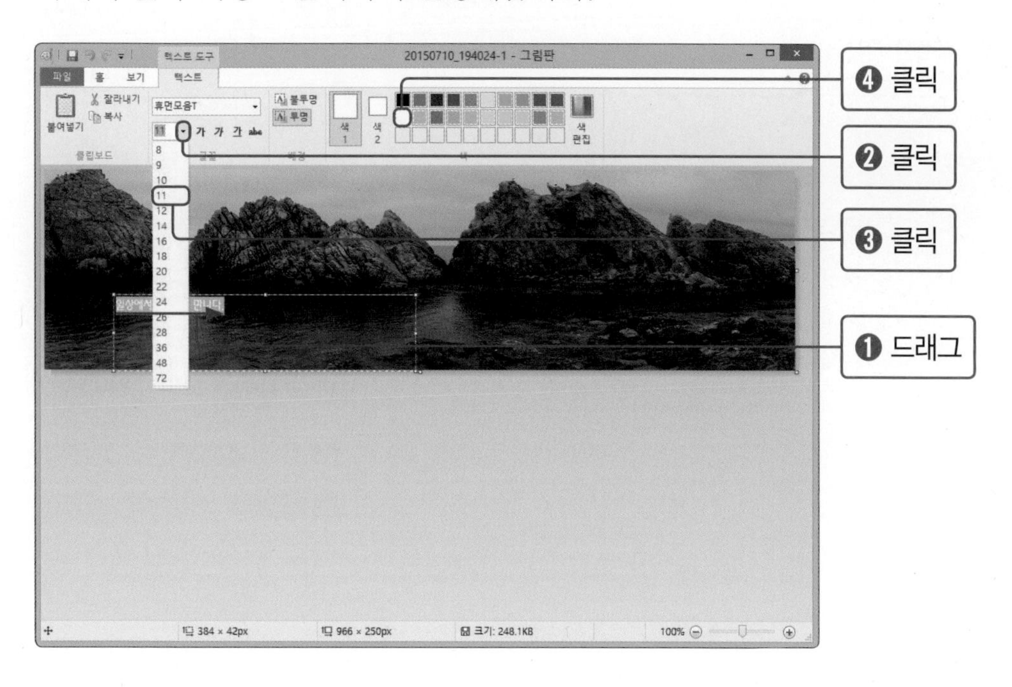

09 사진과 문구가 어울리도록 배치하기 위해 입력된 문구를 이동해봅니다. 글자 테두리 점선에 마우스를 올리고 드래그하면 이동됩니다.

10 사진을 저장하기 위해 '파일'을 클릭하여 [다른 이름으로 저장]을 클릭합니다.

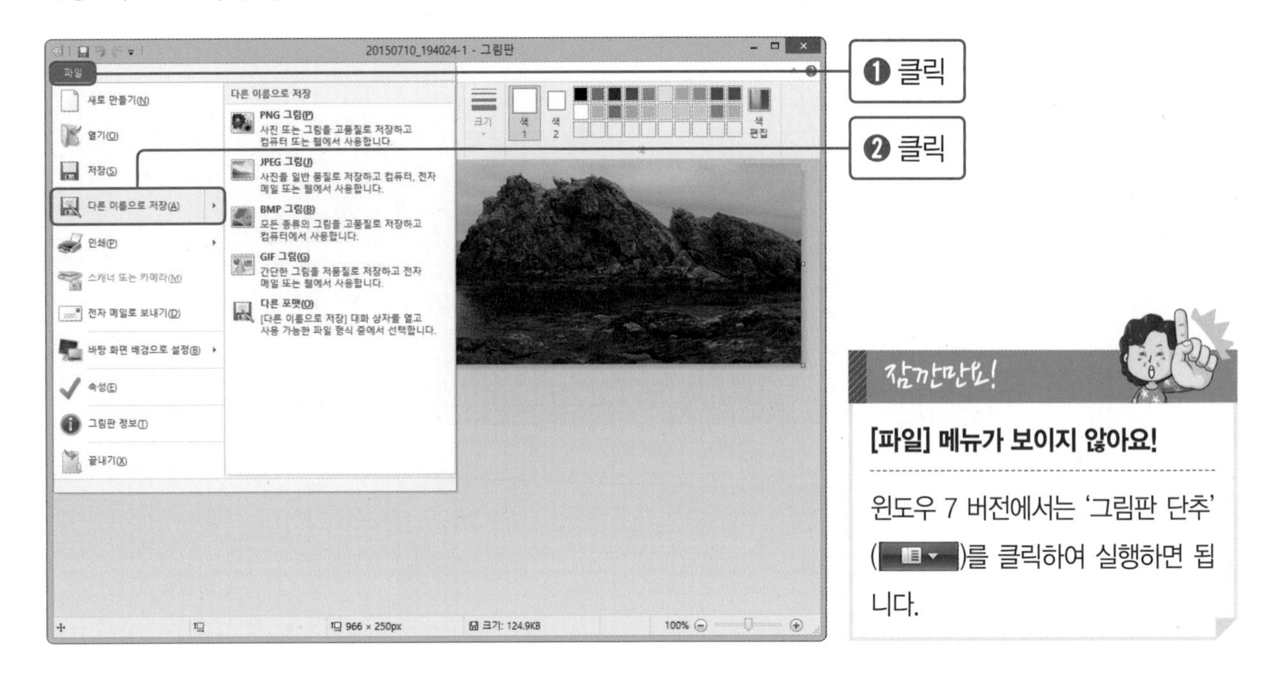

잠깐만요!

[파일] 메뉴가 보이지 않아요!

윈도우 7 버전에서는 '그림판 단추'( )를 클릭하여 실행하면 됩니다.

11 저장하고자 하는 위치를 지정한 후 '파일 이름'을 입력 후 [저장] 버튼을 클릭하여 완료합니다.

07 직접 만든 타이틀을 내 블로그에 적용하기

이제 앞장에서 준비한 타이틀 디자인을 내 블로그에 적용해볼까요? 직접 디자인한 사진을 타이틀 디자인으로 '리모콘' 기능을 이용해 올릴 수 있습니다.

무작정 따라하기

01 내 블로그의 시작 화면 오른쪽 상단에 있는 '내 메뉴'를 클릭한 후 '리모콘'을 클릭합니다.

02 '리모콘'이 나타납니다. '리모콘' 영역에서 타이틀 디자인을 변경하기 위해 '타이틀'을 클릭합니다. 이어서 '직접등록' 탭을 클릭한 후 [찾기] 버튼을 클릭합니다.

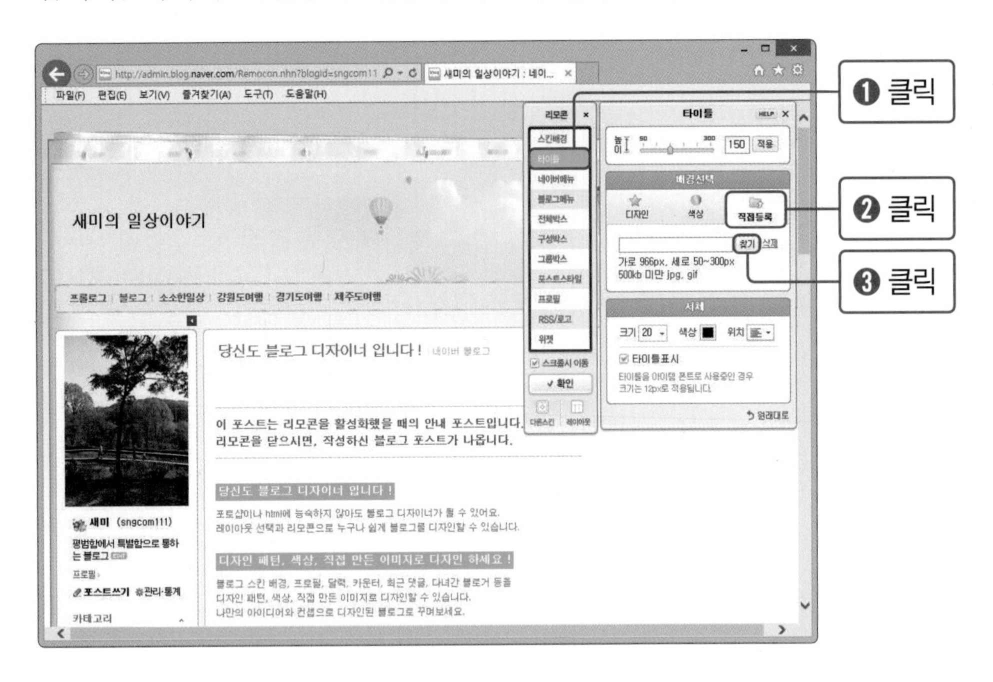

03 '이미지 첨부' 창이 나타납니다. [찾아보기] 버튼을 클릭하세요.

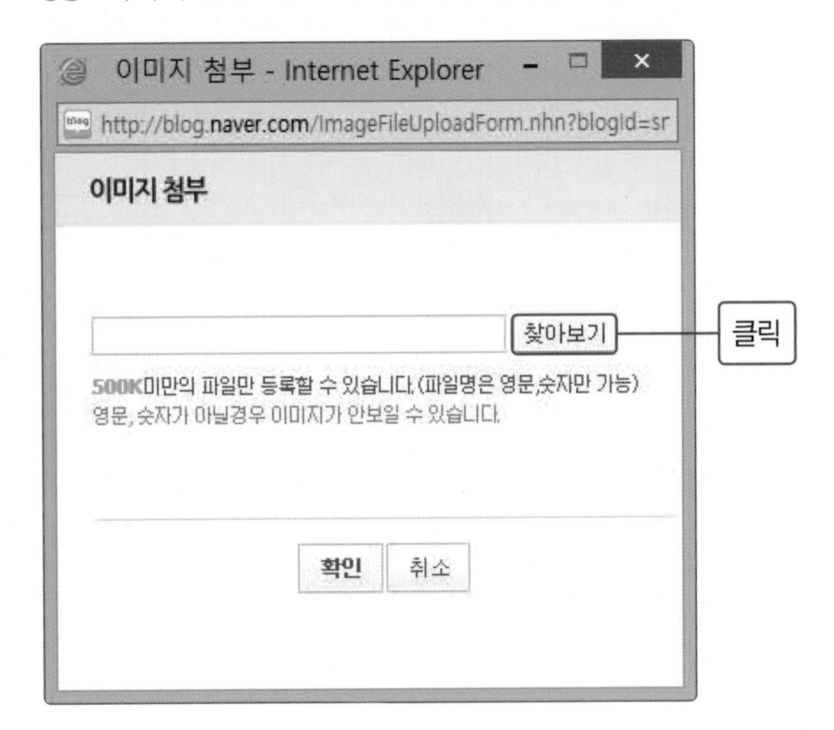

04 앞장에서 디자인한 타이틀 사진을 찾아 선택한 후 [열기] 버튼을 클릭합니다.

05 다시 '이미지 첨부' 창이 나타납니다. [확인] 버튼을 클릭하세요.

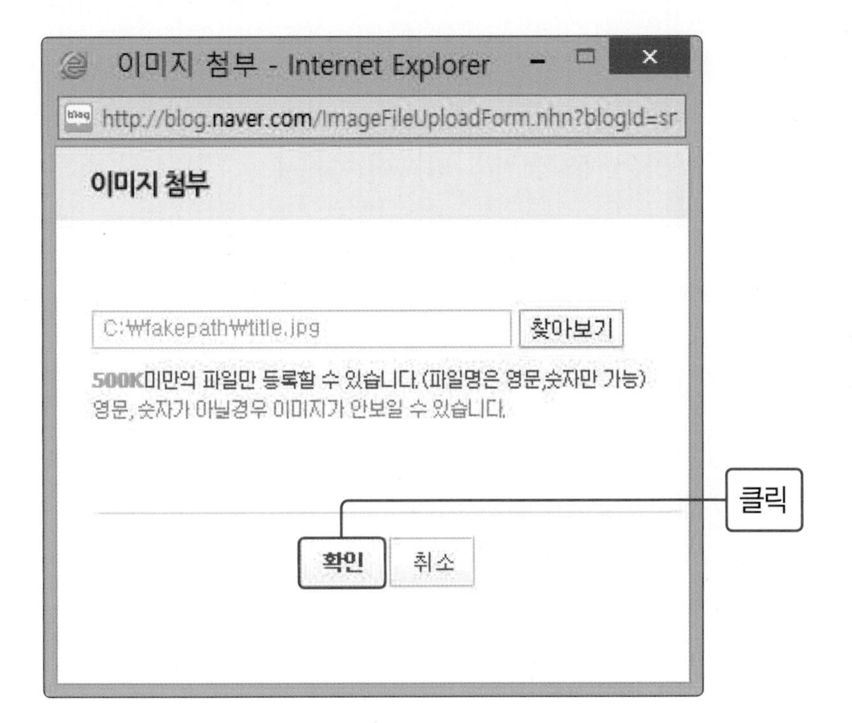

06 타이틀 사진이 등록되었습니다. 타이틀 높이의 숫자를 클릭하여 직접 디자인하면서 지정했던 『250』으로 입력한 후 [적용] 버튼을 클릭합니다. 이어서 타이틀 디자인을 적용하기 위해 '리모콘' 영역 아래에 있는 [확인] 버튼을 클릭합니다.

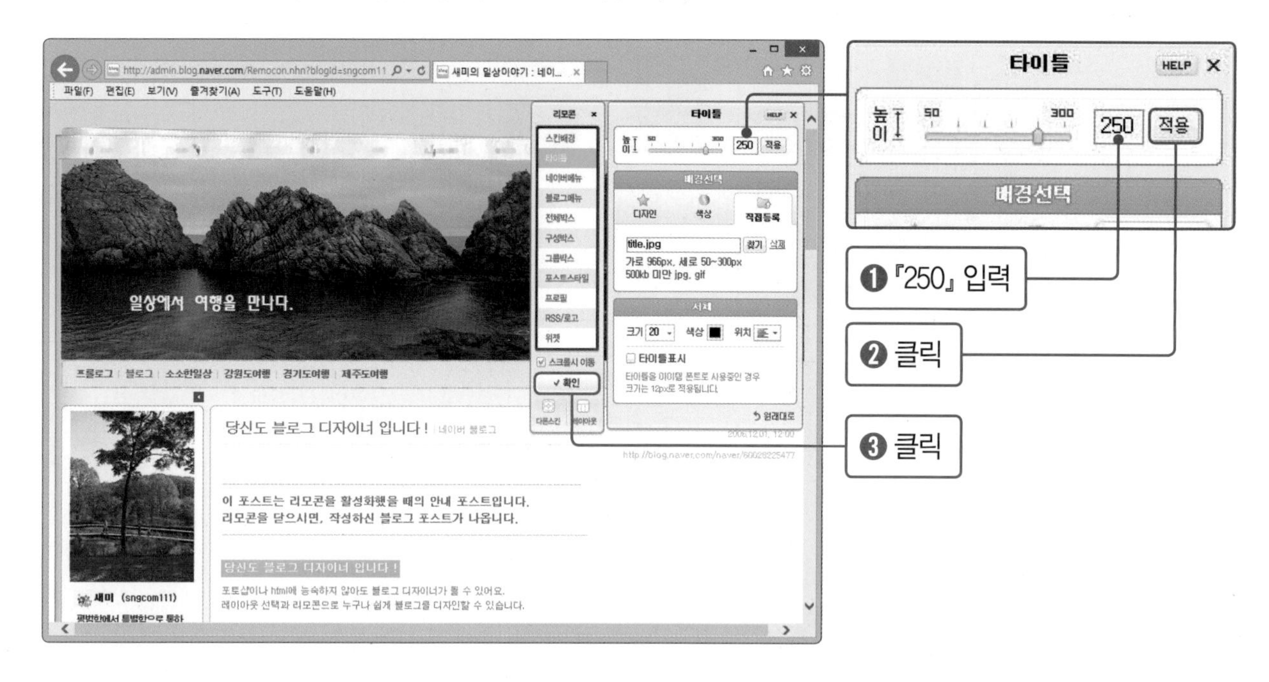

07 '현재 디자인을 적용하시겠습니까?'라는 메시지가 나타나면 아래에 있는 [적용] 버튼을 클릭합니다.

08 타이틀 디자인이 적용된 블로그 화면을 확인할 수 있습니다.

잠깐만요!

타이틀에 2개의 문구가 겹쳐서 표시됩니다!

기존에 '블로그 정보'에서 입력했던 제목이 표시된 상태에서 직접 만든 타이틀 문구를 넣었다면 제목이 둘 다 표시되어 나타납니다. '타이틀' 영역에서 '타이틀 표시'를 클릭하여 ✔ 표시를 해제합니다.

08 꼭 알리고 싶은 글 공지로 등록하기

인터넷에서 회사 홈페이지를 방문해 보면 첫 화면에 '공지사항'이 제일 먼저 보이게 하여 새로운 소식에 관한 글, 알리고 싶은 글을 방문자에게 알려줍니다. 이러한 기능을 블로그에서도 사용할 수 있습니다. 블로그 활동을 하다보면 내 블로그 방문자에게 소식이나, 꼭 알리고 싶은 내용을 게시하고 싶을 때가 있습니다. 작성한 글을 '공지'로 등록하면 쉽고 빠르게 방문자에게 노출할 수 있습니다. 공지사항은 최대 5개까지 등록할 수 있습니다.

무작정 따라하기

01 내 블로그에서 공지사항으로 등록하고 싶은 글을 하나 클릭합니다.

02 글 내용이 보입니다. 이동 막대를 아래로 드래그하여 글 아래 오른쪽에 있는 '설정'을 클릭하세요.

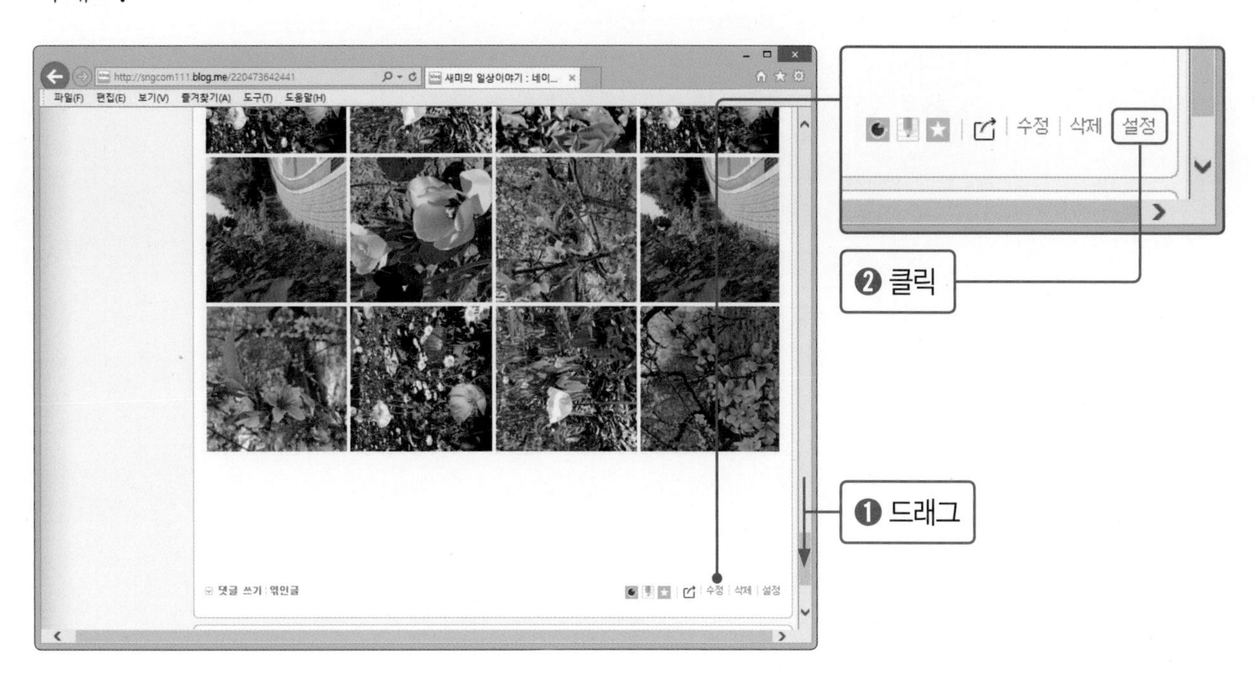

03 관련 메뉴가 나타납니다. 여기서 '공지사항에 등록'을 선택합니다.

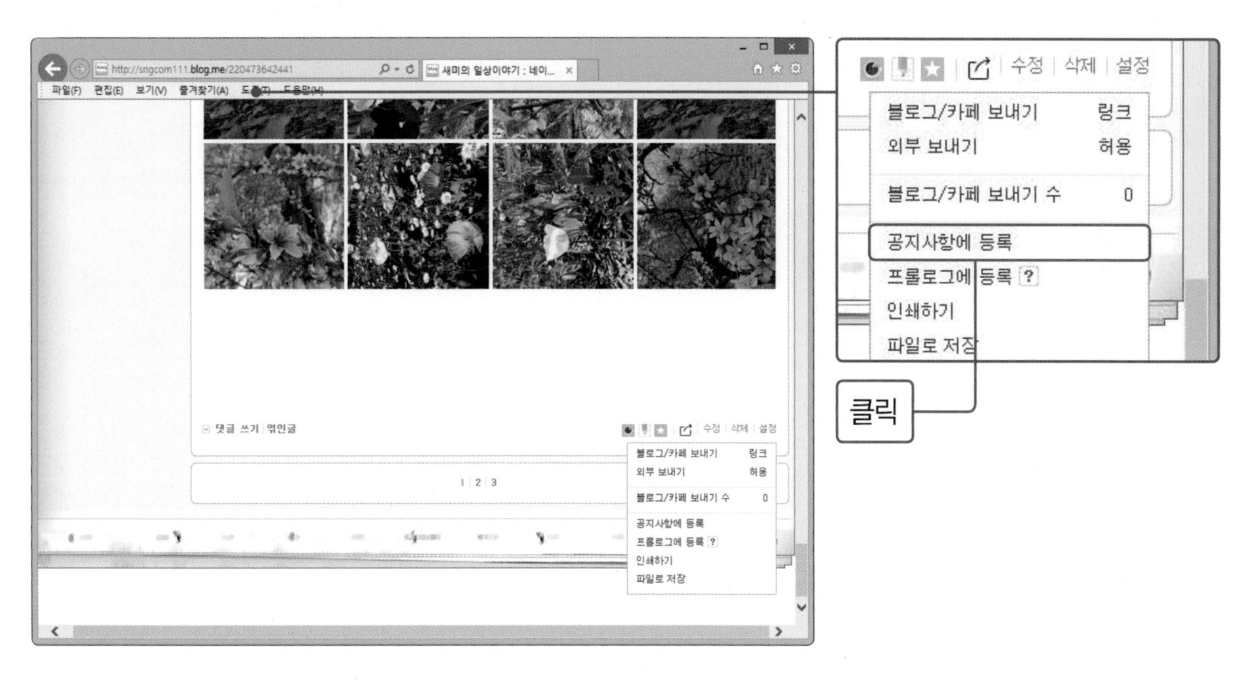

04 '포스트가 공지로 등록되었습니다.'라는 메시지가 나타나면 [확인] 버튼을 클릭하세요.

05 글이 포스트 영역 상단에 [공지]로 등록되어 나타납니다.

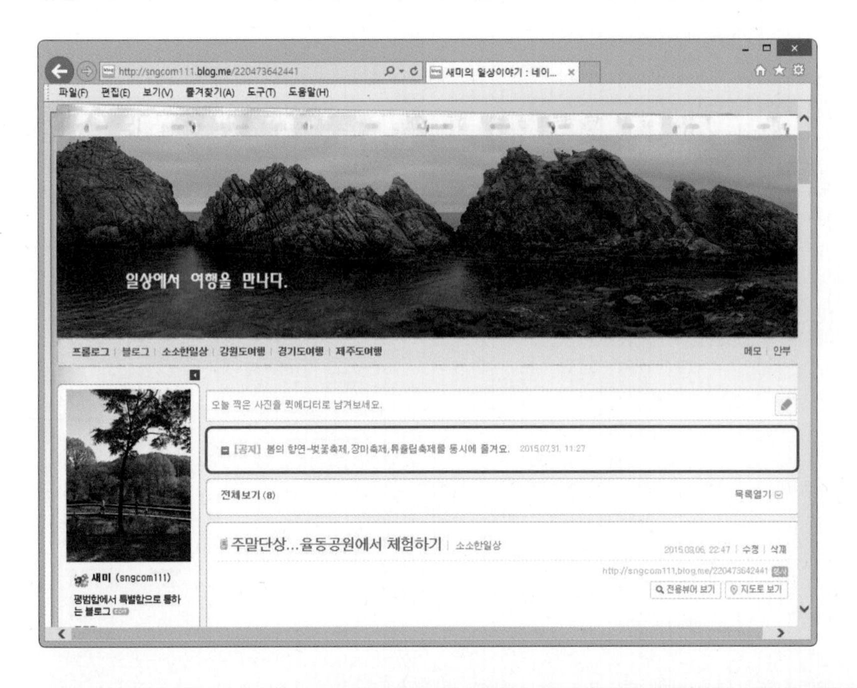

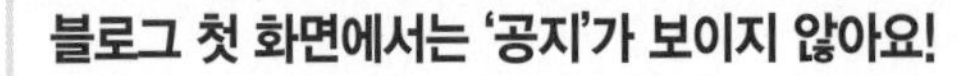

잠깐만요!

블로그 첫 화면에서는 '공지'가 보이지 않아요!

공지 글을 등록하면 포스트 영역 상단에 배치되어 쉽게 확인할 수 있습니다. 다만, 블로그 첫 화면 형태에 따라 공지가 바로 보이지 않기도 합니다. 첫 화면이 '프롤로그 형태'인 경우에는 바로 보이지 않습니다.

여섯째 마당

언제 어디서나 스마트폰으로 블로그하기

스마트폰 사용이 활성화되면서 '네이버 블로그' 앱을 스마트폰에 설치하면 컴퓨터에서 뿐만 아니라 스마트폰에서도 쉽고 빠르게 블로그에 접속하여 사용할 수 있게 되었습니다. 스마트폰에서 블로그를 하면 스마트폰으로 찍은 사진을 바로 포스팅할 수 있다는 장점과 실시간으로 알림 메시지 즉, 이웃들의 새글, 덧글을 바로 확인하고 답글을 작성할 수 있는 장점이 있습니다. 이제 언제 어디서나 기록을 남기고 싶을 땐 스마트폰에서 블로그 활동을 해 보세요.

01 네이버 블로그 앱 설치하고 실행하기

스마트폰에서 네이버 블로그를 사용하기 위해서는 먼저 '네이버 블로그' 앱을 설치해야 합니다. 이 책에서는 안드로이드 계열 스마트폰(예를 들어, 삼성 갤럭시 시리즈, LG G 시리즈 등)을 기본으로 설명합니다. 화면은 스마트폰의 환경에 따라 조금씩 다를 수 있지만 아이콘 모양이나 설명을 잘 살펴보고 따라해보면 금세 익힐 수 있습니다.

무작정 따라하기

01 스마트폰의 홈 화면에서 'Play 스토어'( ) 앱을 찾아 터치합니다.

잠깐만요!

아이폰을 사용하는 경우에는요?

아이폰을 사용하는 경우에는 홈 화면의 'App Store' 앱을 찾아 터치하세요. 이 책에서는 안드로이드폰을 기준으로 설명하였습니다.

02 구글 플레이 화면이 나타납니다. 검색할 단어를 입력하기 위해 검색 창을 터치합니다.

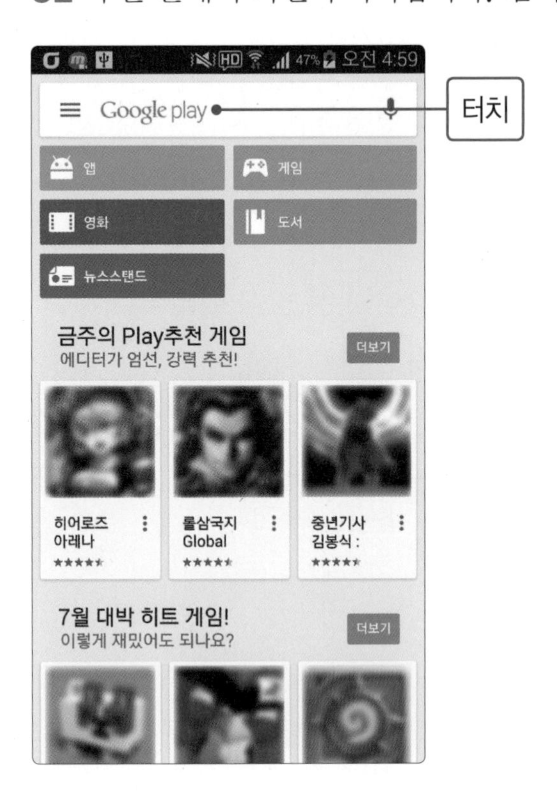

03 검색 창에『네이버블로그』를 입력하면 아래 목록에 검색 결과가 나타납니다. 목록에서 '네이버 블로그–Naver Blog'를 터치하세요.

04 아래 그림과 같이 검색된 앱이 나타납니다. 앱에 대한 설명을 보고 싶으면 화면을 아래로 이동하면서 확인할 수 있습니다. 해당 앱을 설치하기 위해 화면에서 [설치] 버튼을 터치합니다.

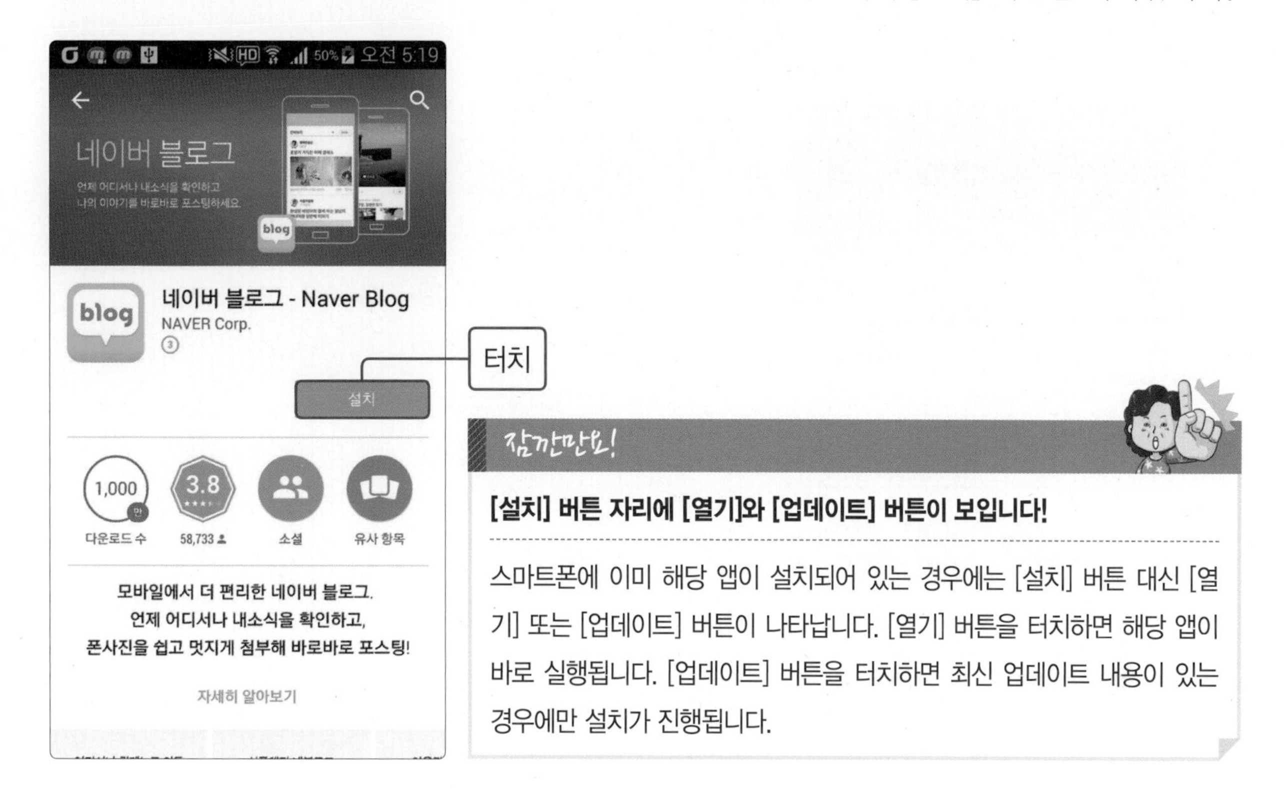

잠깐만요!

[설치] 버튼 자리에 [열기]와 [업데이트] 버튼이 보입니다!

스마트폰에 이미 해당 앱이 설치되어 있는 경우에는 [설치] 버튼 대신 [열기] 또는 [업데이트] 버튼이 나타납니다. [열기] 버튼을 터치하면 해당 앱이 바로 실행됩니다. [업데이트] 버튼을 터치하면 최신 업데이트 내용이 있는 경우에만 설치가 진행됩니다.

05 '앱 권한' 페이지가 나타나면 [동의] 버튼을 터치합니다.

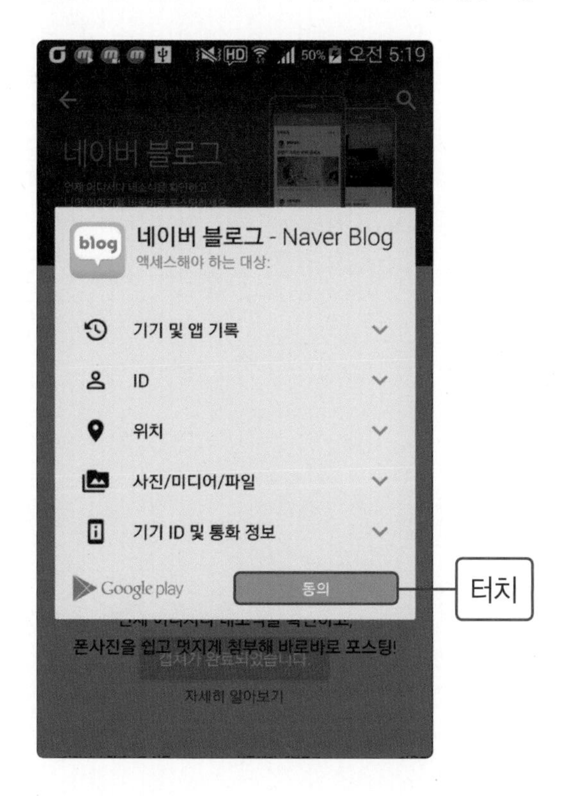

06 설치 과정이 끝나면 아래 그림과 같이 [제거]와 [열기] 버튼이 나타납니다. [열기] 버튼을 눌러 방금 설치한 네이버 블로그 앱을 실행해도 되고 홈 화면으로 이동하여 실행해도 됩니다. 여기서는 홈 화면으로 이동하였습니다.

07 홈 화면에서 '네이버 블로그' 앱이 설치된 것을 확인합니다. 해당 앱을 터치하여 실행하세요.

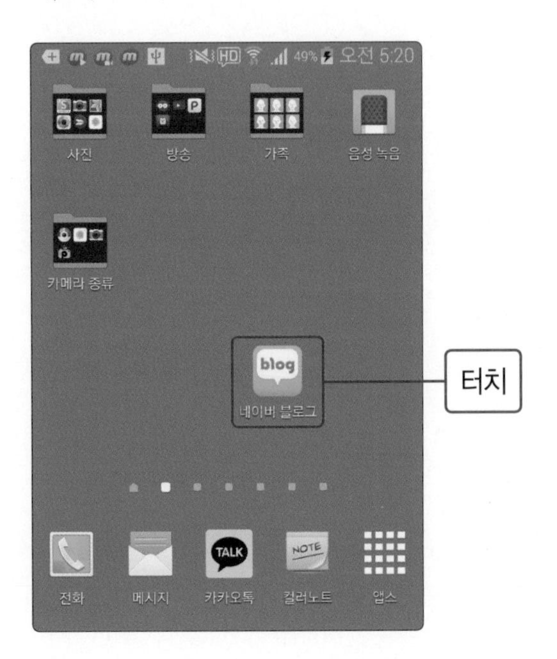

08 '네이버 블로그' 앱을 실행하면 아래 그림과 같이 로그인 화면이 나타납니다. 컴퓨터로 네이버에 접속할 때 사용하던 것과 동일한 네이버 아이디와 비밀번호를 입력합니다. 입력을 마쳤으면 [로그인] 버튼을 터치하세요.

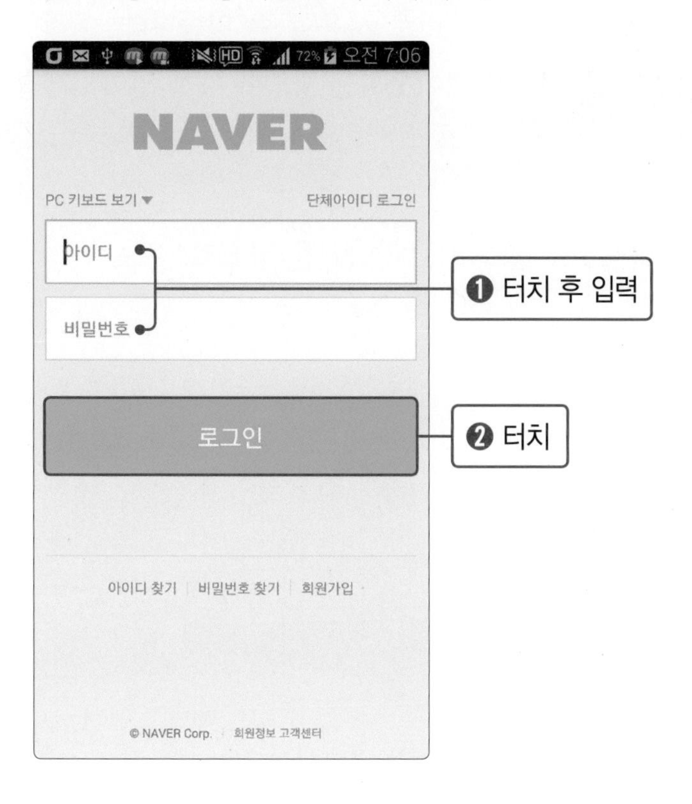

09 로그인이 되면 블로그의 첫 화면으로 '이웃새글' 화면이 나타납니다. '네이버 블로그' 앱은 [로그아웃] 버튼을 따로 누르지 않으면 앱을 종료한 후에도 계속 로그인 상태를 유지합니다.

한 걸음 더 자동으로 로그인되는 네이버 블로그 앱에서 로그아웃하기

블로그 앱을 설치한 후 로그인을 하여 블로그를 사용합니다. 사용한 후 앱을 종료해도 로그아웃되지 않고, 다시 블로그를 실행하면 자동 로그인이 되어 바로 사용할 수 있습니다. 이러한 기능은 앱의 특징이기도 합니다. 자동 로그인 기능에서 로그아웃하는 방법에 대해 알아보겠습니다.

01. '네이버 블로그' 앱의 시작 화면에서 ☰를 터치하세요.

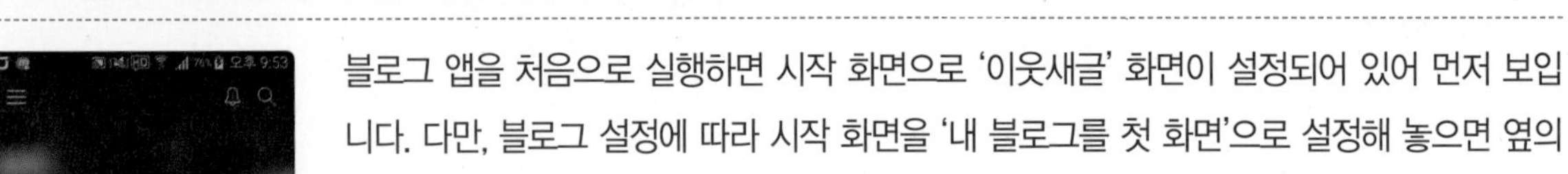

네이버 블로그 앱의 시작 화면이 책의 그림과 달라요!

블로그 앱을 처음으로 실행하면 시작 화면으로 '이웃새글' 화면이 설정되어 있어 먼저 보입니다. 다만, 블로그 설정에 따라 시작 화면을 '내 블로그를 첫 화면'으로 설정해 놓으면 옆의 화면처럼 시작 화면이 다르게 보일 수 있습니다.

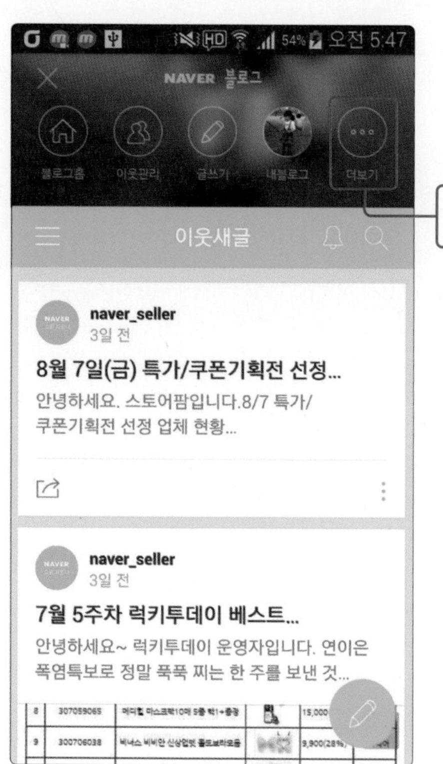

02. 화면 위쪽에 바로가기 탭 목록이 나타납니다. '더보기' 탭을 터치하세요.

03. 아래와 같은 화면이 나타나면 '로그인정보'를 터치합니다.

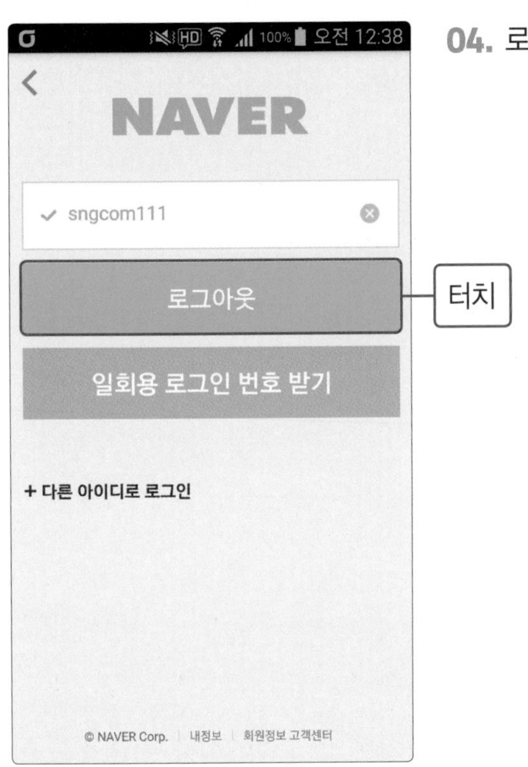

04. 로그인 된 아이디가 보입니다. [로그아웃] 버튼을 터치합니다.

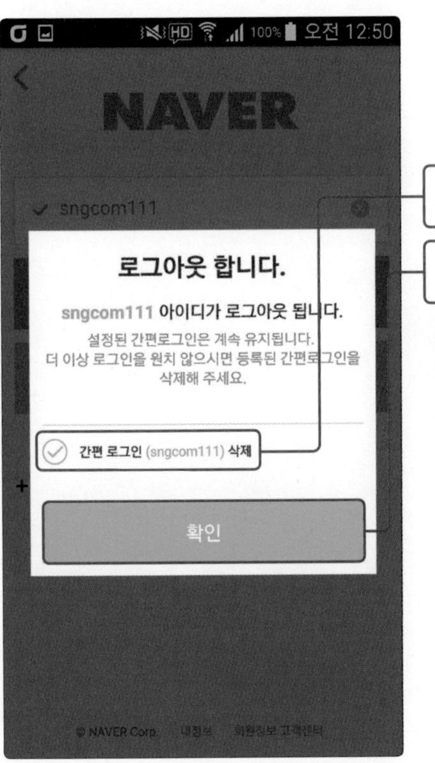

05. 아래와 같은 화면이 나타나면 '간편 로그인(아이디) 삭제'를 터치한 후 [확인] 버튼을 터치합니다.

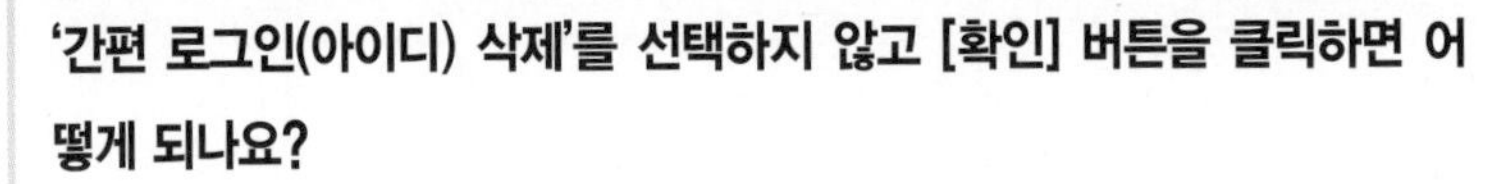

'간편 로그인(아이디) 삭제'를 선택하지 않고 [확인] 버튼을 클릭하면 어떻게 되나요?

'간편 로그인 삭제'를 선택하지 않고 [확인] 버튼을 터치해도 로그아웃 됩니다. 하지만, 블로그 앱을 다시 접속하게 되었을 때 '간편 로그인'으로 연결되어, 터치 한 번으로 쉽게 접속됩니다. '간편 로그인(아이디) 삭제'를 선택한 후 [확인] 버튼을 터치해야 재접속 시 아이디와 비밀번호를 입력하는 화면이 나타납니다.

02 앱 화면 구성 살펴보기

'네이버 블로그' 앱의 시작 화면은 '이웃새글' 화면이 기본으로 나타납니다. 내가 등록한 이웃의 새 글을 실시간으로 확인하고 원하는 글을 터치하여 읽거나 공감을 표현하고 덧글을 달 수 있습니다.

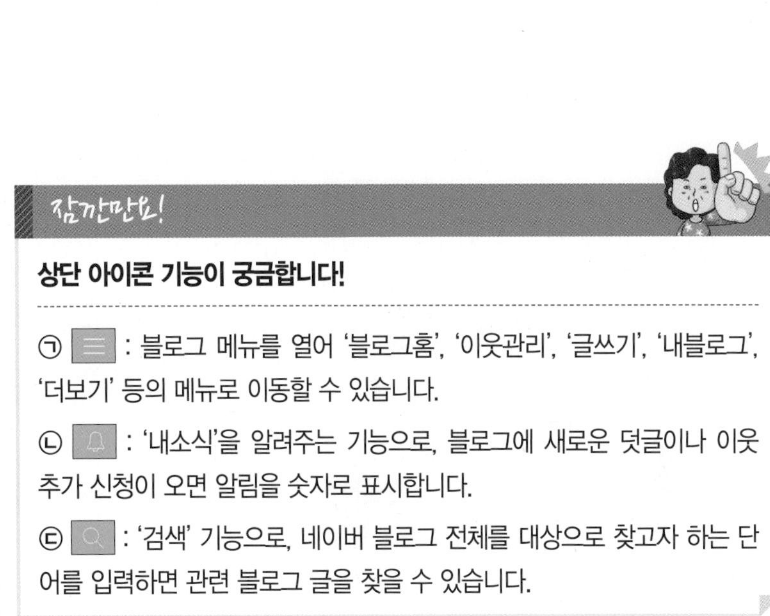

잠깐만요!

상단 아이콘 기능이 궁금합니다!

㉠ : 블로그 메뉴를 열어 '블로그홈', '이웃관리', '글쓰기', '내블로그', '더보기' 등의 메뉴로 이동할 수 있습니다.

㉡ : '내소식'을 알려주는 기능으로, 블로그에 새로운 덧글이나 이웃 추가 신청이 오면 알림을 숫자로 표시합니다.

㉢ : '검색' 기능으로, 네이버 블로그 전체를 대상으로 찾고자 하는 단어를 입력하면 관련 블로그 글을 찾을 수 있습니다.

'네이버 블로그' 앱의 시작 화면에서 를 터치하면 화면 위쪽에 바로가기 탭이 나타납니다. '블로그홈, 이웃관리, 글쓰기, 내블로그, 더보기'의 5개 탭으로 구성되어 있습니다. '블로그홈'을 터치하면 언제든지 블로그 앱의 시작 화면으로 이동하여 이웃새글을 확인할 수 있습니다.

❶ 블로그홈

내가 작성한 글을 저장할 카테고리(메뉴)를 선택할 수 있습니다. 내림 단추를 클릭하면 카테고리(메뉴) 목록이 나타납니다.

❷ 이웃관리

'이웃관리' 탭을 터치한 화면입니다. 이웃을 맺은 블로그 목록이 화면 아래에 나타납니다. 최신글이 등록된 이웃 블로그 순서대로 나타납니다. 이웃 블로그를 터치하면 해당 블로그로 바로 이동하여 글을 볼 수 있습니다. 또한 내 이웃을 모두 확인할 수 있고 그룹별로 이웃을 관리하거나 다른 이웃을 검색할 수 있습니다.

❸ 글쓰기

'글쓰기' 탭을 터치한 화면입니다. 화면 가운데 글쓰기 영역을 터치하면 글쓰기 화면으로 전환되어 글을 쓸 수 있고 화면 아래 도구를 클릭하여 사진이나 동영상, 지도, 이모티콘을 첨부할 수 있습니다. 글을 모두 작성한 후에는 [다음] 버튼을 터치하여 글을 등록합니다. '네이버 블로그' 앱에서 글을 작성하는 자세한 내용은 241쪽에서 설명합니다.

잠깐만요!

글쓰기 화면 도구들의 기능이 궁금해요!

㉠ **사진** : 갤러리 사진 중에서 선택하여 첨부합니다.
㉡ **동영상** : 저장된 동영상이 보이며 목록 중에서 선택하여 첨부합니다.
㉢ **위치** : 지도를 첨부합니다.
㉣ **스티커** : 블로그에서 제공하는 스티커 이미지를 첨부합니다.
㉤ **링크추가** : 복사한 URL(링크주소)를 붙여넣기 하여 첨부합니다.
㉥ **환경설정** : '글쓰기 설정'으로 글의 공개설정, 허용범위 등을 설정합니다.
㉦ **종료** : 'X'를 터치하면 글쓰기 화면을 종료합니다.
㉧ **임시글** : 임시저장해 둔 글을 불러와 작성합니다.
㉨ **임시저장** : 작성하고 있는 글을 임시저장할 수 있으며 임시글로 자동 등록됩니다.
㉩ **다음** : 글 작성을 마쳤다면 [다음] 버튼을 터치하여 글 등록을 완료합니다.

❹ 내 블로그

내 블로그의 타이틀과 대문사진, 내 글 목록이 나타납니다. 이곳에서 내 블로그를 확인하고 관리할 수 있으며 를 터치해 글을 쓰고 등록할 수도 있습니다.

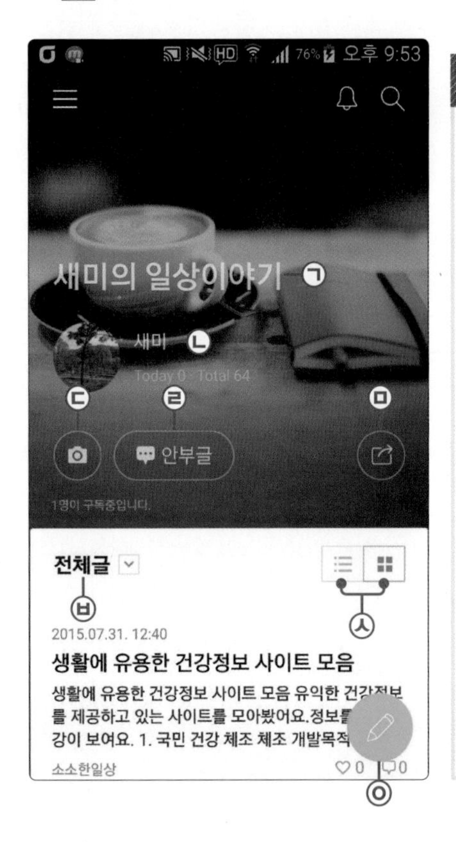

잠깐만요!

각 아이콘의 기능을 설명해주세요!

㉠ **제목** : 대문사진과 함께 블로그의 제목이 표시됩니다.

㉡ **닉네임(별명)** : 프로필 사진과 닉네임 및 방문자 수가 나타납니다.

㉢ **카메라** : '네이버 블로그' 앱의 대문사진을 변경합니다. PC에서 실행한 블로그 타이틀 이미지 부분과 같은 곳으로, 앱에서는 PC용 블로그에서의 타이틀 사진이 나타나지 않으며 별도로 앱에서 대문사진을 변경할 수 있도록 지원하고 있습니다.

㉣ **안부글** : PC용 블로그에서의 '안부' 게시판과 동일한 기능입니다.

㉤ **공유** : 블로그의 글을 다른 곳으로 공유하고자할 때 사용합니다.

㉥ **전체글** : 카테고리 목록이 나타납니다.

㉦ **글보기** : 최근에 등록된 글이 보이며 터치하면 글 전체 내용을 확인할 수 있습니다.

㉧ **글쓰기** : 바로 글을 쓰고 등록할 수 있습니다.

❺ 더보기

내 블로그의 로그인, 설정 정보 등을 확인하고 변경할 수 있으며 내 블로그의 통계를 확인할 수 있습니다.

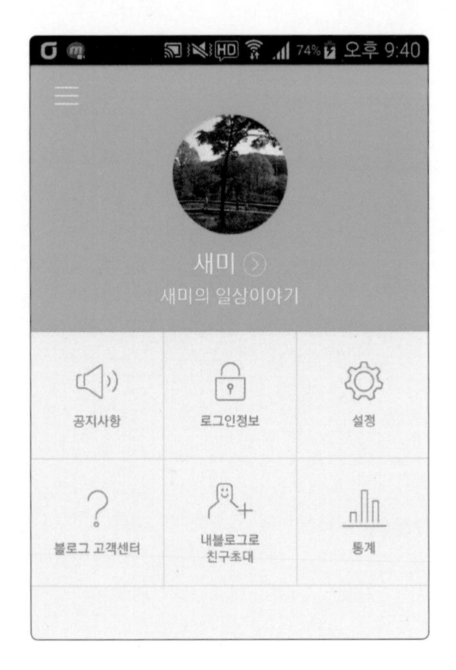

03 앱에서 대문사진 변경하기

'네이버 블로그' 앱의 대문사진은 블로그 주인의 얼굴과 같은 곳이므로 나를 잘 알릴 수 있는 사진이나 브랜드 이미지와 관련 있는 사진으로 설정하는 것이 좋습니다. 대문사진은 '네이버 블로그' 앱에서 제공하는 기본 표지와 직접 찍은 갤러리 사진 중에서 선택해 설정할 수 있습니다.

무작정 따라하기

01 '네이버 블로그' 앱에 로그인한 후 ☰를 터치하여 '내블로그' 탭을 선택한 합니다.

02 아래 그림과 같은 화면이 나타나면 [카메라 아이콘]를 터치합니다.

03 '대문사진을 선택하세요.'라는 메시지 창이 나타나면 네이버에서 제공하는 사진으로 대문사진을 꾸미기 위해 '기본 표지사진 선택'을 터치합니다.

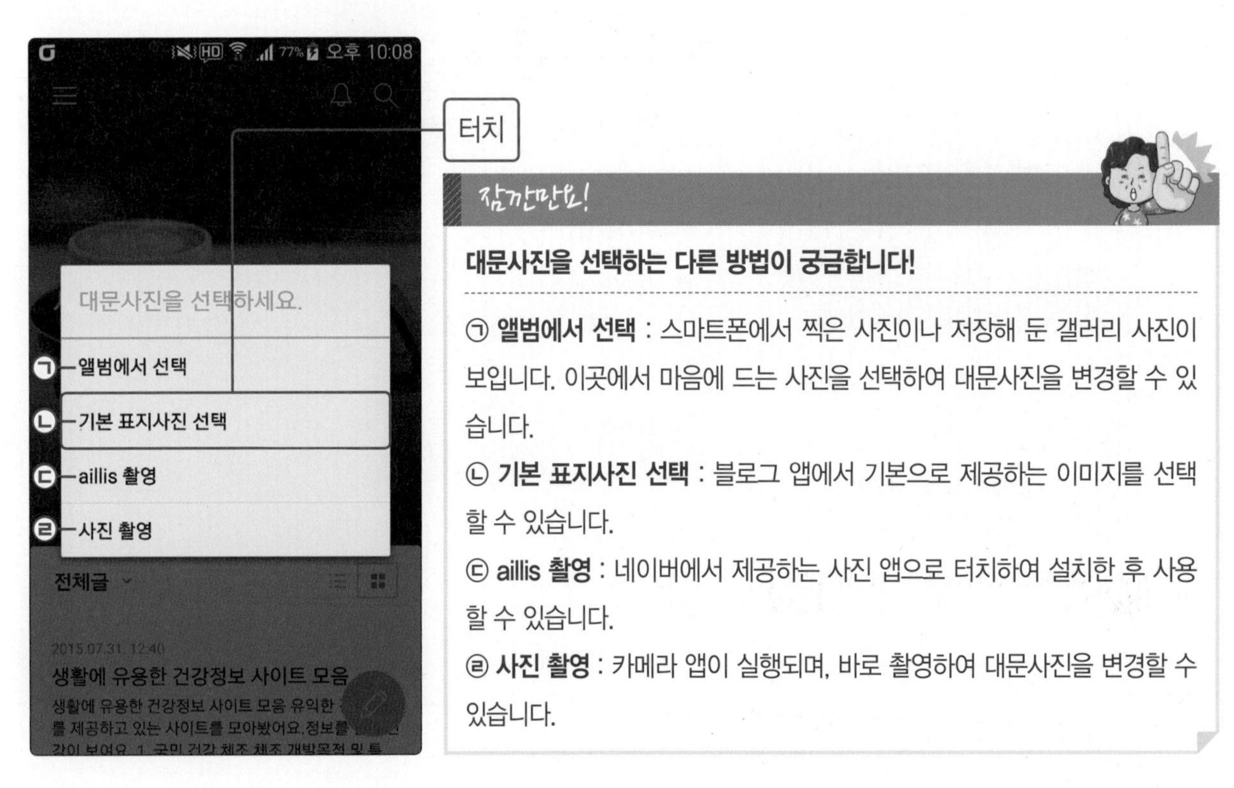

잠깐만요!

대문사진을 선택하는 다른 방법이 궁금합니다!

㉠ **앨범에서 선택** : 스마트폰에서 찍은 사진이나 저장해 둔 갤러리 사진이 보입니다. 이곳에서 마음에 드는 사진을 선택하여 대문사진을 변경할 수 있습니다.

㉡ **기본 표지사진 선택** : 블로그 앱에서 기본으로 제공하는 이미지를 선택할 수 있습니다.

㉢ **aillis 촬영** : 네이버에서 제공하는 사진 앱으로 터치하여 설치한 후 사용할 수 있습니다.

㉣ **사진 촬영** : 카메라 앱이 실행되며, 바로 촬영하여 대문사진을 변경할 수 있습니다.

04 네이버에서 제공하는 '기본 표지사진 선택' 화면이 나타납니다. 원하는 사진을 선택한 후 화면 오른쪽 위에 있는 ✓를 터치하세요.

05 '네이버 블로그' 앱의 대문사진이 변경되었습니다.

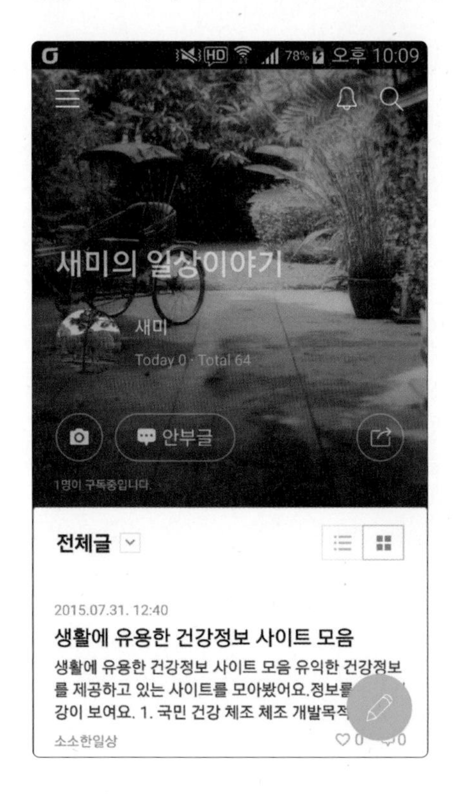

04 앱에서 프로필 사진 변경하기

'네이버 블로그' 앱의 프로필 사진은 대문사진과 더불어 블로그 주인의 얼굴과 같은 곳이므로 나를 잘 알릴 수 있는 사진이나 브랜드 이미지와 관련 있는 사진으로 설정하는 것이 좋습니다. 앱에서 프로필 사진을 변경하면 PC용 블로그에서도 동일하게 변경됩니다. PC용 블로그에서 프로필 사진 변경이 어려울 경우 블로그 앱에서 내가 찍은 사진으로 쉽고 빠르게 변경하는 것을 추천합니다.

무작정 따라하기

01 '네이버 블로그' 앱을 실행한 후 ≡를 터치하여 '더보기' 탭을 선택합니다.

02 아래와 같은 화면이 나타나면 적용되어 있던 프로필 사진을 터치합니다.

03 '블로그 정보' 화면이 나타나면 PC용 블로그에서 적용했던 '블로그명'과 '별명' 등의 블로그 정보가 나타납니다. 이곳에서 각 항목의 입력란을 터치하여 쉽고 빠르게 수정할 수 있습니다. 여기서는 프로필 사진을 변경하기 위해 '프로필 사진'의 '편집'을 터치합니다.

04 '대문사진을 선택하세요'라는 메시지가 나타나면 스마트폰에 저장된 사진을 불러오기 위해 '앨범에서 선택'을 터치합니다.

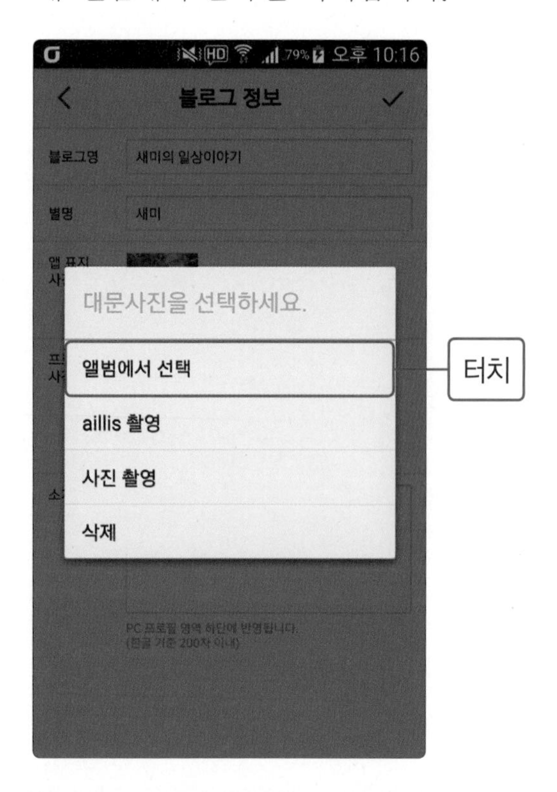

05 스마트폰에 저장된 사진 목록이 나타납니다. 원하는 사진을 터치하여 선택한 후 ☑을 터치합니다.

06 선택한 사진이 큰 화면으로 나타납니다. 사진을 터치한 상태에서 드래그하여 프로필 영역에 보여주고 싶은 부분을 조정합니다. 모든 설정을 완료했다면 ✓을 터치합니다.

07 다시 '블로그 정보' 화면이 나타납니다. 프로필 사진이 위에서 설정한대로 변경된 것을 확인한 후 블로그에 적용시키기 위해 ✓을 터치합니다.

08 프로필 사진이 변경되었습니다. PC에서 내 블로그에 방문해도 같은 사진으로 프로필 사진이 변경된 것을 확인할 수 있습니다.

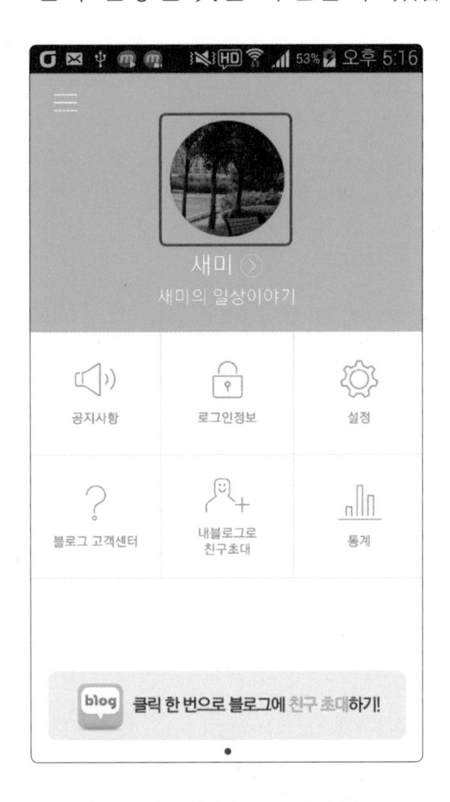

잠깐만요!

PC용 블로그에서도 프로필 사진이 함께 변경된 것을 확인하세요!

PC에서 내 블로그를 확인해 보면 프로필 영역의 사진이 스마트폰의 블로그 앱에서 변경한 사진과 동일하게 보이는 것을 확인할 수 있습니다.

05 앱에서 블로그 글쓰기

스마트폰에 '네이버 블로그' 앱을 설치하면 언제 어디서나 블로그 포스팅을 할 수 있다는 장점이 있습니다. 블로그에 글로 남겨두고 싶은 에피소드가 있다면 스마트폰으로 사진을 찍어 '네이버 블로그' 앱에서 바로 글을 쓰고 사진을 업로드할 수 있습니다. 또한 앱에서 간단한 사진편집 기능도 제공하고 있어 편리합니다.

무작정 따라하기

01 '네이버 블로그' 앱을 실행한 후 [≡]를 터치하고 '내블로그' 탭을 선택한 후 아래 그림과 같은 화면이 나타납니다. 블로그 글을 쓰기 위해 [✎]를 터치합니다.

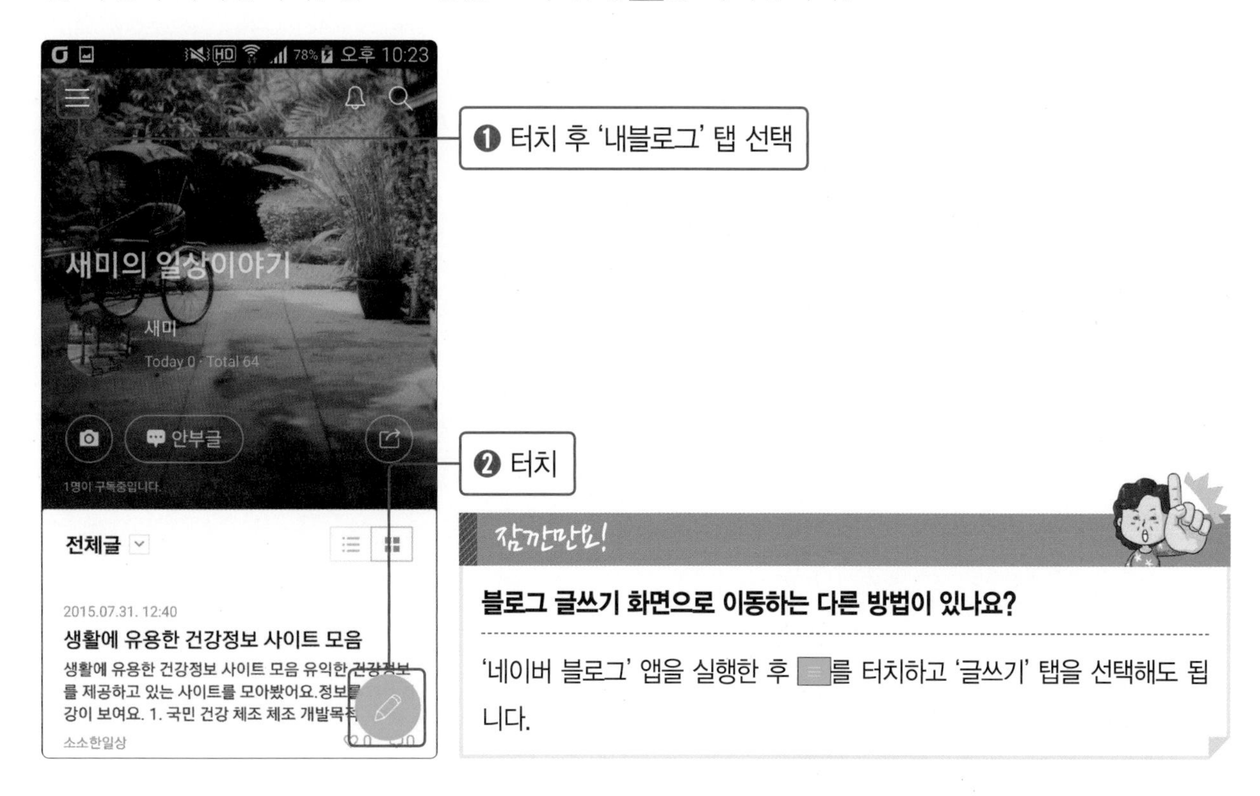

잠깐만요!

블로그 글쓰기 화면으로 이동하는 다른 방법이 있나요?

'네이버 블로그' 앱을 실행한 후 [≡]를 터치하고 '글쓰기' 탭을 선택해도 됩니다.

02 글쓰기 화면이 나타나면 화면에서 글쓰기 영역을 터치하여 글을 입력합니다. 글을 입력한 후 스마트폰으로 찍은 사진을 첨부하기 위해 [이미지 아이콘]을 터치합니다.

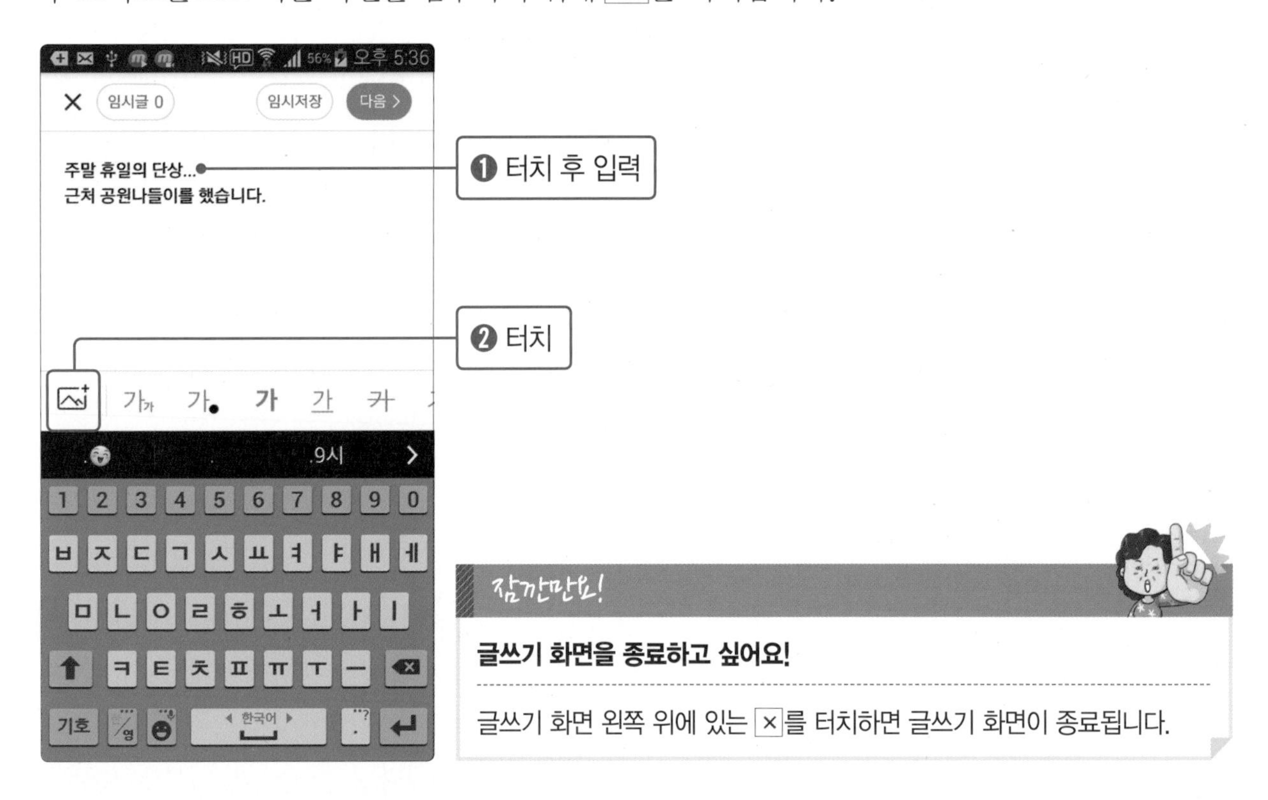

잠깐만요!

글쓰기 화면을 종료하고 싶어요!

글쓰기 화면 왼쪽 위에 있는 [×]를 터치하면 글쓰기 화면이 종료됩니다.

03 아래 그림과 같이 첨부 기능이 나타납니다. [카메라 아이콘]을 터치합니다.

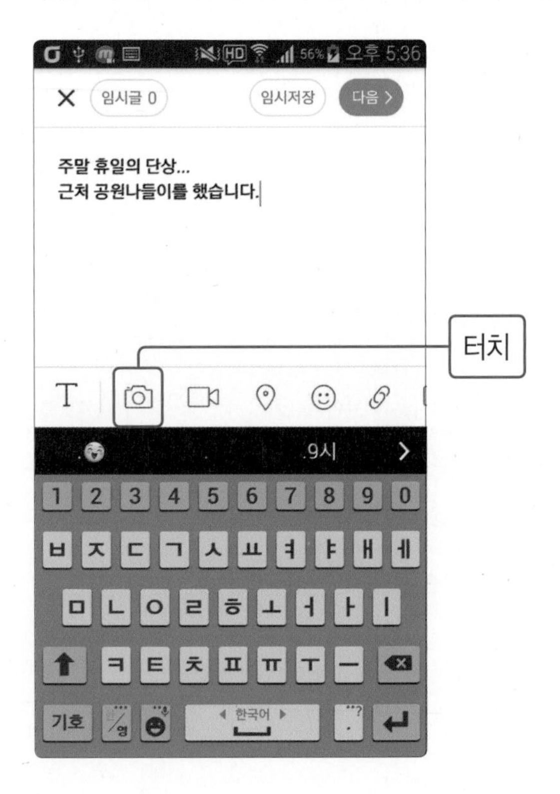

04 스마트폰에 저장된 사진들이 나타납니다. 블로그에 사용할 사진을 선택하고 ☑를 터치하세요.

05 **04**번 과정에서 선택한 사진이 글 아래에 첨부되었습니다. 이번에는 동영상을 첨부하겠습니다. 동영상을 삽입하기 위해 ▭◁을 터치하세요.

06 스마트폰에 저장된 동영상 목록이 나타나면 원하는 동영상을 선택한 후 [✓]를 터치합니다.

잠깐만요!

동영상을 첨부하였더니 사진 위에 동영상이 첨부되어 순서를 변경하고 싶어요!

첨부된 동영상을 누른 채로 사진 아래로 드래그하거나 사진을 누른 채로 동영상 위로 드래그하면 순서가 변경됩니다.

07 선택한 동영상이 사진 아래에 첨부됩니다. 동영상 하단을 터치하여 동영상에 대한 글을 입력합니다. 이번에는 위치를 삽입하기 위해 네이버 지도 서비스인 [⊙]를 터치합니다.

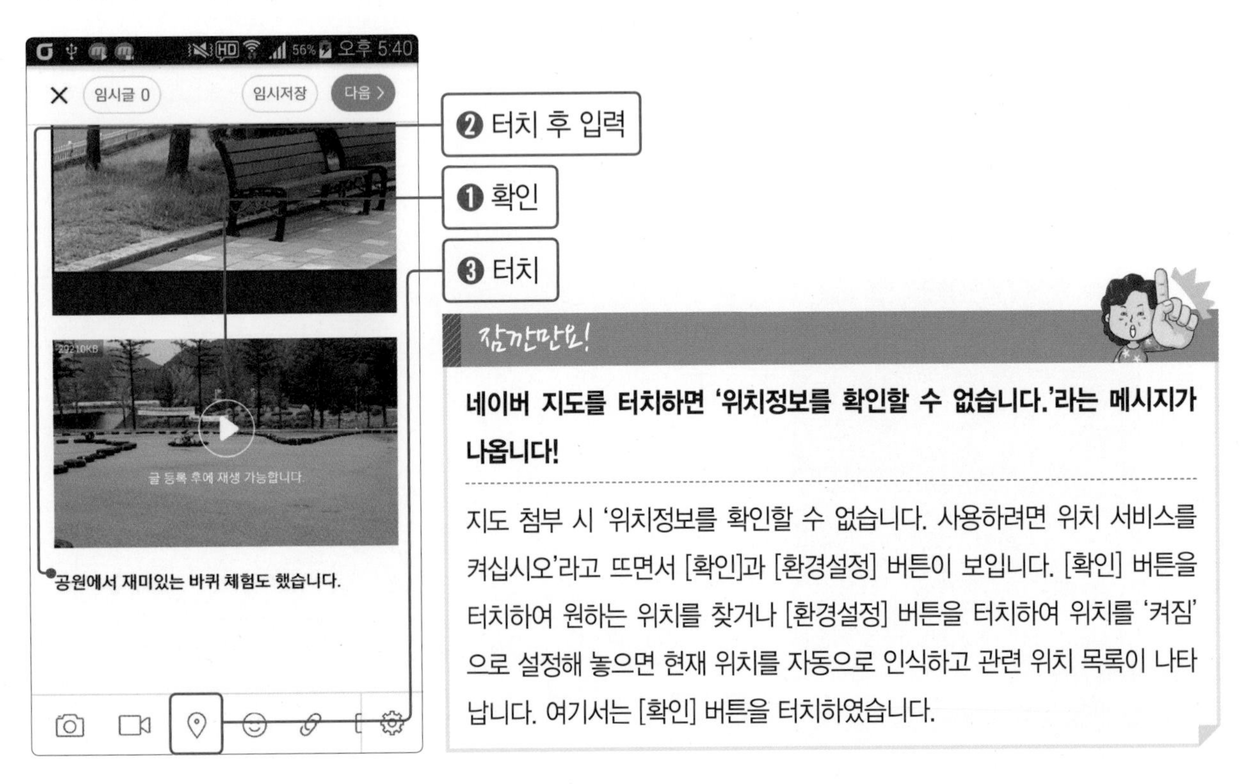

잠깐만요!

네이버 지도를 터치하면 '위치정보를 확인할 수 없습니다.'라는 메시지가 나옵니다!

지도 첨부 시 '위치정보를 확인할 수 없습니다. 사용하려면 위치 서비스를 켜십시오'라고 뜨면서 [확인]과 [환경설정] 버튼이 보입니다. [확인] 버튼을 터치하여 원하는 위치를 찾거나 [환경설정] 버튼을 터치하여 위치를 '켜짐'으로 설정해 놓으면 현재 위치를 자동으로 인식하고 관련 위치 목록이 나타납니다. 여기서는 [확인] 버튼을 터치하였습니다.

08 정확한 장소를 찾으려면 검색란을 터치한 후 위치명을 입력합니다. 검색된 결과에서 해당 위치를 터치하세요.

09 글쓰기 영역에 지도가 첨부됩니다. 이제 글을 등록하기 위해 [다음] 버튼을 터치하세요.

10 카테고리를 설정하고 글의 제목을 입력하는 화면이 나타납니다. 글이 등록될 카테고리를 설정하기 위해 '카테고리'를 터치합니다. 여기서는 '제주도여행'이라고 나타나지만 사용자가 설정한 내용에 따라 아래 그림과 다르게 나타날 수 있습니다.

11 '카테고리 선택' 화면에서 PC용 블로그에서 설정한 카테고리 목록이 나타납니다. 현재 작성 중인 글과 관련된 카테고리를 선택합니다. 여기서는 '소소한일상'을 선택하였으며 사용자 설정에 따라 아래 그림과 다르게 나타날 수 있습니다.

12 이번에는 글의 제목을 입력하겠습니다. 제목란을 터치한 후 글과 관련된 제목으로 입력합니다. 최종적으로 글을 등록하기 위해 [등록] 버튼을 터치합니다.

13 글 등록이 완료되었습니다. 이제 언제 어디서나 블로그 글을 쓰고 등록할 수 있을 것입니다.

06 스마트폰으로 포스팅한 내용 수정하기

스마트폰으로 포스팅을 한 후 수정이나 삭제하고 싶으면 먼저 수정하고자 하는 글을 열고 ⋮를 터치하면 됩니다. 이 기능은 수정 및 삭제와 더불어 글의 공감, 공유 기능 등 글을 다양한 영역으로 사용할 수 있도록 도와줍니다.

무작정 따라하기

01 먼저 수정하려는 글을 엽니다. 등록한 글을 수정하기 위해 글 상단 오른쪽에 있는 ⋮를 터치합니다. 목록에서 '수정하기'를 터치합니다.

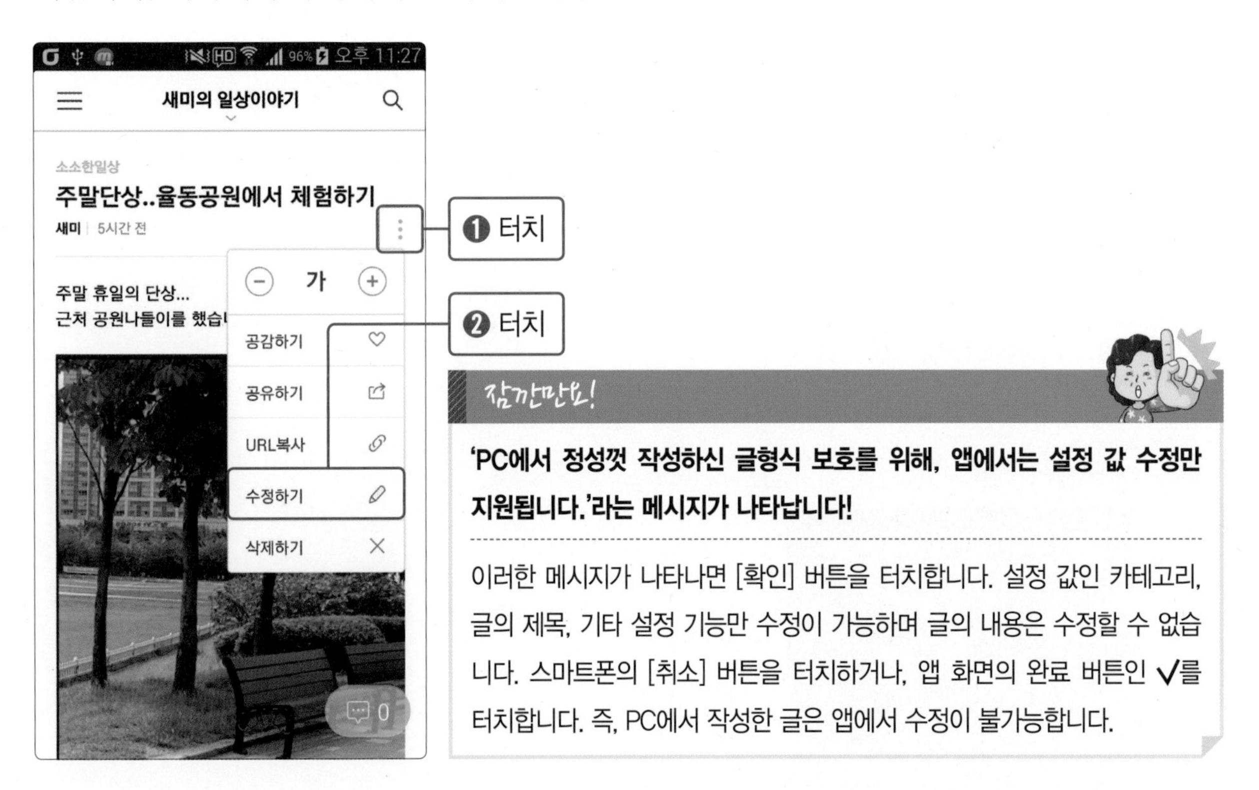

잠깐만요!

'PC에서 정성껏 작성하신 글형식 보호를 위해, 앱에서는 설정 값 수정만 지원됩니다.'라는 메시지가 나타납니다!

이러한 메시지가 나타나면 [확인] 버튼을 터치합니다. 설정 값인 카테고리, 글의 제목, 기타 설정 기능만 수정이 가능하며 글의 내용은 수정할 수 없습니다. 스마트폰의 [취소] 버튼을 터치하거나, 앱 화면의 완료 버튼인 ✓를 터치합니다. 즉, PC에서 작성한 글은 앱에서 수정이 불가능합니다.

02 글을 수정하고 싶으면 글 부분을 터치한 후 수정하면 되고, 첨부한 사진을 편집하거나 삭제하고 싶으면 사진을 한 번 터치하면 됩니다. 이미지를 삭제해보기 위해 '이미지 삭제'를 터치합니다.

03 위와 같은 방법으로 글에 첨부한 동영상이나 지도를 삭제하거나 편집할 수 있습니다.

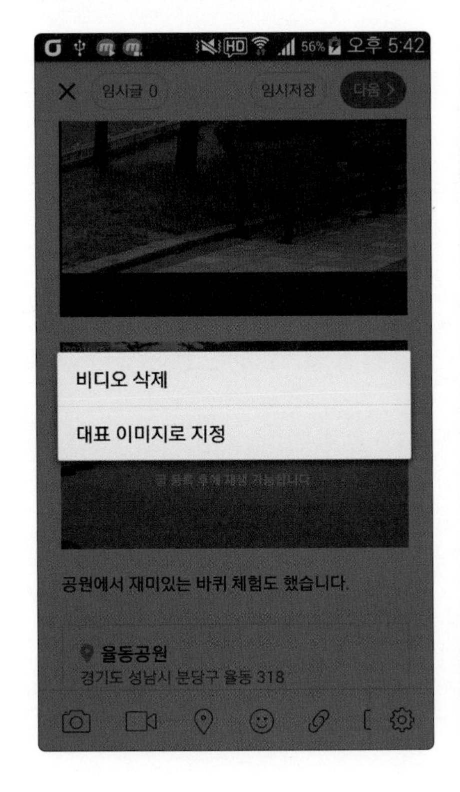

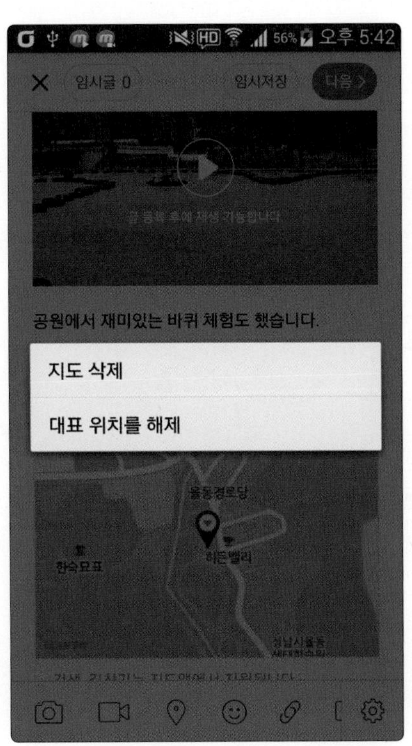

07 앱에서 이웃의 새 글과 덧글 확인하기

'네이버 블로그' 앱에는 새로운 소식이 있으면 알림을 보내는 실시간 푸시 알림 기능이 있습니다. 그래서 이웃이 올린 새 글과 내 블로그에 올라온 덧글 소식을 실시간으로 확인하고 답할 수 있습니다. 이런 기능들을 꾸준히 잘 활용하면 블로그를 활성하는 데 많은 도움이 됩니다.

무작정 따라하기

01 '네이버 블로그' 앱을 실행하면 시작 화면으로 '이웃새글'이 나타납니다. 화면을 위 아래로 이동하여 이웃이 새로 업데이트한 글 중에서 자세히 보고 싶은 글을 터치합니다.

02 선택한 이웃 블로그로 이동하며 해당 글이 나타납니다. 글을 읽은 후 공감을 표시하기 위해 '♡'을 터치합니다. 공감 지수의 숫자가 올라간 것을 확인할 수 있습니다. 글에 대한 덧글을 남기려면 [덧글 0]을 터치합니다.

03 화면 아래쪽에 '덧글을 입력하세요' 부분을 터치한 후 내용을 입력합니다.

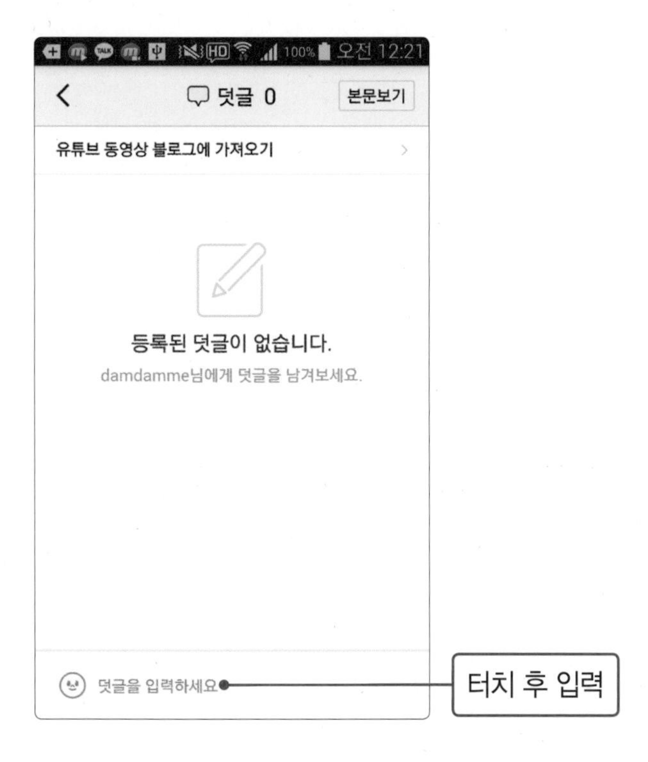

04 덧글 입력란을 터치한 후 덧글을 입력합니다. 여기서는 '좋은 정보 감사합니다.'라고 입력했습니다. 입력을 마쳤으면 [✓]을 터치하세요.

05 덧글이 입력된 것을 확인할 수 있습니다.

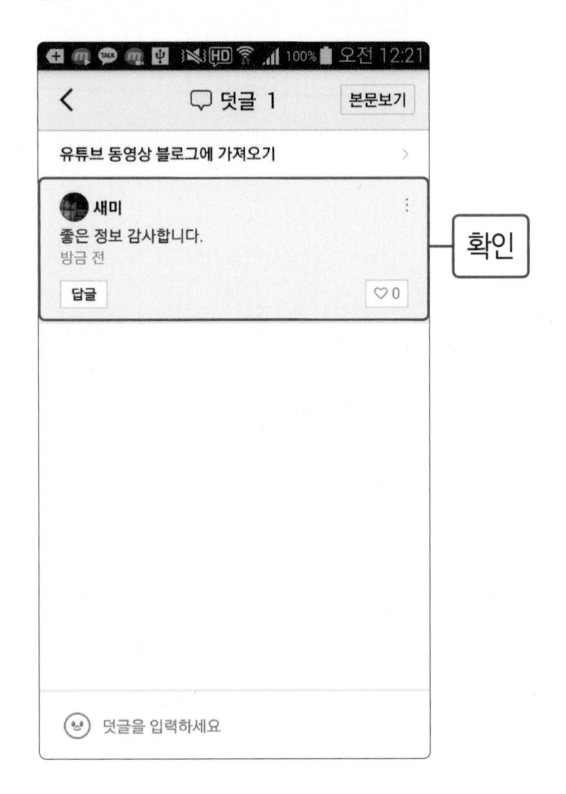

08 SNS를 통해 내 블로그 알리기

블로그에 글을 올리면 더 많은 사람들이 내 글을 봐주길 바라는 것은 누구나 같은 마음일 것입니다. 보통 블로그를 운영하다보면 방문자 수에 민감해지기도 하며 글을 아무리 올려도 와서 봐주는 사람이 없으면 블로그 활동이 뜸해지기도 합니다. 누군가 와서 봐주길 기다리지 말고 트위터, 페이스북 같은 SNS를 활용하거나 네이버 카페, 카카오스토리, 네이버 밴드, 카카오톡 등 다양한 경로를 활용하면 내 글을 더 많은 사람들에게 효과적으로 알릴 수 있게 됩니다. 다양한 SNS를 모두 익히고 활용하기는 어렵지만 우선, 관심을 갖고 할 수 있는 도구부터 활용하여 시작해보세요. 널리 알릴 수 있는 기능으로 '공유' 기능을 사용해봅니다.

무작정 따라하기

01 블로그에 등록한 글을 SNS에 공유하려면 먼저 공유할 글을 엽니다. 글 오른쪽의 ⋮를 터치합니다. '공유하기'를 터치합니다.

02 '공유하기' 창이 나타나면 해당 글을 공유할 SNS를 터치합니다. 여기서는 '카카오스토리'를 터치하여 선택했습니다.

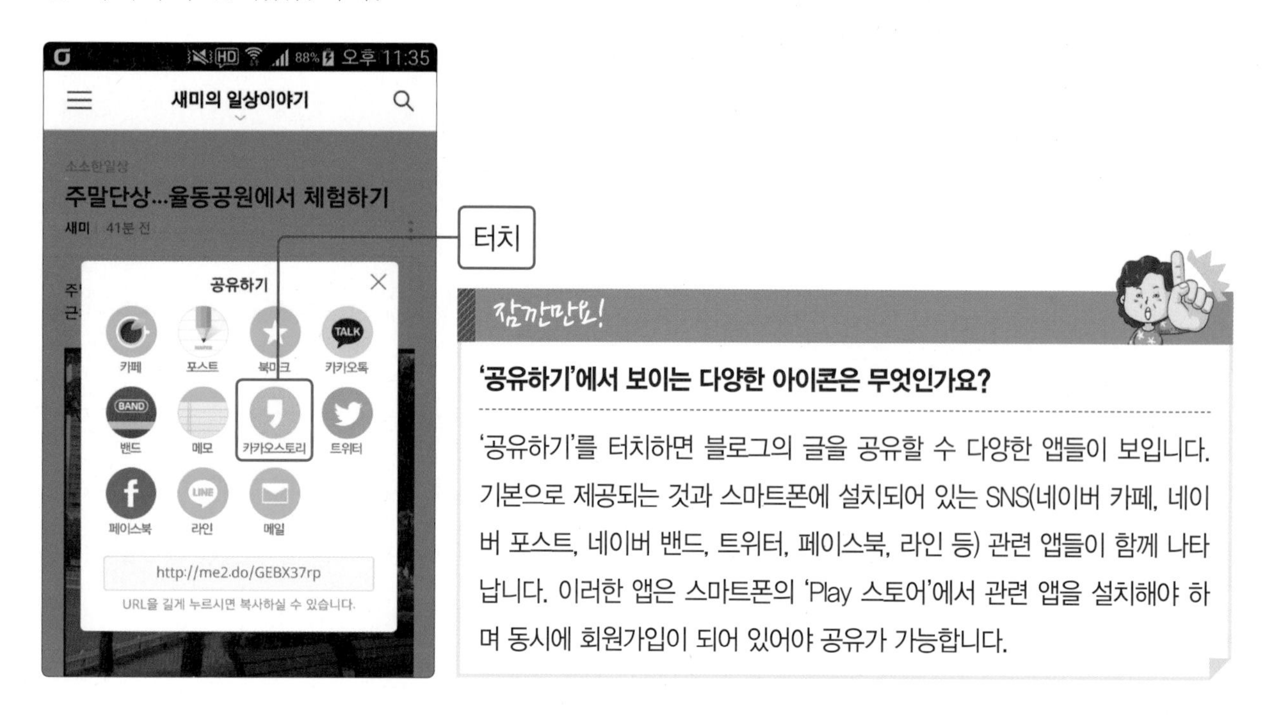

잠깐만요!

'공유하기'에서 보이는 다양한 아이콘은 무엇인가요?

'공유하기'를 터치하면 블로그의 글을 공유할 수 다양한 앱들이 보입니다. 기본으로 제공되는 것과 스마트폰에 설치되어 있는 SNS(네이버 카페, 네이버 포스트, 네이버 밴드, 트위터, 페이스북, 라인 등) 관련 앱들이 함께 나타납니다. 이러한 앱은 스마트폰의 'Play 스토어'에서 관련 앱을 설치해야 하며 동시에 회원가입이 되어 있어야 공유가 가능합니다.

03 '카카오스토리' 앱으로 연결되어 '글쓰기' 화면이 나타납니다. 블로그의 공유된 글의 제목과 출처, URL이 자동으로 삽입되며 글의 내용이 첨부됩니다. 상단의 [완료] 버튼을 터치하면 글 등록이 완료됩니다.

04 '카카오스토리'에 공유가 완료되면 다시 내 블로그의 글이 보입니다. '카카오스토리'에 공유된 글을 확인하기 위해 스마트폰의 홈 화면으로 이동합니다.

05 스마트폰의 홈 화면에서 '카카오스토리' 앱을 터치하여 실행합니다.

06 '카카오스토리' 앱으로 연결되어 '소식' 탭이 기본으로 보입니다. 공유한 글이 보이며 터치하여 자세한 내용을 확인할 수 있습니다. 공유한 글이 보이지 않는다면 '내스토리' 탭을 터치해 보세요. 다른 SNS 앱도 같은 방법으로 공유할 수 있습니다. 페이스북, 트위터 등은 회원가입이 필수입니다.

잠깐만요!

'카카오톡'으로 공유하는 방법을 살펴보세요!

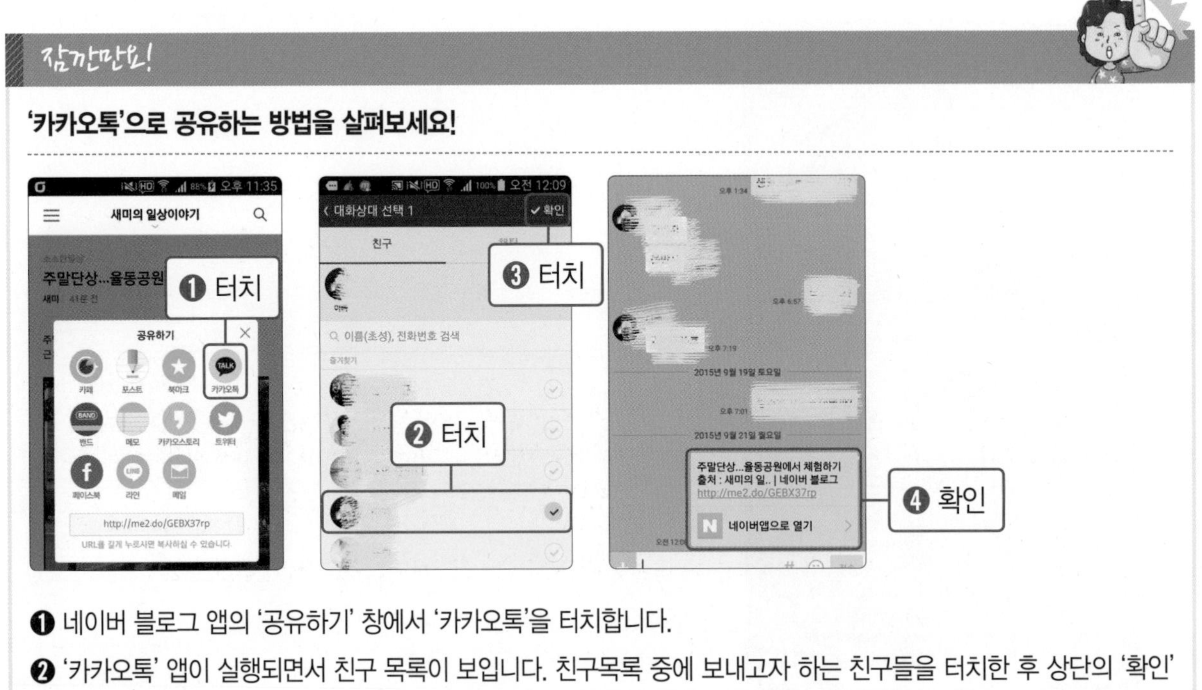

❶ 네이버 블로그 앱의 '공유하기' 창에서 '카카오톡'을 터치합니다.

❷ '카카오톡' 앱이 실행되면서 친구 목록이 보입니다. 친구목록 중에 보내고자 하는 친구들을 터치한 후 상단의 '확인'을 터치합니다.

❸ 블로그의 글이 공유되어 카카오톡으로 전송되었습니다.